TERRA EM CHAMAS

Obras do autor publicadas pela Editora Record

1356
Azincourt
O condenado
Stonehenge
O forte
Tolos e mortais

Trilogia *As Crônicas de Artur*

O rei do inverno
O inimigo de Deus
Excalibur

Trilogia *A Busca do Graal*

O arqueiro
O andarilho
O herege

Série *As Aventuras de um Soldado nas Guerras Napoleônicas*

O tigre de Sharpe (Índia, 1799)
O triunfo de Sharpe (Índia, setembro de 1803)
A fortaleza de Sharpe (Índia, dezembro de 1803)
Sharpe em Trafalgar (Espanha, 1805)
A presa de Sharpe (Dinamarca, 1807)
Os fuzileiros de Sharpe (Espanha, janeiro de 1809)
A devastação de Sharpe (Portugal, maio de 1809)
A águia de Sharpe (Espanha, julho de 1809)
O ouro de Sharpe (Portugal, agosto de 1810)
A fuga de Sharpe (Portugal, setembro de 1810)
A fúria de Sharpe (Espanha, março de 1811)
A batalha de Sharpe (Espanha, maio de 1811)
A companhia de Sharpe (Espanha, janeiro a abril de 1812)
A espada de Sharpe (Espanha, junho e julho de 1812)

Série *Crônicas Saxônicas*

O último reino
O cavaleiro da morte
Os senhores do norte
A canção da espada
Terra em chamas
Morte dos reis
O guerreiro pagão
O trono vazio
Guerreiros da tempestade
O Portador do Fogo
A guerra do lobo
A espada dos reis
O senhor da guerra

Série *As Crônicas de Starbuck*

Rebelde
Traidor
Inimigo
Herói

BERNARD CORNWELL

TERRA EM CHAMAS

Tradução de
ALVES CALADO

16ª edição

EDITORA RECORD
RIO DE JANEIRO • SÃO PAULO
2025

CIP-BRASIL. CATALOGAÇÃO NA FONTE
SINDICATO NACIONAL DOS EDITORES DE LIVROS, RJ

Cornwell, Bernard, 1944-
C835t Terra em chamas / Bernard Cornwell; tradução Alves Calado. – 16ª ed.
16ª ed. Rio de Janeiro: Record, 2025.
(As crônicas saxônicas; v.5)

Tradução de: The Burning Land
Continuação de: A canção da espada
ISBN 978-85-01-08998-4

1. Alfredo, rei da Inglaterra, 849-899 – Ficção. 2. Grã-Bretanha – História – Alfredo, 849 - 899. 3. Ficção histórica inglesa. I. Alves Calado, Ivanir, 1953-. II. Título. III. Série.

CDD: 823
10-0620 CDU: 812.111-3

Título original em inglês:
The Burning Land

Texto revisado segundo o Novo Acordo Ortográfico da Língua Portuguesa.

Impresso no Brasil

ISBN 978-85-01-08998-4

Terra em chamas
é para
Alan e Jan Rust

NOTA DE TRADUÇÃO

Mantive a grafia de muitas palavras como no original, e até mesmo deixei de traduzir algumas, porque o autor as usa intencionalmente num sentido arcaico, como *Yule* (que hoje em dia indica as festas natalinas, mas originalmente, e no livro, é um ritual pagão) ou *svear* (sueco). Além disso mantive como no original algumas denominações sociais, como *earl* (atualmente traduzido como "conde", mas o próprio autor o especifica como um título dinamarquês – mais tarde equiparado ao de conde, usado na Europa continental), *thegn*, *reeve*, e outros que são explicados na série de livros. Por outro lado, traduzi *lord* sempre como "senhor", jamais como lorde, que remete à monarquia inglesa posterior, e não à estrutura medieval. *Hall* foi traduzido ora como "castelo" e ora como "salão", na medida em que a maioria dos castelos da época era apenas um enorme salão de madeira coberto de palha, com uma plataforma elevada para a mesa dos comensais do senhor; o resto do espaço tinha o chão simplesmente forrado de juncos. *Britain* foi traduzido como Britânia (opção igualmente aceita, mas pouco usada) para não confundir com a Bretanha, no norte da França (*Brittany*), mesmo recurso usado na tradução da série *As crônicas de Artur*, do mesmo autor.

Sumário

Mapa

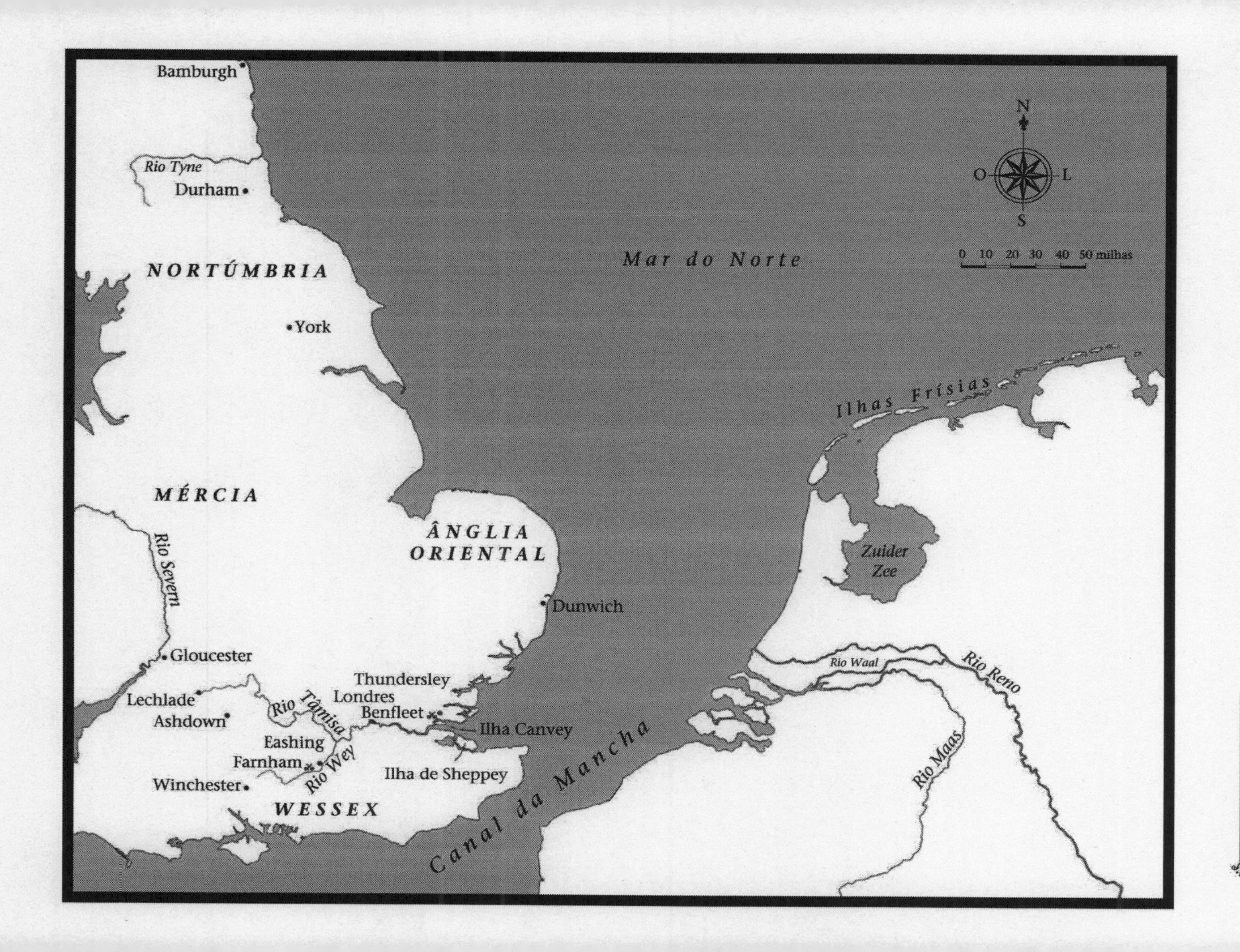

Bamburgh
Rio Tyne
Durham
NORTÚMBRIA
York
MÉRCIA
Rio Severn
Gloucester
Lechlade
Ashdown
Rio Tâmisa
Eashing
Farnham
Rio Wey
Winchester
WESSEX
Thundersley
Londres
Benfleet
Ilha Canvey
Ilha de Sheppey
ÂNGLIA ORIENTAL
Dunwich
Mar do Norte
N
O
L
S
0 10 20 30 40 50 milhas
Ilhas Frísias
Zuider Zee
Rio Waal
Rio Reno
Rio Maas
Canal da Mancha

Topônimos

A grafia dos topônimos na Inglaterra anglo-saxã era imprecisa, sem qualquer consistência ou concordância, nem mesmo quanto ao nome em si. Assim, Londres era grafado como Lundonia, Lundenberg, Lundenne, Lundene, Lundenwic, Lundenceaster e Lundres. Sem dúvida alguns leitores preferirão outras versões dos nomes listados abaixo, mas em geral empreguei a grafia citada no *Oxford Dictionary of English Place-Names* ou no mais recente *Cambridge Dictionary of English Place-Names* para os anos mais próximos ou contidos no reinado de Alfredo, entre 871 e 899 d.C., mas nem mesmo essa solução é à prova de erro. A ilha de Hayling, em 956, era grafada tanto como Heilincigae quanto como Hæglingaiggæ. E eu mesmo não fui consistente; preferi a grafia moderna Nortúmbria a Norõhymbralond para evitar a sugestão de que as fronteiras do antigo reino coincidiam com as do condado moderno. De modo que a lista, como as grafias em si, é resultado de um capricho.

Æsc's Hill	Ashdown, Berkshire
Æscengum	Eashing, Surrey
Æthelingæg	Athelney, Somerset
Beamfleot	Benfleet, Essex
Bebbanburg	Castelo de Bamburgh, Northumberland
Caninga	Ilha Canvey, Essex
Cent	Kent
Defnascir	Devonshire
Dumnoc	Dunwich, Suffolk (agora quase totalmente desaparecido sob o mar)

Dunholm	Durham, Condado de Durham
East Sexe	Essex
Eoferwic	York
Ethandun	Edington, Wiltshire
Exanceaster	Exeter, Devon
Farnea (ilhas)	Ilhas Farne, Northumberland
Fearnhamme	Farnham, Surrey
Fughelness	Ilha de Foulness, Essex
Gleawecestre	Gloucester, Gloucestershire
Godelmingum	Goldalming, Surrey
Hæthlegh	Hadleigh, Essex
Haithabu	Hedeby, sul da Dinamarca
Hocheleia	Hockley, Essex
Hothlege	Rio Hadleigh, Essex
Humbre	Rio Humbre
Hwealf	Rio Crouch, Essex
Lecelad	Lechlade, Gloucestershire
Liccelfeld	Lichfield, Staffordshire
Lindisfarena	Lindisfarne (Ilha Sagrada), Northumberland
Lundene	Londres
Sæfern	Rio Severn
Sceapig	Ilha de Sheppey, Kent
Silcestre	Silchester, Hampshire
Sumorsæte	Somerset
Suthriganaweorc	Southwark, Grande Londres
Temes	Rio Tâmisa
Thunresleam	Thundersley, Essex
Tinan	Rio Tyne
Torneie	Ilha Thorney, uma ilha que desapareceu — fica perto da estação de metrô West Drayton, próximo ao aeroporto de Heathrow
Tuede	Rio Tweed
Uisc	Rio Exe, Devonshire

WILTUNSCIR	Wiltshire
WINTANCEASTER	Winchester, Hampshire
YPPE	Epping, Essex
ZEGGE	Ilha frísia fictícia

A Família Real de Wessex

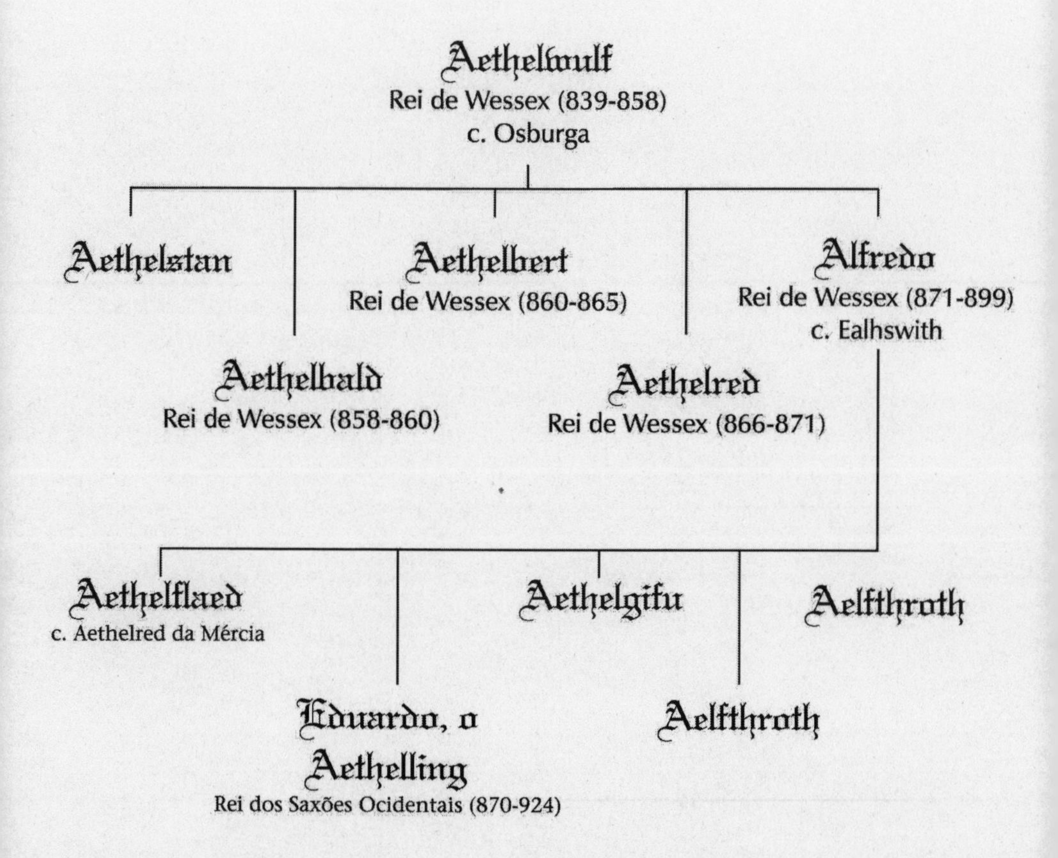

Primeira Parte

O comandante guerreiro

Um

Não faz muito tempo, estive num mosteiro. Esqueci onde, só sei que ficava nas terras que um dia foram a Mércia. Viajava para casa com uma dezena de homens num dia úmido de inverno, e tudo de que precisávamos era abrigo, comida e calor, mas os monges se comportaram como se um bando de nórdicos tivesse chegado ao seu portão. Uhtred de Bebbanburg estava dentro de suas muralhas, e tal é minha reputação que eles esperaram que eu começasse a trucidá-los.

— Só quero pão — consegui finalmente fazer com que entendessem —, queijo, se tiverem, e um pouco de cerveja. — Joguei dinheiro no piso do salão. — Pão, queijo, cerveja e uma cama quente. Nada mais!

Na manhã seguinte chovia como se o mundo fosse acabar, por isso esperei até que o pior do vento e do mau tempo tivessem passado. Percorri o mosteiro e finalmente me peguei num corredor úmido onde três monges de aparência miserável copiavam livros. Um monge mais velho, de cabelos brancos, rosto amargo e ressentido, os supervisionava. Usava uma estola de pele sobre o hábito e tinha um chicote de couro com o qual, sem dúvida, encorajava a dedicação dos três copistas.

— Eles não devem ser perturbados, senhor — ousou ele me censurar. Estava sentado num tamborete perto de um braseiro cujo calor não chegava aos três escribas.

— As latrinas não foram lambidas até ficar limpas — disse eu — e você parece ocioso.

Com isso, o monge mais velho ficou quieto. Olhei por cima dos ombros dos copistas que tinham os dedos sujos de tinta. Um deles, um rapaz de semblante preguiçoso com lábios gordos e uma papada mais gorda ainda, estava transcrevendo a vida de são Ciaran, texto que contava como um lobo, um texugo e uma raposa haviam ajudado o santo a construir uma igreja na Irlanda. E se o jovem monge acreditava nesse absurdo, era um idiota tão grande quanto aparentava ser. O segundo fazia alguma coisa útil copiando uma concessão de terras, mas com toda a probabilidade era bem provável que fosse uma falsificação. Os mosteiros têm o costume de inventar antigas concessões de terra, provando que algum rei antigo e esquecido concedeu uma rica propriedade à Igreja, obrigando assim o dono de direito a entregar o terreno ou pagar uma vasta quantia em compensação. Eles tentaram fazer isso comigo uma vez. Um padre trouxe os documentos e eu mijei neles, depois coloquei vinte guerreiros armados com espadas na terra sob disputa e mandei avisar ao bispo que ele podia ir pegá-la quando quisesse. O que ele nunca fez. As pessoas contam aos filhos que o sucesso está em trabalhar duro e ser frugal, mas isso é tão absurdo quanto supor que um texugo, uma raposa e um lobo possam construir uma igreja. O caminho para a riqueza é se tornar bispo cristão ou abade de mosteiro, e assim ser imbuído com a permissão do céu para mentir, enganar e roubar, abrindo caminho para o luxo.

O terceiro rapaz copiava uma crônica. Empurrei sua pena de lado para ver o que ele havia escrito.

— Sabe ler, senhor? — perguntou o monge velho. Ele tentou fazer com que parecesse uma indagação inocente, mas o sarcasmo era inconfundível.

— "Este ano" — li em voz alta — "os pagãos vieram de novo a Wessex, em grande força, uma horda como jamais fora vista, e devastaram todas as terras, provocando grande perturbação ao povo de Deus que, pela graça de Nosso Senhor Jesus Cristo, foi salvo pelo senhor Æthelred da Mércia que trouxe seu exército a Fearnhamme, onde destruiu completamente os ímpios." — Cutuquei o texto com um dedo. — Em que ano isso aconteceu? — perguntei ao copista.

— No ano 892 de nosso Senhor — disse ele, nervoso.

— Mas o que é isso? — perguntei folheando as páginas do pergaminho do qual ele copiava.

— São anais — respondeu pelo rapaz o monge idoso. — Os Anais da Mércia. É o único exemplar, senhor, e estamos fazendo outro.

Olhei a página recém-escrita.

— Æthelred salvou a Mércia? — perguntei indignado.

— Foi assim — disse o velho monge. — Com a ajuda de Deus.

— De Deus? — rosnei. — Foi com a minha ajuda! Eu travei aquela batalha, não Æthelred! — Nenhum dos monges falou. Apenas ficaram me olhando. Um dos meus homens entrou no fim da passagem junto ao claustro e se encostou ali, com um riso na boca desdentada. — Eu estive em Fearnhamme! — acrescentei, em seguida peguei o único exemplar dos Anais da Mércia e virei as páginas rígidas. Æthelred, Æthelred, Æthelred, e nenhuma menção a Uhtred, praticamente nenhuma menção a Alfredo, nem a Æthelflæd, só Æthelred. Fui até a página que contava os eventos ocorridos depois de Fearnhamme. — "E este ano" — li em voz alta —, "pela graça de Deus, o senhor Æthelred e o *ætheling* Eduardo comandaram os homens da Mércia até Beamfleot, onde Æthelred realizou um grande saque e trucidou os pagãos." — Olhei para o monge mais velho. — Æthelred e Eduardo comandaram aquele exército?

— É o que está dito, senhor — respondeu ele nervoso, sem o ar de desafio mostrado antes.

— Eu os comandei, seu desgraçado — respondi. Em seguida peguei as páginas copiadas e levei-as, juntamente com os anais originais, para o braseiro.

— Não! — protestou o velho.

— São mentiras — disse eu.

Ele levantou a mão, tentando me aplacar.

— Durante quarenta anos, senhor — disse ele com humildade —, esses registros foram compilados e preservados. São a história de nosso povo! Este é o único exemplar!

— São mentiras — repeti. — Eu estava lá. Estive na colina em Fearnhamme e no fosso em Beamfleot. Você esteve lá?

— Eu era apenas uma criança, senhor — respondeu ele.

O sujeito deu um berro aparvalhado quando joguei os manuscritos no braseiro. Tentou salvar os pergaminhos, mas empurrei sua mão para longe.

— Eu estava lá — repeti, olhando para as folhas que iam enegrecendo, enrolando-se e estalando antes que o fogo chamejasse luminoso nas bordas. — Eu estava lá.

— O trabalho de quarenta anos! — disse o velho monge, incrédulo.

— Se quiser saber o que aconteceu — respondi — vá me procurar em Bebbanburg e contarei a verdade.

Eles nunca vieram. Claro que não vieram.

Mas eu estive em Fearnhamme, e isso era só o começo da história.

Dois

Manhã. Eu era jovem e o mar, um rebrilho de prata e rosa sob tufos de névoa que obscureciam o litoral. Ao sul ficava Cent, ao norte, a Ânglia Oriental, e atrás de mim, Lundene; adiante o sol se levantava para dourar as poucas nuvens pequenas que se estendiam pelo céu luminoso do alvorecer.

Estávamos no estuário do Temes. Meu navio, o *Seolferwulf*, era recém-construído e fazia água, como acontece com as embarcações novas. Artesãos frísios o haviam construído com tábuas de carvalho de um tom claro incomum, de onde vinha seu nome, *Lobo de Prata*. Atrás de mim estavam o *Kenelm*, batizado pelo rei Alfredo em homenagem a algum santo assassinado, e o *Viajante-Dragão*, um navio que havíamos tomado dos dinamarqueses. O *Viajante-Dragão* era uma beleza, construído como só os dinamarqueses sabiam fazer. Um matador elegante, de manejo dócil, porém mortal em batalha.

O *Seolferwulf* também era uma beleza: de quilha comprida, boca extrema larga e proa alta. Eu havia pagado por ele, entregava o ouro aos construtores frísios e observava enquanto as costelas do navio cresciam, as tábuas formavam uma pele e a proa orgulhosa se erguia acima da rampa do estaleiro. Nessa proa ficava uma cabeça de lobo esculpida em carvalho e pintada de branco, com uma língua vermelha para fora, olhos vermelhos e presas amarelas. O bispo Erkenwald, que governava Lundene, me repreendera, dizendo que eu deveria ter dado ao navio o nome de algum santo cristão maricas, e me dera de presente um crucifixo que queria que eu pregasse ao mastro do *Seolferwulf*. Em vez disso queimei o deus de madeira e sua cruz e misturei as cinzas a maçãs amassadas que dei para minhas duas porcas comerem. Eu cultuava Tor.

Naquela manhã distante em que eu ainda era jovem, remamos para o leste no mar rosa e prata. Minha proa com cabeça de lobo estava enfeitada com um ramo de carvalho cheio de folhas, para mostrar que não pretendíamos fazer mal aos inimigos, mas meus homens ainda vestiam cota de malha e tinham escudos e armas perto dos remos. Finan, meu segundo em comando, estava agachado perto de mim na plataforma da direção e ouvia entretido o padre Willibald, que falava demais.

— Outros dinamarqueses receberam a misericórdia de Cristo, senhor Uhtred — disse ele. O padre vinha arengando esse absurdo desde que havíamos saído de Lundene, mas eu suportava aquilo porque gostava de Willibald. Ele era um homem disposto, trabalhador e alegre. — Com a ajuda de Deus — continuou — vamos espalhar a luz de Cristo entre aqueles pagãos!

— Por que os dinamarqueses não mandam missionários para nós? — perguntei.

— Deus impede, senhor — respondeu Willibald. Seu companheiro, um padre cujo nome esqueci há muito, assentiu sério com a cabeça.

— Talvez eles tenham coisa melhor a fazer, não é? — sugeri.

— Se os dinamarqueses tiverem ouvidos de escutar — garantiu Willibald — receberão a mensagem de Deus com júbilo e satisfação!

— Você é um bobo, padre — disse eu, com carinho. — Sabe quantos missionários de Alfredo foram trucidados?

— Todos devemos estar preparados para o martírio, senhor — respondeu Willibald, ainda que ansioso.

— Suas tripas sacerdotais são abertas — falei pensativo —, os olhos são arrancados, os bagos retalhados e as línguas cortadas. Lembra-se daquele monge que encontramos em Yppe? — perguntei a Finan. Finan era um fugitivo da Irlanda, onde fora criado como cristão, mas sua religião era tão emaranhada com mitos nativos que mal poderia ser reconhecida como a mesma fé que Willibald pregava. — Como aquele coitado morreu?

— Esfolaram o pobre coitado ainda vivo.

— Começando pelos dedos dos pés?

— Simplesmente foram puxando a pele devagarzinho — disse Finan — e deve ter levado horas.

— Eles não puxaram a pele — discordei. — Não se pode puxar a pele de um homem como a gente faz com um cordeiro.

— É verdade — concordou Finan. — A gente tem de arrancar. É preciso muita força!

— Ele era um missionário — informei a Willibald.

— E um mártir abençoado — acrescentou Finan, alegre. — Mas eles devem ter ficado entediados, porque no fim acabaram com ele. Usaram uma serra de árvores na barriga do sujeito.

— Provavelmente um machado — disse eu.

— Não, foi uma serra, senhor — insistiu Finan, rindo. — E com dentes enormes. Cortaram ele ao meio. — O padre Willibald, que sempre fora um mártir do enjoo marítimo, cambaleou até a amurada.

Viramos o navio para o sul. O estuário do Temes é um lugar traiçoeiro, cheio de bancos de lama e marés fortes, mas eu vinha patrulhando essas águas havia cinco anos e mal precisava procurar meus marcos enquanto remávamos para o litoral de Sceapig. E ali, à minha frente, esperando entre dois navios encalhados, estava o inimigo: os dinamarqueses. Devia haver cem homens ou mais, todos com cotas de malha, todos com elmos e todos com armas brilhantes.

— Poderíamos trucidar a tripulação inteira — sugeri a Finan. — Temos homens suficientes.

— Nós concordamos em chegar em paz! — protestou o padre Willibald, enxugando a boca com a manga.

Tínhamos concordado, mesmo, e fizemos isso.

Ordenei que o *Kenelm* e o *Viajante-Dragão* ficassem perto do litoral lamacento enquanto levávamos o *Seolferwulf* para a lama que formava um aclive suave entre os dois barcos dinamarqueses. A proa do *Seolferwulf* fez um som sibilante à medida que diminuía a velocidade e parava. Agora estava firmemente encalhado, mas a maré vinha subindo, de modo que o navio estava seguro por um tempo. Pulei da proa, fazendo espirrar a lama funda e encharcada, depois vadeei até o terreno mais firme onde os inimigos esperavam.

— Senhor Uhtred — cumprimentou o líder dos dinamarqueses. Ele riu e abriu os braços. Era um sujeito atarracado, de cabelos dourados e queixo quadrado. A barba estava feita com cinco tranças grossas presas com fivelas de prata. Os antebraços brilhavam com argolas de ouro e prata, e mais ouro enfeitava o cinturão de onde pendia uma espada de lâmina grossa. Ele parecia próspero, o que era, e algo no jeito franco de seu semblante o fazia parecer digno de confiança, o que não era. — Estou felicíssimo em vê-lo — disse ele, ainda sorrindo. — Meu velho e precioso amigo.

— *Jarl* Haesten — respondi, dando-lhe o título que ele gostava de usar, ainda que na minha mente Haesten não passasse de um pirata. Eu o conhecia havia anos. Tinha salvado sua vida uma vez, o que foi um trabalho ruim, e a partir daquele dia eu vinha tentando matá-lo, embora ele sempre conseguisse se esgueirar para longe. Escapara de mim cinco anos antes e, desde então, eu ouvira dizer como ele vinha fazendo ataques penetrando fundo na Frankia. Lá havia acumulado prata, gerado outro filho na mulher e atraído seguidores. Agora trouxera oitenta navios a Wessex.

— Eu esperava que Alfredo mandasse o senhor — disse Haesten, estendendo a mão.

— Se Alfredo não tivesse ordenado que eu viesse em paz — respondi, pegando a mão — eu cortaria essa sua cabeça agora mesmo.

— O senhor late muito — disse ele, achando divertido —, mas quanto mais alto late o cão, mais fraca é a mordida.

Deixei isso passar. Não tinha vindo para lutar, e sim para cumprir a ordem de Alfredo, que era levar missionários a Haesten. Meus homens ajudaram Willibald e seu companheiro a descer, depois os dois pararam ao meu lado e sorriram nervosos. Os dois padres falavam dinamarquês, motivo pelo qual haviam sido escolhidos. Eu também tinha trazido a Haesten uma mensagem enfeitada com um tesouro, mas ele fingiu indiferença, insistindo que eu o acompanhasse ao seu acampamento antes que o presente de Alfredo fosse entregue.

Sceapig não era o principal acampamento de Haesten; aquele ficava a alguma distância, a leste, onde seus oitenta navios estavam atracados numa praia protegida por um forte recém-construído. Ele não quisera me convidar àquela fortaleza, por isso insistira que os enviados de Alfredo o encontrassem em meio ao descampado de Sceapig que, mesmo no verão, é um lugar de poços úmidos, capim azedo e pântanos escuros. Tinha chegado dois dias antes e fizera um forte grosseiro cercando um trecho de terreno elevado com uma cerca emaranhada de espinheiros, dentro da qual erguera duas tendas de lona.

— Vamos comer, senhor — convidou-me pomposo, indicando uma mesa de cavaletes rodeada por uma dúzia de bancos. Finan, dois outros guerreiros e os dois padres me acompanharam, mas Hasten insistiu que os padres não se sentassem à mesa. — Não confio nos magos cristãos — explicou ele —, por isso eles podem se agachar no chão. — A comida era cozido de peixe e pão duro como pedra, servido por escravas seminuas que não passavam dos 14 ou 15 anos e eram todas saxãs.

Haesten estava humilhando as garotas como um modo de me provocar, enquanto observava minha reação.

— Elas são de Wessex? — perguntei.

— Claro que não — disse ele, fingindo se ofender com a pergunta. — Peguei-as na Ânglia Oriental. Quer uma delas, senhor? Olhe, aquela pequena tem seios firmes como maçãs!

Perguntei à garota com seios de maçãs onde ela fora capturada, e ela simplesmente balançou a cabeça idiotamente, assustada demais para responder. Serviu-me cerveja adoçada com frutas vermelhas.

— De onde você é? — perguntei de novo.

Haesten olhou para a garota, deixando o olhar se demorar nos seios.

— Responda ao senhor — disse ele em inglês.

— Não sei, senhor — respondeu ela.

— Wessex? — perguntei. — Ânglia Oriental? Onde?

— Uma aldeia, senhor — disse ela. E como era só isso que sabia, dispensei-a.

— Sua mulher está bem? — perguntou Haesten, olhando a garota se afastar.

— Está.

— Fico feliz — disse ele de modo bastante convincente, em seguida seus olhos astutos pareceram satisfeitos. — Então qual é a mensagem de seu senhor para mim? — perguntou, pondo uma colherada de caldo de peixe na boca e fazendo-o pingar na barba.

— Você tem de sair de Wessex — respondi.

— Tenho de sair de Wessex! — Ele fingiu estar chocado e acenou para os pântanos desolados. — Por que alguém iria querer deixar tudo isso, senhor?

— Você tem de sair de Wessex — falei com teimosia —, concordar em não invadir a Mércia, dar dois reféns ao meu rei e aceitar seus missionários.

— Missionários! — disse Haesten, apontando a colher de chifre para mim. — Ora, não pode aprovar isso, senhor Uhtred! Pelo menos o senhor cultua os deuses verdadeiros. — Ele se virou no banco e olhou para os dois padres. — Acho que vou matá-los.

— Faça isso e eu sugo seus olhos para fora da cara.

Ele escutou o veneno em minha voz e ficou surpreso. Vi um clarão de ofensa em seus olhos, mas ele manteve a voz calma.

— Virou cristão, senhor?

— O padre Willibald é meu amigo — respondi.

— Deveria ter dito — reprovou ele. — Assim eu não teria brincado. Claro que eles viverão, e até podem pregar para nós, mas não conseguirão nada. Então Alfredo me instrui a levar meus navios embora?

— Para longe — respondi.

— Mas para onde? — perguntou ele com inocência fingida.

— Frankia? — sugeri.

— Os francos me pagaram para deixá-los em paz. Até construíram navios para apressar nossa partida! Alfredo vai construir navios para nós?

— Você vai sair de Wessex — disse eu, inflexível. — Vai deixar a Mércia intocada, aceitar missionários e dar reféns a Alfredo.

— Ah — sorriu Haesten. — Os reféns. — Ele me encarou por alguns instantes, depois pareceu esquecer a questão dos reféns e acenou na direção do mar. — E para onde vamos?

— Alfredo está pagando para vocês saírem de Wessex. Para onde vão não é da minha conta, mas que seja muito longe do alcance da minha espada.

Haesten gargalhou.

— Sua espada, senhor, enferruja na bainha. — Ele apontou um polegar por cima do ombro, em direção ao sul. — Wessex queima — disse com prazer — e Alfredo deixa você dormir. — Ele estava certo. Longe, ao sul, enevoadas no sol de verão, havia piras de fumaça de mais de uma dúzia de aldeias em chamas, e essas colunas de fumaça eram as que eu podia ver. Eu sabia que havia mais. O leste de Essex estava sendo devastado e, em vez de convocar minha ajuda para ajudar a repelir os invasores, Alfredo tinha ordenado que eu ficasse em Lundene para proteger aquela cidade contra ataques. Haesten riu. — Será que Alfredo acha que o senhor está velho demais para lutar?

Não respondi à provocação. Olhando para trás, me vejo jovem na época, mas devia ter 35 ou 36 anos naquele ano. A maioria dos homens não vive tanto, mas tive sorte. Não havia perdido nada da habilidade com a espada nem da força, mancava ligeiramente por causa de um velho ferimento de batalha, mas também tinha o mais dourado de todos os atributos de um guerreiro: a reputação. Mesmo assim Haesten sentia-se livre para me irritar, sabendo que eu chegara a ele como suplicante.

Chegara como suplicante porque duas frotas dinamarquesas haviam desembarcado em Cent, a parte mais a leste de Wessex. A frota de Haesten era a menor, e até agora ele se contentara em construir sua fortaleza e deixar que seus homens atacassem apenas o suficiente para conseguir comida e alguns escravos. Até havia deixado os barcos do Temes incólumes. Não queria uma luta com Wessex, ainda não, pois estava esperando ver o que acontecia ao sul, onde outra frota viking, muito maior, havia chegado.

O *jarl* Harald Cabelo de Sangue havia trazido mais de duzentos navios cheios de homens famintos, e seu exército atacara um *burh* construído pela metade e trucidara os homens dentro dele. Agora seus guerreiros se espalhavam por Cent, queimando e matando, escravizando e roubando. Foram os homens de Harald que haviam manchado o céu com fumaça. Alfredo tinha marchado contra os dois invasores. Agora o rei estava velho e cada vez mais doente, por isso suas tropas supostamente eram comandadas por seu genro, o senhor Æthelred da Mércia, e pelo *ætheling* Eduardo, filho mais velho de Alfredo.

E eles não tinham feito nada. Haviam colocado homens na grande encosta coberta de árvores no centro de Cent, de onde poderiam atacar em direção ao norte, contra Haesten, ou ao sul, contra Harald, e então tinham ficado imóveis, presumivelmente com medo de que, se atacassem um exército dinamarquês, o outro atacaria sua retaguarda. Assim, convencido de que os inimigos eram poderosos demais, Alfredo tinha me mandado para convencer Haesten a sair de Wessex. O rei deveria ter ordenado que eu comandasse minha guarnição contra Haesten, permitindo que eu encharcasse os pântanos com sangue dinamarquês, mas em vez disso fui instruído a suborná-lo. Se Haesten fosse embora, pensava o rei, seu exército poderia cuidar dos guerreiros selvagens de Harald.

Haesten usou um espinho para palitar os dentes. Por fim tirou um pedaço de peixe.

— Por que seu rei não ataca Harald? — perguntou.

— Você gostaria disso.

Ele riu.

— Sem Harald — admitiu ele — e sem aquela puta rançosa dele, um bocado de tripulantes se juntaria a mim.

— Puta rançosa?

Ele riu, satisfeito por saber algo que eu não sabia.

— Skade — respondeu sem emoção.

— A mulher de Harald?

— A mulher, a puta, a amante, a feiticeira dele.

— Nunca ouvi falar.

— Vai ouvir — garantiu ele. — E se a vir, amigo, você vai desejá-la. Mas aquela mulher vai pregar seu crânio na empena do castelo dela, se puder.

— Você já a viu? — perguntei, e ele confirmou com a cabeça. — Você a desejou?

— Harald é impulsivo — disse ele, ignorando minha pergunta. — E Skade vai instigá-lo a fazer alguma coisa idiota. Quando isso acontecer, muitos homens dele vão procurar outro senhor. — Ele deu um sorriso maroto. — Com mais cem navios eu poderia ser rei de Wessex em um ano.

— Vou contar a Alfredo — disse eu. — E talvez isso o convença a atacá-lo primeiro.

— Ele não vai me atacar — respondeu Haesten, cheio de confiança. — Se partir contra mim, vai liberar os homens de Harald para se espalhar por toda Wessex.

Era verdade.

— Então por que ele não ataca Harald? — perguntei.

— Você sabe por quê.

— Diga-me.

Ele fez uma pausa, imaginando se deveria revelar tudo o que sabia, mas não pôde resistir a se gabar do seu conhecimento. Usou o espinho para riscar uma linha na madeira da mesa, depois fez um círculo dividido ao meio pela linha.

— O Temes — disse ele, batendo na linha. — Lundene — indicou o círculo. — Você está em Lundene com mil homens, e atrás de você — ele bateu mais alto no Temes — o senhor Aldhelm tem quinhentos mércios. Se Alfredo atacar Harald, vai querer que os homens de Aldhelm e os seus se desloquem para o sul, e isso deixará a Mércia escancarada para ser atacada.

— Quem atacaria a Mércia? — perguntei com inocência.

— Os dinamarqueses da Ânglia Oriental? — sugeriu Haesten, com igual inocência. — Eles só precisam de um líder corajoso.

— E o nosso acordo insiste que você não invada a Mércia.

— De fato — disse Haesten com um sorriso. — Só que ainda não temos acordo.

Mas tínhamos. Eu deveria entregar o *Viajante-Dragão* a Haesten, e em seu bojo estavam seis baús reforçados com ferro, cheios de prata. Esse era o preço. Em troca do navio e da prata, Haesten prometeu deixar Wessex e ignorar a Mércia. Também concordou em aceitar missionários e me deu dois garotos como reféns. Disse que um era seu sobrinho, e poderia ser verdade. O outro garoto era mais novo e vestia linho fino com um rico broche de ouro. Era um garoto bonito, com cabelos louros brilhantes e olhos azuis ansiosos. Haesten ficou atrás do garoto e pôs as mãos nos ombros pequenos.

— Este, senhor — disse com reverência —, é meu filho mais velho, Horic. Eu o entrego como refém. — Haesten fez uma pausa e pareceu fungar para afastar uma lágrima. — Eu o entrego como refém, senhor, para demonstrar boa vontade, mas imploro que cuide do menino. Eu o amo demais.

Olhei para Horic.

— Quantos anos você tem? — perguntei.

— Ele tem 7 anos — respondeu Haesten, dando um tapinha no ombro de Horic.

— Deixe-o responder — insisti. — Quantos anos você tem?

O menino fez um som gutural e Haesten se agachou para abraçá-lo.

— Ele é surdo-mudo, senhor Uhtred. Os deuses determinaram que meu filho fosse surdo e mudo.

— Os deuses determinaram que você fosse um desgraçado mentiroso — disse eu a Haesten, mas baixo demais para que seus seguidores não ouvissem nem se ofendessem.

— E se eu for? — perguntou ele, achando divertido. — E se eu for? E se eu disser que esse menino é meu filho, quem irá provar que não é?

— Você vai embora de Wessex? — perguntei.

— Cumprirei o acordo — prometeu ele.

Fingi acreditar. Tinha dito a Alfredo que Haesten não era de confiança, mas Alfredo estava desesperado. Alcançaria a velhice, via a sepultura não muito longe e queria Wessex livre dos odiados pagãos. Assim, paguei com a prata, peguei os reféns e, sob um céu que já escurecia, remei de volta para Lundene.

Lundene foi construída num lugar onde o chão se ergue em degraus gigantes afastando-se do rio. Há um terraço depois do outro, subindo até o nível mais alto, onde os romanos construíram seus prédios mais grandiosos, alguns dos quais ainda estavam de pé, embora tristemente decadentes, remendados com pau a pique e mostrando as cascas de ferida que eram as cabanas cobertas de palha que nós, saxões, produzíamos.

Naqueles dias Lundene fazia parte da Mércia, ainda que esta estivesse como os grandiosos prédios romanos, um tanto decaída. A Mércia também tinha suas cascas de ferida, que eram os chefes dinamarqueses estabelecidos em suas terras férteis. Meu primo Æthelred era o principal *ealdorman* da Mércia, seu suposto governante, mas era mantido em rédea curta por Alfredo de Wessex, que se certificava de que seus próprios homens controlassem Lundene. Eu comandava essa guarnição enquanto o bispo Erkenwald governava todo o resto.

Hoje, claro, ele é conhecido como são Erkenwald, mas me lembro dele como uma fuinha azeda. Era eficiente, isso admito, e a cidade era bem governada em seu tempo, mas seu ódio implacável contra todos os pagãos o tornava meu inimigo. Eu cultuava Tor, de modo que, para ele, eu era maligno, mas também necessário. Eu era o guerreiro que protegia sua cidade, o pagão que mantinha os ímpios dinamarqueses a distância já havia cinco anos, o homem que deixava as terras ao redor de Lundene em segurança para que Erkenwald pudesse cobrar seus impostos.

Agora eu me encontrava no degrau mais alto de uma casa romana construída no mais elevado terraço de Lundene. O bispo Erkenwald estava à minha direita. Era muito mais baixo do que eu, como a maioria dos homens, no entanto minha altura o incomodava. Um bando de padres manchados de tinta, pálidos e nervosos, estava reunido nos degraus abaixo, ao passo que Finan, meu guerreiro irlandês, permanecia à minha direita. Todos olhávamos para o sul.

Víamos a mistura de tetos de palha e telhas que cobrem Lundene, cravejados com as torres atarracadas das igrejas construídas por Erkenwald. Milhafres vermelhos giravam acima deles, percorrendo o ar quente, porém mais alto ainda eu podia ver os primeiros gansos voando para o sul acima do largo Temes. O rio era cortado pelos restos da ponte romana, uma coisa maravilhosa que fora brutalmente quebrada no centro. Fizéramos uma pista de madeira atravessando a abertura, mas até eu ficava nervoso toda vez que precisava passar por aquele remendo improvisado que levava a Suthriganaweorc, a fortaleza de terra e madeira que protegia a extremidade sul da ponte. Ali havia grandes pântanos e um amontoado de cabanas onde um povoado crescera ao redor do forte. Para além dos pântanos a terra subia até as colinas de Wessex, baixas e verdes, e, acima dessas colinas, bem longe, como colunas fantasmagóricas no céu imóvel do fim de verão, subiam plumas de fumaça. Contei 15, mas as nuvens enevoavam o horizonte e poderia haver um número maior.

— Eles estão atacando! — disse o bispo Erkenwald, parecendo surpreso e ultrajado. Wessex fora poupado de grandes ataques vikings durante anos, protegido pelos *burhs*, as cidades que Alfredo havia cercado por muralhas e onde pusera guarnições. Mas os homens de Harald espalhavam o fogo, o estupro e o roubo em todo o leste de Wessex. Eles evitavam os *burhs*, atacando apenas os povoados menores. — Devem estar bem além de Cent! — observou o bispo.

— E penetrando mais fundo em Wessex — disse eu.

— Quantos são? — quis saber Erkenwald.

— Ouvimos dizer que duzentos navios exportaram, portanto eles devem ter pelo menos 5 mil guerreiros. Talvez 2 mil estejam com Harald.

— Só 2 mil? — perguntou o bispo enfaticamente.

— Depende de quantos cavalos eles têm — expliquei. — Só os guerreiros montados devem estar atacando, o resto guarda os navios.

— Mesmo assim é uma horda pagã — disse o bispo com raiva. Em seguida tocou a cruz pendurada no pescoço. — O senhor nosso rei decidiu derrotá-los em Æscengum.

— Æscengum!

— E por que não? — reagiu o bispo, irritado com meu tom de voz, depois estremeceu quando gargalhei. — Não há nada divertido nisso — disse ele com raiva. Mas havia. Alfredo, ou talvez tivesse sido Æthelred, havia avançado com o exército de Wessex até Cent, colocando-o em terreno elevado e coberto de árvores entre as forças de Haesten e Harald, e não fizera nada. Agora parecia que Alfredo, ou talvez seu genro, havia decidido recuar para Æscengum, um *burh* no centro de Wessex, presumivelmente esperando que Harald os atacasse e fosse derrotado às muralhas do *burh*. Era uma ideia patética. Harald era um lobo, Wessex era um rebanho de ovelhas, e o exército de Alfredo era o cão pastor que deveria proteger as ovelhas, mas Alfredo mantinha o cão na coleira, com esperança de que o lobo viesse para ser mordido. Enquanto isso o lobo corria livre no meio do rebanho. — E o senhor nosso rei — continuou Erkenwald, altivo — convocou você e parte de suas tropas para se juntar a ele, mas apenas se eu tiver certeza de que Haesten não atacará Lundene na sua ausência.

— Ele não atacará — disse eu, e senti uma onda de entusiasmo. Alfredo, finalmente, havia solicitado minha ajuda, o que significava que o cão pastor iria receber dentes afiados.

— Haesten teme que nós matemos os reféns? — perguntou o bispo.

— Ele acha que os reféns não valem um peido fedendo a repolho. O que ele chama de filho é um garoto camponês enfiado em roupas ricas.

— Então por que você o aceitou? — perguntou o bispo indignado.

— O que eu deveria fazer? Atacar o acampamento principal de Haesten para achar a cria dele?

— Então Haesten está nos enganando?

— Claro que está, mas não vai atacar Lundene a não ser que Harald derrote Alfredo.

— Eu gostaria de ter certeza disso.

— Haesten é cauteloso. Luta quando tem certeza de que pode vencer, caso contrário espera.

Erkenwald assentiu.

— Então leve homens para o sul amanhã — ordenou, em seguida se afastou, seguido por seus padres apressados.

Agora olho para trás e percebo que o bispo Erkenwald e eu governávamos bem Lundene. Eu não gostava dele e ele me odiava, e nós lamentávamos o tempo que precisávamos passar na companhia um do outro, mas ele jamais interferiu em minha guarnição e eu não me metia em seu governo. Outro homem poderia ter perguntado quantos homens eu planejava levar para o sul, ou quantos seriam deixados para guardar a cidade, mas a confiança de Erkenwald em mim lhe dizia que eu tomaria as decisões certas. Mesmo assim acho que ele era uma fuinha astuta.

— Quantos homens vão com você? — perguntou Gisela à noite.

Estávamos em nossa casa, a antiga casa de um comerciante romano construída na margem norte do Temes. O rio fedia quase sempre, mas estávamos acostumados com isso e a casa era feliz. Tínhamos escravos, serviçais, guardas, aias e cozinheiras, e nossos três filhos. Havia Uhtred, o mais velho, que devia ter uns 10 anos naquela época, Stiorra, sua irmã, e Osbert, o mais novo, com apenas 2 anos e uma curiosidade indômita. Uhtred tinha o meu nome, assim como eu recebera o nome de meu pai e ele recebera do dele, mas este Uhtred mais novo me irritava porque era uma criança pálida e nervosa que vivia se agarrando às saias da mãe.

— Trezentos homens — respondi.

— Só?

— Alfredo tem homens suficientes, e eu preciso deixar uma guarnição aqui.

Gisela se encolheu. Estava grávida de novo e o parto não tardaria. Viu minha expressão preocupada e sorriu.

— Eu cuspo bebês como caroços — disse ela, tranquilizando-me. — Quanto tempo vai demorar para matar os homens de Harald?

— Um mês? — supus.

— Até lá já deverei ter dado à luz — disse ela, e toquei o martelo de Tor pendurado no pescoço. Gisela sorriu tranquilizando-me de novo. — Tenho sorte com os partos — continuou, o que era verdade. Os três haviam sido bem fáceis e todas as crianças tinham sobrevivido. — Você vai voltar e encontrar um novo bebê chorando, e vai ficar aborrecido.

Respondi a essa verdade com um sorriso rápido, depois passei pela cortina de couro que dava no terraço. Estava escuro. Havia poucas luzes na outra margem do rio, onde o forte guardava a ponte e suas chamas tremeluziam na água. No oeste havia uma risca violeta aparecendo numa fenda no meio das nuvens. O rio borbulhava entre os arcos estreitos da ponte, mas afora isso a cidade estava quieta. Cães latiam ocasionalmente e havia risos esporádicos vindo da cozinha. O *Seolferwulf* estava atracado à doca perto da casa, estalando ao vento fraco. Olhei rio abaixo, para onde, na ponta da cidade, eu havia construído uma pequena torre de carvalho junto à margem do rio. Homens vigiavam daquela torre dia e noite, atentos aos barcos bicudos que poderiam vir atacar os cais de Lundene, mas nenhuma fogueira de aviso ardia no topo da torre. Tudo estava silencioso. Havia dinamarqueses em Wessex, mas Lundene descansava.

— Quando isso acabar — disse Gisela junto ao vão da porta — talvez devêssemos ir para o norte.

— É — respondi, depois me virei para olhar a beleza de seu rosto comprido e seus olhos escuros. Ela era dinamarquesa e, como eu, sentia-se cautelosa com o cristianismo de Wessex. Um homem deve ter deuses, e talvez haja algum sentido em reconhecer apenas um deus, mas por que escolher um que ame tanto o chicote e a espora? O deus cristão não era nosso, no entanto éramos obrigados a viver entre pessoas que o temiam e nos condenavam por cultuar um deus diferente. No entanto eu havia jurado servir a Alfredo, por isso permanecia onde ele exigia que eu ficasse. — Ele não deve viver por muito mais tempo — disse eu.

— E quando ele morrer você estará livre?

— Não prestei juramento a mais ninguém — respondi, e falava com honestidade. Em verdade eu havia feito outro juramento, e esse voltaria para me encontrar, mas estava tão longe da minha mente naquela noite que acreditei ter respondido a Gisela com sinceridade.

— E quando ele morrer?

— Vamos para o norte — disse eu. Para o norte, de volta ao meu lar ancestral junto ao mar da Nortúmbria, um lar usurpado por meu tio. Para o norte até Bebbanburg, para o norte até as terras onde os pagãos podiam viver sem o incômodo incessante do deus cristão preso com pregos. Iríamos para casa. Eu havia servido Alfredo por tempo suficiente, e trabalhara bem, mas queria ir para casa. — Eu prometo — disse a Gisela — que vamos para casa.

Os deuses gargalharam.

Atravessamos a ponte ao amanhecer, trezentos guerreiros com 150 garotos para cuidar dos cavalos e carregar as armas reserva. Os cascos faziam barulho na ponte improvisada enquanto seguíamos na direção das piras de fumaça que informavam da devastação de Wessex. Atravessamos o largo pântano onde, na maré alta, o rio vira um lodo escuro em meio ao capim alto, e subimos as colinas suaves mais além. Deixei a maior parte da guarnição para guardar Lundene, levando apenas minhas tropas domésticas, meus guerreiros e homens jurados, os guerreiros a quem confiava minha vida. Deixei apenas seis desses homens em Lundene para guardar minha casa sob o comando de Cerdic, meu companheiro de batalha por muitos anos, que quase chorou enquanto implorava que eu o levasse.

— Você deve proteger Gisela e minha família — disse eu, e assim Cerdic ficou enquanto cavalgávamos para o oeste, seguindo trilhas pisoteadas por ovelhas e bois levados para os matadouros em Lundene. Vimos pouco pânico. As pessoas mantinham os olhos na fumaça distante, e os *thegns* haviam posto vigias nos telhados ou então no alto em meio às árvores. Fomos confundidos com dinamarqueses mais de uma vez, e havia uma agitação quando as pessoas corriam para a floresta, mas assim que nossa identidade era descoberta elas voltavam. Deveriam levar seus animais para o *burh* mais próximo se houvesse perigo, mas as pessoas sempre relutam em deixar seus lares. Ordenei que povoados inteiros levassem seu gado, as ovelhas e as cabras para

Suthriganaweorc, mas duvido que tenham feito isso. Eles preferiam ficar até sentir o bafo dos dinamarqueses no cangote.

No entanto os dinamarqueses permaneciam bem ao sul, de modo que talvez aqueles aldeões tivessem avaliado bem. Viramos para o sul, subindo e esperando ver os invasores a qualquer momento. Eu tinha batedores seguindo bem à frente, e a manhã ia pela metade quando um deles balançou um pano vermelho sinalizando que vira algo capaz de alarmá-lo. Esporeei meu cavalo até a crista do morro mas não vi nada no vale embaixo.

— Havia pessoas correndo, senhor — disse o batedor. — Elas me viram e se esconderam nas árvores.

— Será que não estavam fugindo de você?

Ele balançou a cabeça.

— Já estavam em pânico, senhor, quando eu as vi.

Olhávamos por cima de um vale amplo, verde e exuberante ao sol de verão. No lado mais distante havia morros cobertos de floresta, e a coluna de fumaça mais próxima ficava do outro lado daquele horizonte. O vale parecia em paz. Eu podia ver pequenos campos, os tetos de palha de uma aldeia, uma trilha indo para o oeste e o brilho de um riacho serpenteando na campina. Não vi nenhum inimigo, mas as árvores cheias de folhas poderiam esconder toda a horda de Harald.

— O que você viu, exatamente? — perguntei.

— Mulheres, senhor. Mulheres e crianças. Algumas cabras. Estavam correndo para lá — ele apontou para oeste.

Então as pessoas estavam fugindo da aldeia. O batedor as vira entre as árvores, mas agora não havia sinal delas, nem do que as fizera fugir. Nenhuma fumaça aparecia naquele vale comprido e largo, mas isso não significava que os homens de Harald não estivessem ali. Peguei as rédeas do batedor, guiando-o abaixo do topo do morro, e me lembrei do dia, tantos anos antes, em que fui pela primeira vez à guerra. Estava com meu pai, que comandava o *fyrd*, a horda de homens retirados de suas plantações e armados na maioria com enxadas, foices ou machados. Tínhamos marchado a pé e, em resultado disso, éramos um exército lento, pesado. Os dinamarqueses, nossos inimigos, estavam a cavalo. Seus navios aportaram e a primeira coisa que eles fizeram foi encontrar cavalos, e então dançaram em volta de nós. Aprendemos com isso. Aprendemos a lutar como os dinamarqueses, só que agora Alfredo confiava em suas cidades fortificadas para impedir a invasão de Harald, e isso significava que Harald estava com liberdade para assolar o campo em Wessex. Seus homens, eu sabia, estariam montados, só que ele comandava guerreiros demais, assim seus grupos de ataque ainda estariam percorrendo a terra em busca de mais cavalos. Nosso primeiro trabalho seria matar esses invasores e tomar de volta qualquer cavalo capturado. E eu suspeitava de que um bando desses estivesse na parte leste do vale. Encontrei em minhas fileiras um homem que conhecia aquela parte do território.

— Edwulf tem uma propriedade aqui, senhor — disse ele.

— Edwulf?

— Um *thegn*, senhor. — Ele riu e usou uma das mãos para esboçar uma pança diante da barriga. — É um homem grande e gordo.

— Então é rico?

— Muito, senhor.

Tudo isso sugeria que alguns dinamarqueses tinham encontrado um ninho farto para saquear, e que nós havíamos encontrado uma presa fácil para trucidar. A única dificuldade seria levar trezentos homens ao longo da linha do horizonte sem sermos vistos do lado leste do vale, mas descobrimos uma rota abrigada por árvores. E, ao meio-dia, eu tinha meus homens escondidos na floresta a oeste da propriedade de Edwulf. Então mostrei a isca.

Mandei Osferth com vinte homens para seguir uma trilha que levava ao sul em direção às colunas de fumaça. Eles levariam meia dúzia de cavalos desmontados e andariam devagar, como se estivessem cansados e perdidos. Ordenei que jamais olhassem diretamente na direção do castelo de Edwulf onde, nesse momento, eu sabia que os dinamarqueses estavam ocupados. Finan, que era capaz de se mover entre as árvores como um fantasma, havia se esgueirado perto do castelo e trazido de volta notícias de um povoado com umas vinte casas, uma igreja e dois bons celeiros.

— Eles estão tirando a palha — disse Finan, o que significava que os dinamarqueses estavam revistando os tetos de todas as construções, pois algumas pessoas escondiam os tesouros na palha antes de fugirem. — E estão se revezando com algumas mulheres.

— Cavalos?

— Só mulheres — disse Finan, depois captou meu olhar e parou de rir. — Há toda uma manada de cavalos num cercado, senhor.

Assim, Osferth cavalgou, e os dinamarqueses engoliram a isca como uma truta saltando para pegar uma mosca. Eles o viram, ele fingiu não vê-los, e de repente quarenta ou mais dinamarqueses estavam galopando para interceptar Osferth, que fingiu acordar para o perigo, virou para oeste e galopou passando pela frente dos meus homens escondidos.

E então foi simples como roubar prata de uma igreja. Uma centena dos meus homens partiu das árvores contra o flanco dos dinamarqueses, que não tiveram chance de escapar. Dois dos inimigos viraram os cavalos rápido demais e estes caíram num caos de relinchos, cascos e terra levantada. Outros tentaram voltar e foram apanhados por lanças cravadas nas costas. Os dinamarqueses experientes se viraram para nós, com esperança de cavalgar direto através de nossa linha de ataque, mas éramos muitos, e meus homens se anelaram em volta dos cavaleiros inimigos de modo que uma dúzia deles ficou presa num círculo. Eu não estava lá. Eu comandava o resto dos meus homens a caminho do castelo de Edwulf, onde o que restava dos dinamarqueses corria para montar nos cavalos. Um homem, nu da cintura para baixo, afastou-se atabalhoadamente de uma mulher que gritava e torceu o corpo ao me ver chegando. Smoka, meu cavalo, diminuiu a velocidade, o homem se desviou de novo, mas Smoka não precisou de orientação minha, e Bafo de Serpente, minha espada, acertou o sujeito no crânio. A lâmina se alojou ali, de modo que o dinamarquês agonizante foi arrastado enquanto eu cavalgava. O sangue espirrou no meu braço; depois, finalmente, seu corpo em convulsão caiu para longe.

Esporeei o cavalo, levando a maior parte dos homens para leste do povoado, interrompendo a retirada dos dinamarqueses sobreviventes. Finan já havia mandado batedores para a crista do morro ao sul. Fiquei me perguntando por que os dinamarqueses não haviam posto sentinelas no topo do morro de onde tínhamos visto os fugitivos no início?

Naqueles dias havia escaramuças demais. Os dinamarqueses da Ânglia Oriental atacavam as fazendas ao redor de Lundene e nós retaliávamos, levando homens para dentro do território dinamarquês para queimar, matar e saquear. Oficialmente havia um tratado de paz entre a Wessex de Alfredo e a Ânglia Oriental, mas um dinamarquês faminto não ligava para palavras em pergaminhos. Um homem que quisesse escravos, animais ou simplesmente uma aventura atravessava para a Mércia e pegava o que queria, e então nós cavalgávamos para leste e fazíamos o mesmo. Eu gostava daqueles ataques. Eles me davam a chance de treinar meus homens mais jovens, deixar que eles vissem o inimigo e cruzassem espadas. Você pode treinar um homem durante um ano, exercitar com espadas e lanças para sempre, mas ele aprenderá mais em apenas cinco minutos de batalha.

Houve tantas escaramuças que eu me esqueci da maioria, no entanto me lembro daquela no castelo de Edwulf. Na verdade não foi nada. Os dinamarqueses tinham sido descuidados e nós não tivemos nenhuma baixa, no entanto me lembro bem porque, quando tudo terminou e as espadas estavam imóveis, um dos meus homens me chamou à igreja.

Era uma igreja pequena, mal tinha tamanho para as cinquenta ou sessenta almas que viviam ou tinham vivido ao redor do castelo. A construção era feita de carvalho e tinha um teto de palha onde se erguia alta uma cruz de madeira. Um sino grosseiro pendia da empena oeste, acima da única porta, e cada parede lateral tinha duas janelas grandes, fechadas com tábuas, através das quais a luz passava para iluminar um homem gordo que fora despido e amarrado a uma mesa que eu presumi ser o altar da igreja. Ele estava gemendo.

— Desamarre-o — rosnei, e Rypere, que havia comandado os homens que capturaram os dinamarqueses dentro da igreja, avançou como se eu tivesse acabado de acordá-lo de um transe.

Rypere tinha visto muito horror em seus poucos anos, mas, assim como os homens que comandava, ele parecia entorpecido pela crueldade infligida ao gordo. As órbitas de seus olhos eram uma sujeira de sangue e matéria gelatinosa, as bochechas estavam cobertas de vermelho, as orelhas tinham sido decepadas, a hombridade fora cortada, os dedos foram primeiro quebrados e depois arrancados das palmas. Dois dinamarqueses estavam atrás da mesa, guardados por meus homens, com as mãos vermelhas traindo o fato de serem os torturadores. No entanto o líder do bando dinamarquês é que era o principal responsável pela crueldade, e por isso me lembro da escaramuça.

Porque foi assim que conheci Skade, e se alguma mulher já comeu as maçãs de Asgard que deram aos deuses sua beleza eterna, foi Skade. Era alta, quase tanto quanto eu, com o corpo magro disfarçado pela cota de malha que usava. Teria uns 20 anos: o rosto era estreito, de nariz alto, altivo, com os olhos mais azuis que já vi. O cabelo, escuro como as penas dos corvos de Odin, pendiam longos e lisos até a cintura fina, onde um cinturão tinha uma bainha vazia. Encarei-a.

Ela me encarou também. E o que viu?

Viu o comandante guerreiro de Alfredo. Viu Uhtred de Bebbanburg, o pagão a serviço de um rei cristão. Eu era alto e, naqueles dias, tinha ombros largos. Era um guerreiro de espada, guerreiro de lança, e lutar havia me tornado rico de modo que minha cota de malha brilhava, meu elmo era incrustado com prata e meus braceletes brilhavam acima das mangas da cota. Meu cinturão era enfeitado com cabeças de lobo feitas de prata, a bainha de Bafo de Serpente era envolvida por lascas de ônix, e a fivela do cinturão e o broche da capa eram feitos de ouro maciço. Apenas a pequena imagem do martelo de Tor, pendurada no pescoço, era barata, mas eu possuía aquele talismã desde a infância. E ainda o tenho. A glória da minha juventude se fora, erodida pelo tempo, mas foi ela que Skade viu. Viu um comandante guerreiro.

E por isso cuspiu em mim. A saliva bateu na minha bochecha e eu deixei-a ali.

— Quem é a cadela? — perguntei.

— Skade. — Rypere disse o nome e depois assentiu para os dois torturadores. — Eles dizem que ela é sua líder.

O gordo gemeu. Fora solto e agora se encolhia formando uma bola.

— Encontrem alguém para cuidar dele — falei irritado, e Skade cuspiu de novo, dessa vez acertando minha boca. — Quem é ele? — perguntei, ignorando-a.

— Achamos que é Edwulf — respondeu Rypere.

— Tirem-no daqui — ordenei, depois me virei para olhar a beldade que havia cuspido em mim. — E quem é Skade?

Ela era dinamarquesa, nascida numa propriedade rural na parte norte de seu país desolado, filha de um homem que não tinha grandes riquezas e que por isso deixou sua viúva pobre. Mas a viúva tinha Skade, e sua beleza era espantosa, por isso ela fora casada com um homem disposto a pagar para ter aquele corpo longo e esguio em sua cama. O marido era um chefe frísio, um pirata, mas depois Skade havia conhecido Harald Cabelo de Sangue e o *jarl* Harald lhe ofereceu mais empolgação do que viver atrás de uma paliçada podre em algum banco de areia cercado pela maré. Portanto ela fugiu com ele. Tudo isso eu ficaria sabendo, mas por enquanto só sabia que ela era mulher de Harald e que Haesten havia falado a verdade: vê-la era desejá-la.

— Você vai me soltar — disse ela com uma confiança espantosa.

— Vou fazer o que eu quiser — respondi — e não recebo ordens de uma idiota. — Skade se empertigou diante disso e eu vi que ela ia cuspir de novo, por isso levantei a mão como se fosse lhe dar um tapa e ela ficou totalmente imóvel. — Sem vigias — disse eu. — Que líder não posta sentinelas? Só um idiota. — Ela odiou isso. Odiou porque era verdade.

— O *jarl* Harald vai lhe dar dinheiro em troca da minha liberdade.

— Meu preço pela sua liberdade é o fígado de Harald — retruquei.

— Você é Uhtred?

— Sou o senhor Uhtred de Bebbanburg.

Ela deu o esboço de um sorriso.

— Então Bebbanburg vai precisar de um novo senhor se você não me libertar. Vou amaldiçoá-lo. Você conhecerá a agonia, Uhtred de Bebbanburg, agonia ainda maior do que a dele. — Ela apontou a cabeça para Edwulf, que estava sendo carregado para fora da igreja por quatro homens.

— Ele também é idiota, porque não pôs sentinelas.

O grupo de ataque de Skade havia descido à aldeia ao sol da manhã e ninguém os viu chegar. Alguns aldeões, os que tínhamos avistado do topo do morro, escaparam, mas a maioria foi capturada, e desses apenas as mulheres jovens e as crianças que poderiam ser vendidas como escravas continuavam vivas.

Deixamos um dinamarquês viver, um dinamarquês e Skade. Matamos o restante. Pegamos seus cavalos, suas cotas de malha e suas armas. Ordenei que os aldeões sobreviventes levassem seus animais para o norte, para Suthriganaweorc, pois os homens de Harald precisavam ser privados de comida, se bem que, como a colheita já se encontrava nos celeiros e os pomares estavam pesados, isso seria difícil. Ainda estávamos trucidando os últimos dinamarqueses quando os batedores de Finan informaram que havia cavaleiros se aproximando da crista do morro ao sul.

Fui encontrá-los levando setenta homens, o único dinamarquês que eu pouparia, Skade e também o comprido pedaço de corda de cânhamo que estivera preso ao pequeno sino da igreja. Juntei-me a Finan e cavalgamos até onde a crista do morro era coberta de capim macio e de onde podíamos olhar para o sul bem ao longe. Novas colunas de fumaça se adensavam no céu distante, porém mais perto, muito mais perto, havia um bando de cavaleiros que cavalgavam na margem de um riacho sombreado por salgueiros. Avaliei que estariam em número mais ou menos igual ao dos meus homens, agora enfileirados no topo, dos dois lados de meu estandarte com cabeça de lobo.

— Desça do cavalo — ordenei a Skade.

— Os homens estão me procurando — disse ela em tom de desafio, assentindo para os cavaleiros que haviam parado ao ver minha linha de batalha.

— Então encontraram, portanto apeie.

Ela apenas me encarou orgulhosa. Era uma mulher que odiava receber ordens.

— Você pode apear — falei com paciência — ou eu posso arrancá-la da sela. A escolha é sua.

Ela apeou e eu fiz um gesto para Finan descer do cavalo. Ele desembainhou a espada e parou perto da jovem.

— Agora tire a roupa — disse eu.

Uma expressão de fúria escureceu seu rosto. Skade não fez nada, mas senti sua raiva como uma víbora retesada dentro dela. Queria me matar, queria gritar, queria invocar os deuses do céu estampado com fumaça, mas não havia nada que pudesse fazer.

— Tire a roupa ou mandarei meus homens despirem você.

Ela se virou como se procurasse um modo de escapar, mas não havia. Houve um brilho de lágrima em seus olhos, mas ela não tinha opção além de me obedecer. Finan me olhou interrogativamente, porque eu não era conhecido por ser cruel com mulheres, mas não expliquei nada a ele. Estava me lembrando de que Haesten havia me dito como Harald era impulsivo, e eu queria provocar Harald Cabelo de Sangue. Iria insultar sua mulher e com isso esperava obrigar Harald a ficar com raiva e não ter um julgamento sensato.

O rosto de Skade era uma máscara inexpressiva enquanto ela tirava a cota de malha, um gibão de couro e calças curtas de linho. Um ou dois de meus homens aplaudiram quando seu gibão saiu, revelando seios altos e firmes, mas ficaram em silêncio quando rosnei. Joguei a corda para Finan.

— Amarre-a pelo pescoço — disse eu.

Ela era linda. Mesmo agora posso fechar os olhos e ver aquele corpo longo parado no capim cheio de botões-de-ouro. Os dinamarqueses no vale estavam olhando para cima, meus homens estavam observando, e Skade ficou ali como uma criatura vinda de Asgard para a Terra-média. Eu não duvidava de que Harald pagaria por ela. Qualquer homem ficaria pobre para possuir Skade.

Finan me deu a ponta da corda e eu instiguei meu garanhão, puxando-a por um terço do tamanho da encosta.

— Harald está lá? — perguntei a ela, indicando com a cabeça para os dinamarqueses a duzentos passos de distância.

— Não — respondeu Skade. Sua voz estava amarga e tensa. Sentia vergonha e raiva. — Ele vai matar você por isso.

Eu sorri.

— Harald Cabelo de Sangue é um rato cheio de vômito e merda. — Virei-me na sela e acenei para Osferth, que trouxe o prisioneiro dinamarquês encosta abaixo. Era um rapaz novo que me olhou com medo nos olhos azul-claros. — Esta é a mulher de seu chefe — disse eu. — Olhe-a.

Ele mal ousava olhar a nudez de Skade. Apenas deu-lhe uma espiada e depois me olhou de volta.

— Vá e diga a Harald Cabelo de Sangue que Uhtred de Bebbanburg está com a puta dele. Diga a Harald que ela está nua e que vou usá-la para me divertir. Vá dizer. Anda!

O homem correu encosta abaixo. Os dinamarqueses no vale não iriam nos atacar. Nossos números eram praticamente iguais e tínhamos o terreno elevado. Eles sempre relutam em sofrer muitas baixas. Por isso apenas nos olharam e, ainda que um ou dois tenham chegado perto para ver Skade com clareza, nenhum tentou resgatá-la.

Eu havia carregado o gibão, as calças e as botas de Skade. Joguei-os aos seus pés e depois me inclinei e tirei a corda de seu pescoço.

— Vista-se — ordenei.

Vi-a pensando em escapar. Ela estava pensando em correr com as pernas longas encosta abaixo, esperando alcançar os cavaleiros que observavam antes que eu pudesse pegá-la, mas toquei o flanco de Smoka e ele se moveu à frente dela.

— Você morreria com uma espada no crânio — disse eu — muito antes de chegar até eles.

— E você vai morrer sem uma espada na mão — respondeu ela, curvando-se para pegar as roupas.

Toquei o talismã no pescoço.

— Alfredo enforca os pagãos capturados — respondi. — É melhor esperar que eu possa mantê-la viva quando o encontrarmos.

— Vou amaldiçoar você e as pessoas que você ama.

— E seria melhor você esperar que minha paciência dure, ou então vou lhe dar aos meus homens antes de Alfredo enforcá-la.

— Uma maldição e a morte — disse ela, e havia quase triunfo em sua voz.

— Bata nela se ela falar de novo — ordenei a Osferth.

Então cavalgamos na direção oeste, para encontrar Alfredo.

Três

A primeira coisa que notei foi a carroça.

Era enorme, com tamanho suficiente para carregar a colheita de uma dúzia de campos, mas esta jamais transportaria nada tão mundano quanto fardos de trigo. Tinha dois eixos grossos e quatro rodas sólidas com aros de ferro. As rodas tinham sido pintadas com uma cruz verde sobre fundo branco. As laterais da carroça eram revestidas de painéis de madeira, e cada painel tinha a imagem de um santo. Havia palavras latinas esculpidas nas grades superiores, mas nunca me incomodei em perguntar o que significavam porque não queria saber. Seria alguma exortação cristã, e cada uma delas é muito parecida com as outras. O leito da carroça estava cheio principalmente com sacos de lã, presumivelmente para proteger os passageiros das sacudidas do veículo, e uma cadeira bem almofadada ficava com o encosto alto apoiado no banco do cocheiro. Um toldo de lona listrada, sustentado por quatro mastros esculpidos em forma de serpentina, fora erguido sobre toda aquela traquitana espalhafatosa, e uma cruz de madeira, como as que eram postas nas empenas das igrejas, erguia-se de um dos mastros. Estandartes de santos pendiam dos outros três.

— Uma igreja sobre rodas? — perguntei azedamente.

— Ele não pode mais cavalgar — disse Steapa, mal-humorado.

Steapa era o comandante da guarda real. Era um homem enorme, um dos poucos que eram mais altos do que eu, e implacavelmente feroz em batalha. Também era implacavelmente leal ao rei Alfredo. Steapa e eu éramos amigos, mas tínhamos começado como inimigos quando eu fora obrigado a lutar contra ele. Foi como atacar uma montanha. No entanto nós dois havíamos sobrevivido àquele encontro e não havia homem que eu preferisse ter ao lado numa parede de escudos.

— Ele não pode cavalgar, mesmo? — perguntei.

— Às vezes cavalga — respondeu Steapa —, mas isso dói muito. Ele mal consegue andar.

— Quantos bois puxam essa coisa? — perguntei indicando a carroça.

— Seis. Ele não gosta, mas precisa usá-la.

Estávamos em Æscengum, o *burh* construído para proteger Wintanceaster do leste. Era um *burh* pequeno, nem de longe com o mesmo tamanho de Wintanceaster ou Lundene, e protegia um vau que atravessava o rio Wey, mas para mim era um mistério por que o vau precisava de proteção, já que o rio podia ser atravessado facilmente ao norte ou ao sul de Æscengum. De fato, a cidade não guardava nada de importância, motivo pelo qual eu havia argumentado contra sua fortificação. No entanto Alfredo insistira em tornar Æscengum um *burh* porque, anos antes, algum místico cristão meio enlouquecido supostamente havia restaurado a virgindade de uma garota estuprada naquele lugar, e por isso era um local santo. Alfredo ordenara a construção de um mosteiro ali, e Steapa me disse que o rei estava esperando na igreja do povoado.

— Eles estão conversando — disse ele friamente —, mas ninguém sabe o que fazer.

— Achei que vocês estivessem esperando Harald atacar aqui.

— Eu disse a eles que Harald não faria isso, mas o que acontece se ele não atacar?

— Nós encontramos Harald e matamos o *earsling*, claro — respondi, olhando para leste, onde novas colunas de fumaça traíam o lugar onde Harald estava saqueando novos povoados.

Steapa indicou Skade.

— Quem é ela?

— A puta de Harald — respondi, suficientemente alto para Skade escutar, ainda que seu rosto não mostrasse qualquer mudança com relação à expressão arrogante de sempre. — Ela torturou um homem chamado Edwulf, tentando fazer com que ele revelasse onde havia escondido seu ouro.

— Conheço Edwulf — disse Steapa. — Ele come e bebe seu ouro.

— Comia e bebia. Agora está morto. — Edwulf havia morrido antes de sairmos de sua propriedade.

Steapa estendeu a mão para pegar minhas espadas. O mosteiro estava servindo naquele dia como castelo de Alfredo e ninguém, a não ser o rei, seus parentes e sua guarda podia portar arma na presença real. Entreguei Bafo de Serpente e Ferrão de Vespa, depois enfiei as mãos numa tigela de água oferecida por um serviçal.

— Bem-vindo à casa do rei, senhor — disse o homem num cumprimento formal, depois ficou olhando enquanto eu enrolava a corda no pescoço de Skade.

Ela cuspiu no meu rosto e eu ri.

— Hora de conhecer o rei, Skade. Cuspa nele e ele vai enforcá-la.

— Vou amaldiçoar vocês dois.

Somente Finan acompanhou Steapa, Skade e a mim ao entrarmos no mosteiro. O resto dos meus homens levou os cavalos pelo portão do oeste para lhes dar água num riacho enquanto Steapa nos levava à igreja da abadia, uma bela construção de pedras com grossas vigas de carvalho no teto. As janelas altas iluminavam painéis de couro pintados, e o que ficava acima do altar mostrava uma jovem de manto branco sendo levantada de pé por um homem barbudo com halo. O rosto da garota, gorducho como uma maçã, tinha uma expressão de pura perplexidade e eu presumi que ela fosse a virgem recém-restaurada, ao passo que a expressão do homem sugeria que a garota logo poderia precisar da repetição do milagre. Abaixo dela, sentado numa cadeira forrada por uma manta diante do altar cheio de prata, estava Alfredo.

Havia uns vinte homens na igreja. Estavam falando quando chegamos, mas as vozes baixaram até o silêncio quando entrei. À esquerda de Alfredo vi um bando de homens da Igreja, dentre os quais meu velho amigo, o padre Beocca, e meu velho inimigo, o bispo Asser, um galês que se tornara o conselheiro mais íntimo do rei. Na nave da igreja, sentados em bancos, estavam meia dúzia de *ealdormen*, os líderes das propriedades cujos homens tinham sido convocados para se juntar ao exército que enfrentava a invasão de Harald. À direita de Alfredo, sentado numa cadeira ligeiramente menor, estava seu genro, meu primo Æthelred, e atrás dele sua esposa, a filha de Alfredo, Æthelflæd.

Æthelred era o senhor da Mércia. A Mércia, claro, era o país ao norte de Wessex, e suas regiões norte e leste eram governadas pelos dinamarqueses. O país não tinha rei, em vez disso tinha meu primo, que era reconhecido como governante das partes saxãs da Mércia, mas na verdade era submisso a Alfredo. Mesmo não tendo feito a reivindicação explícita, Alfredo era o verdadeiro governante da Mércia, e Æthelred cumpria as ordens do sogro. Se bem que era difícil saber quanto tempo duraria essa obediência, porque Alfredo parecia mais doente do que eu jamais o vira. Seu rosto pálido, clerical, estava mais magro do que nunca e os olhos tinham uma expressão ferida, de dor, mas não haviam perdido nem um pouco da inteligência.

Ele me olhou em silêncio, esperou até eu fazer a reverência e assentiu num cumprimento rápido.

— Você traz homens, senhor Uhtred?

— Trezentos, senhor.

— Só? — perguntou Alfredo, encolhendo-se.

— A não ser que o senhor queira perder Lundene, é só.

— E traz sua mulher? — zombou o bispo Asser.

O bispo Asser era um *earsling*, que significa qualquer coisa que caia de um cu. Ele havia caído de algum cu galês, de onde abrira seu caminho escorregadio até os favores de Alfredo. Alfredo tinha Asser em altíssima conta e este, por sua vez, me odiava. Sorri para ele.

— Trago-lhes a prostituta de Harald — respondi.

Ninguém reagiu a isso. Todos apenas encararam Skade, e ninguém a encarou com mais intensidade do que o rapaz que estava logo atrás do trono de Alfredo. Ele tinha um rosto magro com ossos proeminentes, pele clara, cabelo preto que se enrolava logo acima da gola bordada e olhos rápidos e brilhantes. Parecia nervoso, talvez intimidado pela presença de tantos guerreiros de ombros largos, ao passo que ele próprio era magro, quase frágil. Eu o conhecia bastante bem. Seu nome era Eduardo, e era o *ætheling*, o filho mais velho do rei, que estava sendo criado para assumir o trono do pai. Agora olhava boquiaberto para Skade como se nunca tivesse visto uma mulher, mas quando ela o encarou de volta ele ficou vermelho e fingiu um interesse intenso pelo piso coberto de juncos.

— Você trouxe o quê? — perguntou o bispo Asser no silêncio surpreso.

— O nome dela é Skade — respondi, empurrando-a à frente. Eduardo levantou os olhos e encarou Skade como um cachorrinho vendo carne fresca.

— Curve-se diante do rei — ordenei a Skade em dinamarquês.

— Eu faço o que quiser — respondeu Skade e, como eu supus que ela faria, cuspiu na direção de Alfredo.

— Bata nela! — latiu o bispo Asser.

— Os homens da Igreja batem em mulheres? — perguntei a ele.

— Fique quieto, senhor Uhtred — disse Alfredo, cansado. Vi como sua mão direita estava encolhida segurando o braço da cadeira. Ele olhou para Skade, que devolveu o olhar com desafio. — Uma mulher notável — disse o rei em tom ameno. — Ela fala inglês?

— Finge que não fala — respondi —, mas entende muito bem.

Skade recompensou essa declaração olhando de esguelha, com puro despeito.

— Eu amaldiçoei você — disse ela baixinho.

— O modo mais fácil de se livrar de uma maldição — falei tão baixo quanto ela — é cortar a língua que a lançou. Agora fique quieta, sua cadela rançosa.

— A maldição da morte — disse ela em pouco mais do que um sussurro.

— O que ela está dizendo? — perguntou Alfredo.

— Ela é supostamente uma feiticeira, senhor, e diz que me amaldiçoou.

Alfredo e a maioria dos homens da Igreja tocaram as cruzes penduradas no pescoço. É uma coisa estranha que notei com relação aos cristãos. Eles afirmam que nossos deuses não têm poder, no entanto temem as maldições feitas em nome desses deuses.

— Como você a capturou? — perguntou Alfredo.

Fiz um breve relato do que havia acontecido no castelo de Edwulf, e quando terminei Alfredo olhou-a com frieza.

— Ela matou o padre de Edwulf? — perguntou.

— Você matou o padre de Edwulf, cadela? — perguntei a ela em dinamarquês.

Ela sorriu para mim.

— Claro que matei. Eu mato todos os padres.

— Ela matou o padre, senhor — contei a Alfredo.

Ele estremeceu.

— Leve-a para fora — ordenou a Steapa — e vigie-a bem. — Em seguida levantou a mão. — Ela não deve ser molestada! — Esperou até Skade ter saído antes de me olhar. — Você é bem-vindo, senhor Uhtred, você e seus homens. Mas eu esperava que me trouxesse mais.

— Eu lhe trouxe o suficiente, senhor rei.

— O suficiente para quê? — perguntou o bispo Asser.

Olhei para o nanico. Ele era um bispo, mas ainda usava os mantos de monge apertados em volta da cintura magricela. Seu rosto parecia o de um arminho esfomeado, com olhos verde-claros e lábios finos. Passava metade do tempo nas vastidões de sua Gales natal e a outra metade sussurrando veneno devoto nos ouvidos de Alfredo. Juntos os dois haviam feito um código de leis para Wessex, e era minha diversão e ambição violar cada uma daquelas leis antes que o rei ou o nanico galês morressem.

— O suficiente para dilacerar Harald e seus homens até virarem uma ruína sangrenta.

Æthelflæd sorriu disso. Da família de Alfredo, apenas ela era minha amiga. Fazia quatro anos que eu não a via, e ela parecia muito mais magra. Teria apenas 21 ou 22 anos, mas parecia mais velha e mais triste, no entanto seu cabelo ainda era de um dourado lustroso e os olhos, azuis como o céu de verão. Pisquei para ela, em boa parte para irritar seu marido, meu primo, que imediatamente engoliu a isca e bufou.

— Se Harald fosse tão fácil de destruir, nós já teríamos feito isso.

— Como? — perguntei. — Olhando-o dos morros? — Æthelred fez uma careta. Normalmente teria discutido comigo, porque era um homem beligerante e orgulhoso, mas estava pálido. Tinha uma doença, ninguém sabia qual, que o deixava cansado e fraco durante longos períodos. Devia ter uns 40 anos e seu cabelo ruivo tinha fios brancos nas têmporas. Esse, supus, era um dos seus dias ruins. — Harald deveria ter sido morto há semanas — provoquei-o com escárnio.

— Chega! — Alfredo bateu no braço da cadeira, assustando o falcão com capuz de couro empoleirado num pódio ao lado do altar. O pássaro bateu as asas, mas as peias o prendiam com firmeza. Alfredo fez uma careta. Seu rosto me disse o que eu bem sabia: que ele precisava de mim e não queria precisar. — Não podíamos atacar Harald enquanto Haesten ameaçasse nosso flanco norte — explicou com paciência.

— Haesten não poderia ameaçar nem um cachorrinho molhado — respondi. — Ele tem medo demais de ser derrotado.

Naquele dia fui arrogante, arrogante e confiante, porque há ocasiões em que os homens precisam ver a arrogância. Aqueles homens haviam passado dias discutindo o que fazer, e no fim não tinham feito nada, e durante todo esse tempo vinham multiplicando as forças de Harald na mente até se convencerem de que ele era invencível. Enquanto isso Alfredo havia se contido deliberadamente para não procurar minha ajuda porque queria entregar as rédeas de Wessex e a Mércia ao filho e ao genro, o que significava lhes dar reputação de líderes, mas a liderança deles havia fracassado, portanto Alfredo mandara me chamar. E agora, porque precisavam dela, contrapus seus temores com uma confiança arrogante.

— Harald tem 5 mil homens — disse baixinho o *ealdorman* Æthelhelm de Wiltunscir. Æthelhelm era um homem bom, mas também parecia infectado pela timidez que dominara o séquito de Alfredo. — Ele trouxe duzentos navios!

— Se ele tiver 2 mil homens eu ficarei pasmo — respondi. — Quantos cavalos ele tem? — Ninguém sabia, pelo menos ninguém respondeu. Harald podia muito bem ter trazido até 5 mil homens, mas seu exército consistia apenas dos que tinham cavalos.

— Independentemente de quantos homens tenha — disse Alfredo incisivamente — ele deve atacar este *burh* para avançar mais fundo em Wessex.

Isso era bobagem, claro. Harald poderia ir para o norte ou o sul até Æscengum, mas não havia por que discutir com Alfredo, que tinha um afeto peculiar pelo *burh*.

— Então o senhor planeja derrotá-lo aqui? — perguntei em vez disso.

— Tenho novecentos homens aqui — disse ele — e temos a guarnição do *burh*, e agora os seus trezentos. Harald vai se partir contra estas muralhas. —

Vi Æthelred, Æthelhelm e o ealdorman Æthelnoth de Sumorsæte assentirem concordando.

— E tenho quinhentos homens em Silcestre — disse Æthelred, como se isso fizesse toda a diferença.

— E o que eles estão fazendo lá? — perguntei. — Mijando no Temes enquanto nós lutamos?

Æthelflæd riu, ao passo que seu irmão Eduardo pareceu afrontado. O caro padre Beocca, que fora meu tutor na infância, me lançou um olhar de reprovação, longo e sofrido. Alfredo apenas suspirou.

— Os homens do senhor Æthelred podem assediar o inimigo enquanto ele nos sitia — explicou ele.

— Então nossa vitória, senhor, depende de Harald nos atacar aqui? De Harald permitir que matemos seus homens enquanto tentam atravessar a muralha? — Alfredo não respondeu. Um par de pardais ficou discutindo entre os caibros do teto. Uma grossa vela de cera de abelha no altar atrás de Alfredo estalou e soltou fumaça, e um monge correu para aparar o pavio. A chama cresceu de novo, com a luz se refletindo num alto relicário de ouro que parecia conter uma mão ressequida.

— Harald vai querer nos derrotar — Eduardo fez sua primeira tentativa de contribuir para a conversa.

— Por que, se estamos fazendo o máximo para sermos derrotados sozinhos? — perguntei. Houve um murmúrio indignado vindo dos cortesãos, mas passei por cima daquilo. — Deixe-me dizer o que Harald fará, senhor — falei a Alfredo. — Ele vai levar seu exército para o norte daqui e avançar sobre Wintanceaster. Há muita prata por lá, toda ela convenientemente empilhada em sua nova catedral, e o senhor trouxe seu exército para cá, de modo que ele não terá problemas para atravessar as muralhas de Wintanceaster. E mesmo que ele nos sitie aqui — falei mais alto ainda para abafar o protesto irado do bispo Asser —, tudo o que precisa fazer é nos cercar e deixar que passemos fome. Quanta comida temos aqui?

O rei fez um gesto para Asser, pedindo que ele parasse de arengar.

— Então o que o senhor faria, senhor Uhtred? — perguntou Alfredo, e havia uma nota lamentosa em sua voz. Ele estava velho, cansado e doente, e a invasão de Harald parecia ameaçar tudo o que havia alcançado.

— Eu sugeriria, senhor, que o senhor Æthelred ordenasse que seus quinhentos homens atravessassem o Temes e marchassem para Fearnhamme.

Um cão ganiu num canto da igreja, mas afora isso não houve qualquer ruído. Todos me encararam, mas vi alguns rostos se iluminar. Eles vinham chafurdando na indecisão e precisavam do golpe de espada da certeza.

Alfredo rompeu o silêncio.

— Fearnhamme? — perguntou com cautela.

— Fearnhamme — repeti, observando Æthelred, mas seu rosto pálido não mostrou reação, e ninguém mais na igreja fez qualquer comentário.

Eu viera pensando no terreno ao norte de Æscengum. A guerra não tem a ver apenas com homens, nem mesmo com suprimentos, também tem a ver com morros e vales, rios e pântanos, lugares onde terra e água ajudarão a derrotar um inimigo. Eu tinha viajado com frequência suficiente por Fearnhamme nas minhas jornadas de Lundene a Wintanceaster, e aonde quer que viajasse eu notava como era o terreno e como ele poderia ser usado caso houvesse um inimigo por perto.

— Há um morro logo ao norte do rio em Fearnhamme — disse eu.

— Ah! Eu o conheço bem — disse um dos monges parados à direita de Alfredo. — Ele tem uma fortificação de terra.

Olhei-o, vendo um homem de rosto vermelho e nariz adunco.

— E quem é você? — perguntei com frieza.

— Oslac, senhor, o abade daqui.

— A fortificação de terra está em boas condições? — perguntei.

— Foi escavada pelo povo antigo — disse o abade Oslac — e está bastante coberta de capim, mas o fosso é fundo e o barranco ainda é firme.

Havia muitas fortificações de terra assim na Britânia, testemunhas mudas das guerras que haviam se espalhado pela terra antes que nós, saxões, viéssemos trazer mais ainda.

— O barranco é alto o bastante para tornar fácil a defesa? — perguntei ao abade.

— Com homens suficientes o senhor poderia defendê-lo para sempre — disse Oslac, cheio de confiança. Olhei-o, notando a cicatriz sobre o nariz. Concluí que o abade Oslac fora soldado antes de virar monge.

— Mas por que convidar Harald a nos sitiar lá quando temos Æscengum, suas muralhas e seus armazéns? — perguntou Alfredo.

— E quanto tempo esses armazéns vão durar, senhor? Temos homens suficientes dentro das muralhas para conter o inimigo até o Dia do Juízo, mas não temos comida o bastante para chegar ao Natal. — Os *burhs* não tinham provisões para um grande exército. O objetivo das cidades muradas era manter o inimigo sob controle e permitir que o exército de guerreiros do rei, com homens treinados, atacasse os sitiadores no terreno aberto do lado de fora.

— Mas Fearnhamme? — perguntou Alfredo.

— É onde vamos destruir Harald — falei sem ajudar muito. Olhei para Æthelred. — Ordene que seus homens se dirijam a Fearnhamme, primo, e vamos fazer uma armadilha para Harald lá.

Houve um tempo em que Alfredo teria questionado e testado minhas ideias, mas naquele dia ele parecia cansado e doente demais para argumentar, e claramente não tinha paciência para ouvir outros homens questionando meus planos. Além disso tinha aprendido a confiar em mim quando se tratava de guerra, e eu esperava seu consentimento à minha proposta vaga, mas então ele me surpreendeu. Virou-se para os homens da Igreja e sinalizou indicando que um deles deveria se aproximar dele, e o bispo Asser segurou o cotovelo de um monge jovem, atarracado, e o guiou até a cadeira do rei. O monge tinha um rosto duro e ossudo, cabelo preto tonsurado, eriçado e duro como o pelo de um texugo. Poderia ser bonito, só que os olhos eram leitosos e achei que fosse cego de nascença. Ele tateou procurando a cadeira do rei, encontrou-a e se ajoelhou ao lado de Alfredo, que pôs a mão paternal na cabeça abaixada do monge.

— E então, irmão Godwin? — perguntou o rei gentilmente.

— Estou aqui, senhor, estou aqui — disse Godwin numa voz que mal passava de um sussurro.

— Ouviu o senhor Uhtred?

— Ouvi, senhor, ouvi. — O irmão Godwin levantou os olhos cegos para o rei. Não disse nada durante alguns instantes, mas seu rosto estava se retorcendo durante todo esse tempo, retorcendo-se e fazendo caretas como alguém possuído por um espírito maligno. Começou a emitir um ruído engasgado, e o que me deixou pasmo foi que nada disso alarmou Alfredo, que esperou paciente até que, por fim, o jovem monge recuperou uma expressão normal.

— Isso dará certo, senhor rei — disse Godwin. — Dará certo.

Alfredo deu outro tapinha na cabeça do irmão Godwin e sorriu para mim.

— Faremos o que sugere, senhor Uhtred — disse com decisão. — Você vai conduzir seus homens para Fearnhamme — falou com Æthelred, depois olhou de volta para mim — e meu filho comandará as forças de Wessex.

— Sim, senhor — respondi obediente. Eduardo, o homem mais jovem dentro da igreja, pareceu sem graça, e seu olhar saltou nervoso de mim para seu pai.

— E você — Alfredo se virou para o filho — obedecerá ao senhor Uhtred.

Æthelred não pôde mais se conter.

— Que garantias temos — perguntou com petulância — de que os pagãos vão para Fearnhamme?

— As minhas — respondi asperamente.

— Mas você não pode ter certeza! — protestou Æthelred.

— Ele irá para Fearnhamme — disse eu — e lá morrerá.

Com relação a isso eu estava errado.

Mensageiros cavalgaram até os homens de Æthelred em Silcestre, ordenando que marchassem para Fearnhamme às primeiras luzes do dia seguinte. Assim que chegassem deveriam ocupar o morro que fica logo ao norte do rio. Aqueles quinhentos homens eram a bigorna, ao passo que os homens que estavam em Æscengum eram minha marreta, mas atrair Harald para a bigorna significaria dividir nossas forças, e uma regra da guerra é não fazer isso. Na minha melhor estimativa teríamos uns quinhentos homens a menos do que os dinamarqueses, e ao manter o exército em duas partes eu estava convidando Harald a destruí-lo separadamente.

— Mas estou contando com o fato de Harald ser um idiota impulsivo, senhor — disse a Alfredo naquela noite.

O rei havia se juntado a mim na fortificação leste de Æscengum. Tinha chegado com seu séquito usual de padres, mas os havia dispensado para falar comigo em particular. Ficou por um momento apenas olhando a distante claridade opaca das chamas onde os homens de Harald haviam saqueado aldeias, e eu sabia que ele estava lamentando todas as igrejas queimadas.

— Ele é um idiota impulsivo? — perguntou em tom afável.

— Diga-me o senhor — respondi.

— Ele é selvagem, imprevisível e dado a ataques súbitos de fúria — disse o rei. Alfredo pagava bem em troca de informações sobre os nórdicos e mantinha anotações meticulosas sobre cada líder. Harald estivera saqueando na Frankia antes que o povo de lá o subornasse para partir, e eu não duvidava de que os espiões de Alfredo haviam lhe contado tudo o que puderam descobrir sobre Harald Cabelo de Sangue. — Sabe por que ele é chamado de Cabelo de Sangue? — perguntou Alfredo.

— Porque, antes de cada batalha, senhor, ele sacrifica um cavalo a Tor e encharca o cabelo no sangue do animal.

— É — disse Alfredo. E se apoiou na paliçada. — Como você pode ter certeza de que ele irá a Fearnhamme?

— Porque vou atraí-lo para lá, senhor. Vou fazer uma correia e puxá-lo contra nossas lanças.

— A mulher? — perguntou Alfredo com um ligeiro tremor.

— Dizem que ela é especial para ele, senhor.

— Foi o que ouvi dizer. Mas ele terá outras prostitutas.

— Ela não é o único motivo que o fará ir a Fearnhamme, senhor, mas é motivo suficiente.

— As mulheres trouxeram o pecado para este mundo — disse ele, tão baixinho que quase não ouvi. Apoiou-se nos troncos de carvalho do parapeito e olhou para a pequena cidade de Godelmingum, que ficava a apenas alguns quilômetros a leste. As pessoas que moravam lá tinham recebido ordem de ir embora, e agora os únicos habitantes eram cinquenta dos meus homens, que ficavam de sentinela para nos alertar sobre a aproximação dos dinamarqueses. — Eu tinha esperança de que os dinamarqueses tivessem parado de querer este reino — disse ele, quebrando o silêncio com um lamento.

— Eles sempre desejarão Wessex.

— Eu só peço a Deus — continuou ele, ignorando meu truísmo — que Wessex permaneça em segurança e seja governada por meu filho.

Não respondi a isso. Não existia lei decretando que um filho devesse suceder ao pai como rei; e, se houvesse, Alfredo não seria governante de Wessex. Ele havia sucedido ao irmão e aquele irmão tinha um filho, Æthelwold, que queria desesperadamente ser rei de Wessex. Æthelwold era jovem demais para assumir o trono quando o pai morreu, mas agora estava na casa dos 30 anos no auge do encharcamento em cerveja. Alfredo suspirou, depois se empertigou.

— Eduardo vai precisar de você como conselheiro — disse ele.

— Eu ficaria honrado, senhor.

Alfredo ouviu o tom obediente na minha voz e não gostou. Enrijeceu-se, e esperei uma das suas censuras costumeiras, mas em vez disso ele pareceu magoado.

— Deus me abençoou — disse baixinho. — Quando cheguei ao trono, senhor Uhtred, parecia impossível que resistíssemos aos dinamarqueses. No entanto, pela graça de Deus, Wessex vive. Temos igrejas, mosteiros, escolas, leis. Fizemos um rumo onde Deus reside, e não posso acreditar que seja a vontade de Deus que ele desapareça quando eu for chamado para ser julgado.

— Que ainda faltem anos para isso, senhor — falei tão obediente quanto antes.

— Ah, não seja idiota — rosnou com raiva súbita. Ele estremeceu, fechou os olhos por um instante e quando voltou a falar sua voz era baixa e fraca. — Posso sentir a morte chegando, senhor Uhtred. É como uma emboscada. Sei que ela está ali e não posso fazer nada para evitar. Ela vai me levar e me destruir, mas não quero que destrua Wessex comigo.

— Se é a vontade do seu Deus — falei asperamente — nada que eu possa fazer ou que Eduardo possa fazer irá impedir.

— Não somos marionetes nas mãos de Deus — disse ele, irritado. — Somos seus instrumentos. Fazemos por merecer nosso destino. — Ele me olhou com amargura, pois nunca havia me perdoado por abandonar o cristianismo em favor da religião mais antiga. — Seus deuses não recompensam seu bom comportamento?

— Meus deuses são caprichosos, senhor. — Eu havia aprendido essa palavra com o bispo Erkenwald, que as dissera como um insulto, mas assim que fiquei conhecendo o significado gostei. Meus deuses são caprichosos.

— Como você pode servir a um deus caprichoso?

— Não sirvo.

— Mas você disse...

— Eles são caprichosos — interrompi — mas esse é o prazer deles. Minha tarefa não é servi-los, e sim diverti-los, e, se eu fizer isso, eles me recompensarão na outra vida.

— Diverti-los? — Alfredo pareceu chocado.

— Por que não? Nós temos gatos, cães e falcões para o nosso prazer. Os deuses nos fizeram pelo mesmo motivo. Por que o seu deus fez o senhor?

— Para ser seu serviçal — disse ele com firmeza. — Se eu sou o gato de Deus, devo pegar os ratos do diabo. Isso é dever, senhor Uhtred, dever.

— Já o meu dever é pegar Harald e arrancar a cabeça dele. Isso, penso eu, irá divertir meus deuses.

— Os seus deuses são cruéis — disse ele, e estremeceu.

— Os homens são cruéis, e os deuses nos fizeram iguais a eles, e alguns deuses são gentis, outros são cruéis. Assim como nós. Se isso divertir aos deuses, Harald vai cortar minha cabeça. — Toquei o amuleto do martelo.

Alfredo fez uma careta.

— Deus fez de você um instrumento, e não sei por que escolheu um pagão, mas escolheu, e você tem me servido bem.

Ele havia falado com fervor, surpreendendo-me, e baixei a cabeça, em reconhecimento.

— Obrigado, senhor.

— E agora desejo que você sirva ao meu filho — acrescentou ele.

Eu deveria saber que isso viria, mas de algum modo o pedido me pegou de surpresa. Fiquei quieto por um momento enquanto tentava pensar no que dizer.

— Concordei em servi-lo, senhor — respondi finalmente — e tenho feito isso. Mas tenho minhas próprias batalhas a travar.

— Bebbanburg — disse ele azedamente.

— É — admiti com firmeza. — E antes de morrer quero ver meu estandarte voando sobre o portão e meu filho com força suficiente para defendê-lo.

Ele olhou o brilho dos incêndios provocados pelo inimigo. Eu notava como esses incêndios estavam espalhados, o que me disse que Harald ainda não havia concentrado seu exército. Demoraria um tempo para juntar aqueles homens de toda a região devastada, o que significava, pensei, que a batalha não seria travada amanhã, mas no dia seguinte.

— Bebbanburg é uma ilha dos ingleses num mar de dinamarqueses — disse Alfredo.

— Verdade, senhor — respondi, notando que ele havia usado a palavra "ingleses". Essa palavra abarcava todas as tribos que tinham atravessado o mar, fossem de saxões, anglos ou jutos, e falava da ambição de Alfredo, que agora ele deixava explícita.

— O melhor modo de manter Bebbanburg em segurança — disse ele — é cercá-lo com mais terras inglesas.

— Expulsar os dinamarqueses da Nortúmbria?

— Se for a vontade de Deus, desejo que meu filho realize esse grande feito. — Ele se virou para mim e, por um momento, não era o rei, e sim o pai. — Ajude-o, senhor Uhtred — disse ele, quase implorando. — Você é meu *dux bellorum*, meu senhor das batalhas, e os homens sabem que vencerão quando os lidera. Expulse os inimigos da Inglaterra, com isso tome de volta sua fortaleza e deixe meu filho seguro em seu trono dado por Deus.

Ele não havia me lisonjeado, tinha dito a verdade. Eu era o comandante guerreiro de Wessex e sentia orgulho dessa reputação. Ia à batalha reluzindo com ouro, prata e orgulho, e deveria saber que os deuses se ressentiriam disso.

— Quero que você preste juramento ao meu filho — disse Alfredo, em voz baixa porém firme.

Xinguei por dentro, mas falei com respeito:

— Que juramento, senhor?

— Quero que você sirva Eduardo como me serviu.

E assim Alfredo me amarraria a Wessex, ao Wessex cristão que ficava tão longe de meu lar no norte. Eu havia passado meus primeiros dez anos de vida em Bebbanburg, aquela grande fortaleza na rocha junto ao mar do norte, e quando cavalguei pela primeira vez para a guerra a fortaleza foi deixada aos cuidados do meu tio, que a roubou de mim.

— Prestarei juramento ao senhor e a mais ninguém — disse eu.

— Eu já tenho seu juramento — respondeu ele com aspereza.

— E irei mantê-lo.

— E quando eu morrer? — perguntou ele, amargo.

— Então, senhor, irei a Bebbanburg, tomarei a fortaleza e passarei meus dias junto ao mar.

— E se meu filho for ameaçado?

— Então Wessex deve defendê-lo, como eu defendo o senhor agora.

— E o que o faz pensar que pode me defender? — Agora ele estava com raiva. — Você levaria meu exército a Fearnhamme? Você não tem certeza de que Harald irá para lá.

— Ele irá.

— Você não pode saber disso!

— Vou forçá-lo.

— Como?

— Os deuses farão isso para mim.

— Você é um idiota — disse Alfredo rispidamente.

— Se não confia em mim — falei com ênfase igual — seu genro quer ser seu Senhor das Batalhas. Ou o senhor mesmo pode comandar o exército, não? Ou dar a chance a Eduardo.

Ele estremeceu, pensei que com raiva, mas quando falou de novo sua voz estava paciente.

— Eu só gostaria de saber por que tem tanta certeza de que o inimigo fará o que você quer.

— Porque os deuses são caprichosos — respondi arrogante — e eu vou diverti-los.

— Diga — pediu ele, cansado.

— Harald é um idiota e é um idiota apaixonado. Nós temos a mulher dele. Vou levá-la a Fearnhamme e ele irá atrás porque está enfeitiçado por ela. E mesmo que eu não tivesse sua mulher ele me seguiria.

Eu havia pensado que Alfredo zombaria disso, mas ele considerou minhas palavras em silêncio, depois juntou as mãos em oração.

— Sinto-me tentado a duvidar, mas o irmão Godwin garante que você trará a vitória.

— O irmão Godwin? — Eu já quisera perguntar sobre o estranho monge cego.

— Deus fala com ele — disse Alfredo com uma certeza calma.

Eu quase ri, mas então pensei que os deuses realmente falam conosco, ainda que em geral através de sinais e presságios.

— Ele toma todas as suas decisões, senhor? — perguntei azedamente.

— Deus me assiste em todas as coisas — respondeu Alfredo com rispidez, depois se virou porque o sino estava chamando os cristãos para rezar na igreja nova de Æscengum.

Os deuses são caprichosos, e eu iria diverti-los. E Alfredo estava certo. Eu era um idiota.

O que Harald queria? Ou, por sinal, Haesten? Era mais simples responder por Haesten, porque ele era o mais inteligente e mais ambicioso, e queria terras. Queria ser rei.

Os nórdicos tinham vindo à Britânia em busca de reinos, e os sortudos haviam encontrado seus tronos. Um nórdico reinava na Nortúmbria e outro na Ânglia Oriental, e Haesten queria ser igual a eles. Queria a coroa, os tesouros, as mulheres e o status, e havia dois lugares onde essas coisas poderiam ser encontradas. Um era a Mércia, e o outro, Wessex.

A Mércia oferecia maiores possibilidades. Não tinha rei e estava devastada pelas guerras. O norte e o leste do país eram governados por *jarls*, dinamarqueses poderosos que mantinham fortes tropas de guerreiros domésticos e trancavam os portões à noite, ao passo que o sul e o leste eram terras saxãs. Os saxões procuravam meu primo, Æthelred, em busca de proteção, e ele dava, mas somente porque herdara grande riqueza e desfrutava do apoio firme de seu sogro, Alfredo. A Mércia não fazia parte de Wessex, mas lhe obedecia, e Alfredo era o verdadeiro poder por trás de Æthelred. Haesten poderia atacar a

Mércia e encontraria aliados no norte e no leste, mas eventualmente iria se ver diante dos exércitos da Mércia saxã e de Wessex de Alfredo. E Haesten era cauteloso. Tinha montado seu acampamento numa costa desolada de Wessex, mas não fez nada provocador. Esperava, com a certeza de que Alfredo iria pagar para ele ir embora, algo que Alfredo fizera. Também esperava para ver que danos Harald poderia provocar.

Harald provavelmente queria um trono, mas acima de tudo queria tudo que brilhava. Queria prata, ouro e mulheres. Era como uma criança que vê uma coisa bonita e berra até possuí-la. O trono de Wessex poderia cair em suas mãos enquanto Harald recolhia cobiçoso seus badulaques coloridos, mas ele não objetivava isso. Viera a Wessex porque o lugar era cheio de tesouros, e agora estava devastando a terra, saqueando, enquanto Haesten apenas observava. Haesten esperava, penso eu, que as tropas selvagens de Harald enfraquecessem Alfredo a ponto de ele poder vir por trás e tomar a terra inteira. Se Wessex era um touro, os homens de Harald eram terriers enlouquecidos por sangue que atacariam numa matilha e morreriam atacando, mas enfraqueceriam o touro. E então Haesten, o mastim, viria terminar o serviço. Assim, para deter Haesten eu precisava esmagar as forças maiores de Harald. O touro não poderia ser enfraquecido, mas os terriers tinham de ser mortos, e eles eram perigosos, eram malignos, mas também eram indisciplinados, e agora eu iria tentá-los com tesouro. Iria tentá-los com a beleza esguia de Skade.

Os cinquenta homens que eu havia posicionado em Godelmingum fugiram daquela cidade na manhã seguinte, recuando para longe de um grupo maior de dinamarqueses. Meus homens levaram seus cavalos espadanando através do rio e jorraram em Æscengum enquanto os dinamarqueses se enfileiravam na outra margem para olhar os estandartes que pendiam coloridos na paliçada leste do *burh*. Esses estandartes mostravam cruzes e santos, a panóplia do estado de Alfredo, e para me certificar de que o inimigo soubesse que o rei estava no *burh*, mandei Osferth andar lentamente ao longo da muralha, vestido com capa brilhante e com um aro de bronze brilhante na cabeça.

Osferth, meu homem, era bastardo de Alfredo. Poucas pessoas sabiam, ainda que a semelhança de Osferth com o pai fosse marcante. Era filho de uma serviçal que Alfredo levara para a cama nos dias antes de o cristianismo capturar sua alma. Uma vez, num momento descuidado, Alfredo me confidenciou que Osferth era uma censura contínua, "uma lembrança", dissera ele, "do pecador que já fui".

— Um doce pecado, senhor — respondi com leveza.

— A maioria dos pecados é doce — disse o rei. — O diabo os faz assim.

Que tipo de religião pervertida transforma os prazeres em pecados? Os deuses antigos, mesmo que jamais nos neguem o prazer, vão se esvaindo nos dias de hoje. As pessoas os abandonam, preferindo o chicote e o cabresto do deus cristão pregado.

Assim, Osferth, lembrança do doce pecado de Alfredo, fez o papel do rei naquela manhã. Duvido que tenha gostado disso, porque se ressentia de Alfredo, que tentara transformá-lo em padre. Osferth se rebelara contra esse destino, tornando-se, em vez disso, um dos meus guerreiros pessoais. Não era um lutador nato, como Finan, mas levava uma inteligência aguçada ao negócio da guerra, e a inteligência é uma arma de gume afiado e longo alcance.

Toda guerra termina na parede de escudos, onde homens retalham numa fúria embriagada, usando machados e espadas, mas a arte é manipular o inimigo de modo que, quando o momento de fúria e berros chegar, chegue para nossa vantagem. Ao fazer Osferth desfilar na muralha de Æscengum, eu procurava tentar Harald. Onde o rei está existe tesouro, eu sugeria aos meus inimigos. Venham a Æscengum, eu estava dizendo, e para aumentar a tentação mostrei Skade aos guerreiros dinamarqueses que se reuniam na outra margem do rio.

Algumas flechas haviam sido atiradas contra nós, mas isso terminou quando o inimigo reconheceu Skade. Ela me ajudou involuntariamente ao gritar para os homens do outro lado da água:

— Venham e matem todos eles!

— Eu fecho a boca de Skade — ofereceu Steapa.

— Deixe a cadela gritar — respondi.

Ela fingia não falar inglês, no entanto me lançou um olhar fulminante antes de olhar de novo para o outro lado do rio.

— Eles são covardes — gritou para os dinamarqueses. — Saxões covardes! Digam a Harald que eles morrerão como ovelhas. — Ela chegou mais perto da paliçada. Não podia atravessar a muralha porque eu havia ordenado que fosse amarrada com uma corda no pescoço, segura por um dos homens de Steapa.

— Digam a Harald que a puta dele está aqui! — gritei por cima do rio — e que é barulhenta! Acho que vamos cortar a língua dela e mandar para o jantar de Harald!

— Bosta de bode — cuspiu ela para mim, depois estendeu a mão por cima do topo da paliçada e arrancou uma flecha que havia se alojado num dos troncos de carvalho. Steapa moveu-se imediatamente para desarmá-la, mas eu o fiz recuar. Skade nos ignorou. Estava olhando fixamente para a ponta da flecha e, com um movimento súbito, arrancou-a da haste emplumada, que jogou por cima da muralha. Lançou-me um olhar, levantou a ponta de flecha aos lábios, fechou os olhos e beijou o aço. Murmurou algumas palavras que não pude ouvir, tocou o aço com os lábios de novo e depois enfiou-o embaixo do vestido, hesitou e cravou a ponta num dos seios. Lançou-me um olhar de triunfo enquanto trazia à vista o aço ensanguentado, depois jogou a ponta de flecha no rio, levantou as mãos e ergueu o rosto para o sol do fim de verão. Gritou para atrair a atenção dos deuses, e quando o grito sumiu, virou-se de novo para mim.

— Você está amaldiçoado, Uhtred — disse com um tom que poderia ter usado para falar do clima.

Resisti ao impulso de tocar o martelo pendurado no pescoço, porque ao fazê-lo teria mostrado que temia sua maldição, e, em vez disso, fingi desconsiderar com um risinho de desprezo.

— Economize o fôlego, puta — respondi, mas mesmo assim levei a mão à espada e esfreguei um dedo na cruz de prata engastada no punho de Bafo de Serpente. A cruz não significava nada para mim, a não ser que havia sido presente de Hild, que já fora minha amante e agora era uma abadessa de devoção extraordinária. Será que pensei que tocar a cruz era um substituto para o martelo? Os deuses não achariam isso.

— Quando eu era criança — disse Skade de repente, usando um tom casual como se fôssemos velhos amigos — meu pai espancou minha mãe até ela perder os sentidos.

— Porque ela era como você? — perguntei.

Skade ignorou isso.

— Quebrou as costelas dela, um braço e o nariz, e mais tarde, naquele dia, me levou aos pastos elevados para ajudar a trazer o rebanho de volta. Eu tinha 12 anos. Lembro que havia flocos de neve voando e eu morria de medo dele. Queria perguntar por que ele havia machucado minha mãe, mas não falei, para ele não me bater, porém ele me contou, mesmo assim. Disse que queria me casar com seu amigo mais íntimo e que minha mãe havia sido contra a ideia. Também odiei aquilo, mas ele disse que eu me casaria com o homem de qualquer modo.

— E devo sentir pena de você?

— Por isso eu o empurrei por cima de um penhasco — disse ela. — E me lembro de que ele caiu através dos flocos de neve. Fiquei olhando-o ricochetear nas pedras e ouvi seus gritos. As costas dele se partiram. — Ela sorriu. — Deixei-o lá. Ele ainda estava vivo quando eu trouxe o rebanho para baixo. Desci pelas pedras e mijei na cara dele antes de ele morrer. — Ela me olhou com calma. — Aquela foi minha primeira maldição, senhor Uhtred, mas não foi a última. Retiro a maldição se você me deixar ir embora.

— Acha que pode me amedrontar e fazer com que eu a devolva a Harald? — perguntei, achando divertido.

— Você fará isso — disse Skade, confiante. — Fará isso.

— Levem-na embora — ordenei, cansado dela.

Harald veio ao meio-dia. Um dos homens de Steapa me trouxe a notícia e eu subi de novo ao topo da fortificação para descobrir que Harald Cabelo de Sangue estava na outra margem do rio com cinquenta companheiros, todos vestindo cota de malha. Seu estandarte mostrava uma lâmina de machado e seu mastro era encimado por um crânio de lobo pintado de vermelho.

Era um homem grande. Seu cavalo também era grande, mas mesmo assim Harald Cabelo de Sangue fazia o garanhão parecer minúsculo. Estava distante demais para que eu o visse com clareza, mas seu cabelo amarelo, comprido, denso e não manchado por sangue era claramente visível, assim como a barba farta. Por um tempo ele apenas olhou para a muralha de Æscengum, depois desafivelou o cinturão da espada, jogou a arma para um dos seus homens e esporeou o cavalo para dentro do rio. Era um dia quente, mas sua cota de malha ainda estava coberta por uma grande capa preta de pele de urso que o fazia parecer monstruosamente enorme. Usava ouro nos pulsos e no pescoço, e mais ouro decorava o cabresto do cavalo. Instigou o garanhão até o centro do rio, onde a água subiu acima de suas botas. Qualquer arqueiro da muralha de Æscengum poderia ter disparado uma flecha, mas ele havia se desarmado ostensivamente, o que significava que queria falar, e eu dei ordens para que ninguém disparasse contra ele. Harald tirou o elmo e examinou os homens apinhados na muralha até ver Osferth com o aro na cabeça. Harald nunca vira Alfredo, e confundiu o bastardo com o pai.

— Alfredo! — gritou ele.

— O rei não fala com bandidos — gritei de volta.

Harald riu. Seu rosto era largo como uma pá de revirar cevada; o nariz, adunco e torto; a boca, larga; os olhos, ferozes como os de um lobo.

— Você é Uhtred Filho de Bosta? — cumprimentou ele.

— Sei que você é Harald, o Sem Bagos — respondi com um insulto bem-comportado.

Ele me encarou. Agora que estava mais perto, pude ver que seu cabelo amarelo e a barba estavam cheios de sujeira, embolados e engordurados, como o cabelo de um cadáver enterrado em esterco. O rio corria veloz em volta de seu garanhão.

— Diga ao seu rei — gritou Harald para mim — que ele pode evitar muita encrenca se me entregar seu trono.

— Ele o convida a vir pegá-lo.

— Mas primeiro — ele se inclinou para a frente e deu um tapinha no pescoço do cavalo — vocês devem devolver o que é meu.

— Não temos nada que seja seu.

— Skade — disse ele, peremptoriamente.

— Ela é sua? — perguntei, fingindo surpresa. — Sem dúvida uma puta pertence a quem pague, não é?

Ele me lançou um olhar de ódio instantâneo.

— Se você tocou nela — disse apontando um dedo coberto pela luva — ou se algum de seus homens a tocou, juro pelo caralho de Tor que vou fazer a morte de vocês ser tão lenta que seus gritos vão acordar os mortos nas cavernas de gelo. — Ele era um idiota, pensei. Um homem inteligente fingiria que a mulher significava pouco ou nada para ele, mas Harald já estava revelando seu preço. — Mostre-a! — exigiu.

Hesitei, como se estivesse tentando decidir, mas queria que Harald visse a isca, por isso ordenei que dois homens de Steapa trouxessem Skade. Ela chegou com a corda ainda no pescoço, mas tamanha era sua beleza e sua calma dignidade que dominou o topo da fortificação. Naquele momento pensei que ela era a mulher com mais porte de rainha que eu já vira. Foi até a paliçada e sorriu para Harald, que instigou o cavalo alguns passos à frente.

— Eles tocaram você? — gritou ele.

Ela me deu um olhar de zombaria antes de responder:

— Eles não são homens o bastante, senhor — gritou de volta.

— Jure! — gritou ele, e o desespero era claro em sua voz.

— Juro — respondeu ela, e sua voz era uma carícia.

Harald girou o cavalo até o animal ficar de lado para mim, depois levantou a mão enluvada para apontar para mim.

— Você a mostrou nua, Uhtred Filho de Bosta.

— Quer que eu mostre de novo?

— Por causa disso você perderá os olhos — disse ele, fazendo Skade gargalhar. — Solte-a agora e eu não o mato! Em vez disso vou mantê-lo cego e nu, na ponta de uma corda, e mostrar ao mundo inteiro.

— Você late feito um cachorrinho — gritei.

— Tire a corda do pescoço dela — ordenou Harald — e mande-a para mim agora!

— Venha pegá-la, cachorrinho — gritei de volta. Eu estava empolgado. Achei que Harald estava se mostrando um idiota cabeça-dura. Ele queria Skade mais do que desejava Wessex, na verdade mais do que desejava todos os tesouros do reino de Alfredo. Lembro-me de ter pensado que eu o tinha exatamente onde queria, na ponta da minha rédea, mas então ele virou o cavalo e fez um sinal para a multidão crescente de guerreiros do outro lado do rio.

E das árvores que cresciam densas naquela outra margem emergiu uma linha de mulheres e crianças. Eram do nosso povo, saxãs, e estavam amarradas juntas porque tinham sido tomadas como escravas. Os homens de Harald, enquanto devastavam o leste de Wessex, sem dúvida haviam capturado cada criança e cada mulher jovem que pudessem encontrar e, quando tivessem terminado de se divertir, iriam mandá-las de navio para os mercados de escravos na Frankia. Mas aquelas mulheres e crianças haviam sido trazidas para a margem do rio onde, a uma ordem de Harald, foram obrigadas a se ajoelhar. A criança mais nova devia ter a idade de minha Stiorra, e ainda posso ver os olhos daquela menina me olhando. Ela viu um comandante guerreiro em glória luminosa e eu não vi nada além de um desespero digno de pena.

— Comecem — gritou Harald a seus homens.

Um de seus guerreiros, um brutamontes sorridente que parecia capaz de lutar com um boi, chegou atrás da mulher que estava na extremidade sul da linha. Carregava um machado de batalha que girou alto, depois baixou-o de modo que a lâmina partiu o crânio dela e se enterrou no tronco. Ouvi o estalo da lâmina no osso acima do barulho do rio e vi sangue espirrando mais alto do que Harald e seu cavalo.

— Uma — gritou Harald, e fez um gesto para o homem do machado coberto de sangue, que deu um passo rápido à esquerda para ficar atrás de uma criança que gritava porque tinha acabado de ver a mãe ser assassinada. O machado de lâmina vermelha subiu.

— Espere — gritei.

Harald levantou a mão e conteve o machado, depois me deu um sorriso de zombaria.

— Disse alguma coisa, senhor Uhtred?

Não respondi. Eu estava olhando um redemoinho de sangue desaparecer rio abaixo. Um homem cortou a corda que amarrava a morta à sua filha, depois chutou o cadáver para dentro do rio.

— Fale, senhor Uhtred, por favor, fale — disse Harald com cortesia exagerada. Restavam 33 mulheres e crianças. Se eu não fizesse nada, todas morreriam.

— Solte-a — falei baixinho.

A corda no pescoço de Skade foi cortada.

— Vá — disse eu.

Eu esperava que ela quebrasse as pernas ao pular da paliçada, mas ela pousou agilmente, subiu o barranco do outro lado do fosso e depois foi até a beira do rio. Harald esporeou o cavalo até ela, estendeu a mão e ela pulou atrás da sela. Olhou para mim, encostou um dedo na boca e estendeu a mão para mim.

— Você está amaldiçoado, senhor Uhtred — disse, sorrindo, e depois Harald instigou o cavalo de volta para a outra margem, onde as mulheres e crianças tinham sido levadas de volta para as árvores densas.

Assim Harald teve o que queria.

Mas Skade queria ser rainha e Harald queria me ver cego.

— E agora? — perguntou Steapa em sua voz profunda e gutural.

— Vamos matar o desgraçado — respondi. E, como uma leve sombra num dia coberto de nuvens, senti a maldição dela.

Naquela noite fiquei olhando o brilho dos incêndios de Harald; não os mais próximos, em Goldemingum, apesar de serem bastante densos, mas a luz fraca de chamas mais distantes, e notei que agora boa parte do céu estava escura. Nas últimas noites as fogueiras haviam se espalhado pelo leste de Wessex, mas agora se aproximavam, o que significava que os homens de Harald vinham se concentrando. Sem dúvida ele esperava que Alfredo ficasse em Æscengum, por isso estava reunindo seu exército, não para nos sitiar, mas provavelmente para lançar um ataque súbito contra a capital de Alfredo, Wintanceaster.

Alguns dinamarqueses haviam atravessado o rio ao redor das muralhas de Æscengum, mas a maioria continuava na outra margem. Faziam o que eu queria, no entanto naquela noite meu coração ficou melancólico e eu tive de fingir confiança.

— Amanhã, senhor, o inimigo vai atravessar o rio — disse eu a Eduardo, o filho de Alfredo. — Vai me perseguir, e o senhor deixará que eles passem pelo *burh*, esperará uma hora e depois irá atrás.

— Entendo — respondeu ele, nervoso.

— Siga-os, mas não entre em batalha até chegar a Fearnhamme.

Parado junto de Eduardo, Steapa franziu a testa.

— E se eles se virarem contra nós?

— Eles não farão isso. Só esperem até que o exército dele tenha passado, depois siga-o até Fearnhamme.

Parecia uma instrução bastante fácil, mas eu duvidei que fosse tão fácil. A maior parte do exército inimigo atravessaria o rio com pressa, ansiosa para me perseguir, mas os retardatários seguiriam durante o dia inteiro. Eduardo teria de avaliar quando a maior parte do exército de Harald estaria uma hora à frente e então, ignorando os retardatários, perseguiria Harald até Fearnhamme. Seria uma decisão difícil, mas ele tinha Steapa para aconselhá-lo. Steapa podia não ser inteligente, mas tinha um instinto de matador no qual eu confiava.

— Em Fearnhamme — começou Eduardo, e hesitou. A meia-lua, aparecendo entre as nuvens, iluminava seu rosto pálido e ansioso. O rapaz se parecia com o pai, mas havia nele uma incerteza que não era surpreendente. Tinha apenas uns 17 anos, no entanto estava recebendo uma responsabilidade de adulto. Ele contaria com Steapa, mas se quisesse ser rei, teria de aprender a difícil arte de fazer escolhas.

— Fearnhamme será simples — falei sem dar importância. — Eu estarei ao norte do rio com os mércios. Ficaremos num morro protegido por fortificações de terra. Os homens de Harald atravessarão o vau para nos atacar, e vocês atacarão a retaguarda deles. Quando fizerem isso, nós atacaremos a vanguarda.

— Simples? — ecoou Steapa com um traço de diversão.

— Vamos esmagá-los entre nós — respondi.

— Com a ajuda de Deus — disse Eduardo com firmeza.

— Mesmo sem isso — rosnei.

Eduardo me interrogou durante quase uma hora, até o sino convocá-lo para rezar. Ele era como o pai. Queria entender tudo e ter tudo arrumado em listas bem organizadas, mas isso era guerra, e a guerra nunca era bem organizada. Eu acreditava que Harald iria me seguir e confiava em Steapa para levar a maior parte do exército de Alfredo atrás de Harald, mas não podia fazer promessas a Eduardo. Ele queria a certeza, mas eu estava planejando uma batalha e fiquei aliviado quando ele foi rezar com o pai.

Steapa me deixou e fiquei sozinho no topo da fortificação. As sentinelas me deram espaço, de algum modo conscientes do meu péssimo humor, e quando ouvi passos ignorei-os, esperando que a pessoa fosse embora e me deixasse em paz.

— Senhor Uhtred — disse uma voz gentilmente zombeteira quando os passos pararam atrás de mim.

— Senhora Æthelflæd — respondi, sem me virar para olhá-la.

Ela parou ao meu lado, com a capa tocando a minha.

— Como está Gisela?

Toquei o martelo de Tor pendurado no pescoço.

— Prestes a dar à luz de novo.

— É o quarto filho?

— É — respondi, e mandei uma oração para a casa dos deuses pedindo que Gisela sobrevivesse ao parto. — Como está Ælfwynn? — Ælfwynn era filha de Æthelflæd, ainda pequenina.

— Está crescendo.

— Filha única?

— E ficará assim — disse Æthelflæd com amargura, e eu olhei seu perfil, tão delicado ao luar. Eu a conhecia desde que era uma menininha, quando era a mais feliz e despreocupada dos filhos de Alfredo, mas agora seu rosto estava cauteloso, como se tivesse medo de pesadelos. — Meu pai está com raiva de você.

— Quando ele não está?

Ela deu um levíssimo sorriso, que sumiu rapidamente.

— Ele quer que você preste juramento a Eduardo.

— Eu sei.

— E por que não faz isso?

— Porque não sou um escravo que pode ser dado a um novo senhor.

— Ah! — ela pareceu sarcástica. — Você não é uma mulher?

— Vou levar minha família para o norte.

— Se meu pai morrer — disse Æthelflæd, e hesitou. — Quando meu pai morrer, o que acontece com Wessex?

— Eduardo governa.

— Ele precisa de você — disse ela. Dei de ombros. — Enquanto você viver, senhor Uhtred, os dinamarqueses hesitarão em atacar.

— Harald não hesitou.

— Porque é um idiota — respondeu ela com escárnio —, e amanhã você vai matá-lo.

— Talvez.

Um murmúrio de vozes fez Æthelflæd se virar e ver homens saindo da igreja.

— Meu marido — disse ela, investindo de desprezo essas duas palavras — mandou uma mensagem ao senhor Aldhelm.

— Aldhelm lidera as tropas da Mércia?

Æthelflæd assentiu. Eu conhecia Aldhelm. Era o favorito do meu primo e um homem de ambição sem limites, astuto e inteligente.

— Espero que seu marido tenha ordenado que Aldhelm vá para Fearnhamme.

— Ordenou — disse Æthelflæd, depois baixou a voz e falou mais rápido: — Mas também disse para Aldhelm recuar para o norte se achasse o inimigo forte demais.

Eu havia suspeitado que isso aconteceria.

— Então Aldhelm deve preservar o exército da Mércia?

— De que outro modo meu marido pode tomar Wessex quando meu pai morrer? — perguntou Æthelflæd numa voz de inocência sedosa. Olhei-a, mas ela apenas observava os incêndios em Goldemingum.

— Aldhelm vai lutar?

— Não se isso significar enfraquecer o exército da Mércia.

— Então amanhã terei de persuadir Aldhelm a cumprir seu dever.

— Mas você não tem autoridade sobre ele.

Dei um tapinha no punho de Bafo de Serpente.

— Tenho isto.

— E ele tem quinhentos homens. Mas há uma pessoa a quem ele obedecerá.

— À senhora?

— Portanto amanhã cavalgarei com você.

— Seu marido vai proibir.

— Claro que vai — disse ela com calma —, mas meu marido não saberá. E você me fará um serviço, senhor Uhtred.

— Estou sempre a seu serviço, senhora — falei em tom leve demais.

— Está? — perguntou ela, virando-se para me olhar nos olhos.

Olhei seu rosto triste e lindo, e soube que sua pergunta era séria.

— Sim, senhora — respondi gentilmente.

— Então amanhã mate todos eles — disse ela com amargura. — Mate todos os dinamarqueses. Faça isso por mim, senhor Uhtred. — Ela tocou minha mão com as pontas dos dedos. — Mate todos eles.

Ela havia amado um dinamarquês e o perdera para uma espada, e agora mataria todos.

Há três fiandeiras na raiz da Yggdrasil, a árvore da vida, e elas tecem nossos fios, e essas fiandeiras fizeram uma meada do ouro mais puro para a vida de Æthelflæd, mas naqueles anos elas trançaram esse fio brilhante num tecido muito mais escuro. As três fiandeiras veem nosso futuro. O presente dos deuses à humanidade é não podermos ver aonde os fios irão.

Ouvi canções vindas dos dinamarqueses acampados do outro lado do rio.

E amanhã eu os atrairia até o antigo morro junto ao rio. E ali iria matá-los.

QUATRO

O dia seguinte era quinta-feira, o Dia de Tor, o que considerei um bom presságio. Alfredo propusera mudar o nome dos dias da semana, sugerindo que Thursday se tornasse Maryday ou talvez Haligastday, mas a ideia havia se evaporado como orvalho sob o sol de verão. No reino cristão de Wessex, quer o rei gostasse ou não, Tyr, Odin, Tor e Frigg ainda eram lembrados a cada semana.*

E naquele dia de Tor eu ia levar duzentos guerreiros a Fearnhamme, se bem que mais de seiscentos cavaleiros se reuniam na comprida rua do *burh* antes do nascer do sol. Havia o caos de sempre. Couros de estribos se partiam e os homens tentavam encontrar substitutos, crianças corriam no meio dos grandes cavalos, espadas eram afiadas uma última vez, a fumaça dos fornos pairava entre as casas como névoa, o sino da igreja tocava, monges cantavam, e eu fiquei no topo da fortificação olhando a outra margem do rio.

Os dinamarqueses que tinham atravessado para a nossa margem no dia anterior retornaram antes do anoitecer. Eu podia ver a fumaça de suas fogueiras subindo entre as árvores, mas o único inimigo visível era um par de sentinelas agachadas à beira do rio. Por um momento fiquei tentado a abandonar tudo o que havia planejado e em vez disso comandar os seiscentos homens na travessia do rio e deixar que eles causassem devastação no acampamento de Harald, mas foi apenas uma tentação fugaz. Presumi que a maioria dos homens dele estivesse em Goldelmingum, e eles estariam bem acordados

---

*Em inglês, *Thursday* (quinta-feira), *Maryday* e *Haligastday* significam literalmente "dia de Tor", "dia de Maria" e "dia do Espírito Santo". *Tuesday* (terça-feira) significa "dia de Tyr, ou Tiw"; *Wednesday* (quarta-feira) significa "dia de Wodan, ou Odin"; e *Friday* (sexta-feira) significa "dia de Frigg". (*N. do T.*)

quando os alcançássemos. O resultado poderia ser uma batalha em redemoinho, mas os dinamarqueses inevitavelmente perceberiam sua vantagem em número e nos estraçalhariam. Eu queria manter minha promessa a Æthelflæd. Queria matar todos.

Fiz o primeiro movimento quando o sol nasceu, e fiz com barulho. Trompas foram tocadas dentro de Æscengum, então o portão norte foi aberto e quatrocentos cavaleiros correram para o campo. Os primeiros se reuniram à margem do rio, à vista dos dinamarqueses, e esperaram enquanto o resto dos homens passava pelo portão. Assim que todos os quatrocentos estavam reunidos, viraram para o oeste e esporearam por entre as árvores em direção à estrada que levaria a Wintanceaster. Eu ainda estava em cima da fortificação, de onde vi os dinamarqueses se reunindo para olhar a agitação em nossa margem, e não duvidei de que mensageiros estariam galopando para encontrar Harald e informar que o exército saxão estava em retirada.

Só que eles não estavam se retirando porque, assim que chegaram entre as árvores, os quatrocentos homens deram meia-volta e entraram de novo pelo portão oeste, que ficava fora das vistas do inimigo. Foi então que desci à rua principal e montei na sela de Smoka. Estava vestido para a guerra, com malha, ouro e aço. Alfredo apareceu à porta da igreja, os olhos apertados por causa da luz súbita do sol quando saiu da semiescuridão sagrada. Devolveu meu cumprimento com um gesto de cabeça, mas não disse nada. Æthelred, meu primo, foi mais ruidoso, exigindo saber onde estava sua esposa. Ouvi um serviçal informar que Æthelflæd estava rezando no convento, e isso pareceu satisfazer Æthelred, que me garantiu em voz alta que suas tropas mércias estariam esperando em Fearnhamme.

— Aldhelm é um bom homem que gosta de uma luta — disse ele.

— Fico feliz — respondi, fingindo amizade com meu primo, assim como Æthelred estava fingindo que Aldhelm não recebera instruções secretas para recuar para o norte caso sentisse medo do número de inimigos. Até baixei a mão da sela alta de Smoka. — Obteremos uma grande vitória, senhor Æthelred — falei em voz alta.

Æthelred pareceu momentaneamente pasmo com minha aparente afabilidade, mas, de qualquer modo, apertou minha mão.

— Com a ajuda de Deus, primo — disse ele. — Com a ajuda de Deus.

— Rezo por isso — respondi. O rei me deu um olhar desconfiado, mas eu apenas sorri animado. — Traga as tropas quando achar melhor — gritei para o filho de Alfredo, Eduardo — e sempre ouça o conselho do senhor Æthelred.

Eduardo olhou para o pai procurando alguma orientação sobre o que deveria responder, mas não recebeu nenhuma. Assentiu nervoso.

— Farei isso, senhor Uhtred — disse ele. — E que Deus o acompanhe.

Deus poderia me acompanhar, mas Æthelred não faria isso. Tinha optado por cavalgar com as tropas saxãs ocidentais que seguiriam os dinamarqueses, com isso fazendo parte do martelo que esmagaria as forças de Harald contra a bigorna dos guerreiros mércios. Eu havia temido que ele viesse comigo, mas fazia sentido Æthelred ficar com o sogro. Desse modo, se Aldhelm optasse por recuar, Æthelred não poderia levar a culpa. Suspeitei de outro motivo. Quando Alfredo morresse, Eduardo seria nomeado rei, a não ser que o *witan* quisesse um homem mais velho e mais experiente, e sem dúvida Æthelred acreditava que obteria mais renome lutando com os saxões ocidentais nesse dia.

Coloquei meu elmo com a imagem de lobo e instiguei Smoka em direção a Steapa, que, sério em sua cota de malha e cheio de armas penduradas, esperava ao lado de uma oficina de ferreiro. A fumaça de carvão saía da porta. Inclinei-me e dei um tapa no elmo do meu amigo.

— Sabe o que fazer? — perguntei.

— Diga mais uma vez que eu arranco seu fígado e o cozinho — resmungou ele.

Eu ri.

— Vejo você esta noite. — Eu estava fingindo que Eduardo comandava os saxões do oeste e que Æthelred era seu principal conselheiro, mas na verdade confiava em Steapa para fazer com que o dia transcorresse segundo meus planos. Queria que Steapa escolhesse o momento em que os setecentos guerreiros sairiam de Æscengum para perseguir os homens de Harald. Se eles partissem cedo demais, Harald poderia dar meia-volta e retalhá-los, ao passo que se saíssem tarde isso significaria que meus setecentos soldados seriam trucidados em Fearnhamme.

— Vamos conquistar uma vitória famosa neste dia — disse eu a Steapa.

— Se Deus quiser, senhor.

— Se você e eu quisermos — falei animado, depois me abaixei e peguei meu pesado escudo de tília com um serviçal. Pendurei o escudo às costas, depois esporeei Smoka até o portão norte, onde a espalhafatosa carroça de Alfredo esperava atrás de três parelhas de cavalos. Tínhamos atrelado cavalos à carroça desajeitada porque eram mais rápidos do que bois. Osferth, parecendo arrasado, era o único passageiro. Vestia uma capa de um azul intenso e usava um aro de bronze na cabeça. Os dinamarqueses não sabiam que Alfredo se abstinha da maioria dos símbolos do cargo. Eles esperavam que um rei usasse coroa, por isso ordenei que Osferth pusesse aquele badulaque polido. Também havia convencido o abade Oslac a me dar dois dos relicários menos valiosos de seu mosteiro. Um era uma caixa de prata moldada com imagens de santos e cravejada de pedras de ônix e âmbar, que guardara os ossos dos dedos de são Cedd, mas agora continha algumas pedras que deixariam perplexos os dinamarqueses se, como eu esperava, eles capturassem a carroça. O segundo relicário, também de prata, tinha uma pena de pombo dentro, porque era sabido que Alfredo não viajava a lugar nenhum sem a pena que fora arrancada da pomba que Noé soltou da arca. Além dos relicários tínhamos posto na carroça um baú de madeira com reforços de ferro. O baú tinha prata até a metade e provavelmente iríamos perdê-lo, mas eu esperava ganhar muito mais. O abade Oslac, usando cota de malha por baixo de seu manto de monge, havia insistido em acompanhar meus duzentos homens. Um escudo pendia na lateral de seu corpo e um monstruoso machado de guerra estava pendurado às costas largas.

— Isso aí parece bem usado — cumprimentei-o, notando as mossas na lâmina larga do machado.

— Mandei muito pagão para o inferno, senhor Uhtred — respondeu ele, feliz.

Eu ri e esporeei até o portão, onde o padre Beocca, meu velho e sério amigo, esperava para nos abençoar.

— Que Deus os acompanhe — disse quando o alcancei.

Sorri para ele. Beocca era aleijado, vesgo, tinha cabelos brancos e um pé torto. Também era um dos melhores homens que eu conhecia, ainda que me desaprovasse tremendamente.

— Reze por mim, padre — disse eu.

— Nunca deixo de rezar.

— E não deixe Eduardo sair com os homens cedo demais! Confie em Steapa! Ele pode ser burro como um toco de pau, mas sabe lutar.

— Rezarei para que Deus dê uma boa capacidade de avaliação aos dois — disse meu velho amigo. Em seguida levantou a mão boa para apertar a minha. — Como está Gisela?

— Talvez já seja mãe de novo. E Thyra?

Seu rosto se iluminou como uma brasa pegando fogo. Esse homem feio e aleijado, zombado pelas crianças na rua, havia se casado com uma dinamarquesa de beleza estonteante.

— Deus a mantém em Sua mão amorosa — respondeu ele. — Ela é uma pérola de grande valor!

— O senhor também, padre — disse eu, depois desgrenhei seu cabelo branco para irritá-lo.

Finan esporeou seu cavalo até o meu lado.

— Estamos prontos, senhor.

— Abram o portão — gritei.

A carroça passou primeiro pelo amplo arco. Seus estandartes santos balançavam de modo alarmante enquanto ela se sacudia na trilha esburacada. Então meus duzentos homens, com malhas brilhantes, cavalgaram atrás e ela virou para o oeste. Fizermos voar os estandartes, trompas espalhafatosas anunciavam nossa partida e o sol brilhava sobre a carroça real. Éramos a isca, e os dinamarqueses tinham nos visto. E assim começou a caçada.

A carroça ia à frente, bamboleando por uma trilha de fazenda que nos levaria à estrada de Wintanceaster. Um dinamarquês astuto poderia imaginar por que, se quiséssemos recuar para o *burh* maior em Wintanceaster, usaríamos o portão norte de Æscengum e não o oeste, que dava diretamente na estrada, mas de algum modo eu duvidava que essas preocupações chegassem a Harald. Em vez disso, ele ouviria dizer que o rei de Wessex estava fugindo, deixando Æscengum protegido por sua guarnição, que fora recrutada do *fyrd*. Os homens do *fyrd* raramente eram guerreiros treinados. Eram agricultores e trabalhadores braçais, carpinteiros e fazedores de teto de palha, e sem dúvida Harald seria tentado a atacar a muralha, mas eu não acreditava que ele cedesse à tentação, principalmente quando um prêmio muito maior, o próprio Alfredo, estava aparentemente vulnerável. Os batedores dinamarqueses estariam dizendo a Harald que o rei de Wessex se encontrava em terreno aberto, viajando numa carroça lenta protegida por apenas duzentos cavaleiros, e o exército de Harald, eu tinha certeza, receberia a ordem de nos perseguir.

Finan comandava minha retaguarda e seu serviço era me dizer quando a perseguição inimiga chegasse perto demais. Fiquei perto da carroça e, quando chegamos à estrada de Wintanceaster, 800 metros a oeste de Æscengum, um cavaleiro esguio chegou ao meu lado. Era Æthelflæd, vestindo uma longa cota de malha que parecia feita de argolas de prata muito bem entrelaçadas, sobre uma túnica de pele de cervo. A cota de malha era justa, grudada ao corpo magro, e achei que era presa atrás com tiras e botões porque ninguém poderia vestir uma cota tão apertada por cima da cabeça e dos ombros. Por cima da malha ela usava uma capa branca forrada de vermelho e tinha uma espada com bainha branca à cintura. Um elmo velho e gasto, com placas para cobrir o rosto, pendia do arção da sela, e sem dúvida ela usara o elmo para esconder o rosto antes de sairmos de Æscengum, mas também tomara a precaução de cobrir a capa inconfundível e a armadura com uma grande capa preta que ela jogou na vala assim que se juntou a mim. Riu, parecendo feliz como antes do casamento, depois assentiu para a carroça vagarosa.

— Aquele é meu meio-irmão?

— É. Você o viu antes.

— Não com frequência. Ele não é parecido com o pai?

— É mesmo — respondi. — Mas você, não, pelo que agradeço. — Isso a fez rir. — Onde conseguiu a malha? — perguntei.

— Æthelred gosta que eu a use. Mandou fazer para mim na Frankia.

— Aros de prata? Eu poderia furar isso com um graveto.

— Não creio que meu marido queira que eu lute — disse ela secamente. — Só quer me exibir. — E isso, pensei, era compreensível. Æthelflæd havia crescido e se tornado uma linda mulher, pelo menos quando sua beleza não era nublada pela infelicidade. Tinha olhos límpidos e pele clara, lábios carnudos e cabelos dourados. Era inteligente, como o pai, e muito mais inteligente do que o marido, mas se casara apenas por um motivo: para ligar as terras mércias ao reino de Alfredo, e, nesse sentido, ainda que em nenhum outro, o casamento fora um sucesso.

— Fale sobre Aldhelm — pedi.

— Você já sabe sobre ele.

— Sei que ele não gosta de mim — falei animado.

— Quem gosta? — perguntou ela, rindo. Em seguida diminuiu o passo do cavalo, que estava chegando perto demais da carroça vagarosa. Ela usava luvas de pelica macia, sobre a qual seis anéis brilhantes reluziam com ouro e pedras raras. — Aldhelm — disse baixinho — aconselha meu marido, e persuadiu Æthelred de duas coisas. A primeira é que a Mércia precisa de um rei.

— Seu pai não permitirá isso.

Alfredo preferia que a Mércia procurasse sua autoridade real em Wessex.

— Meu pai não viverá para sempre, e Aldhelm também convenceu meu marido de que um rei precisa de um herdeiro. — Ela viu minha careta e riu. — Eu, não! Ælfwynn já bastou! — Ela estremeceu. — Nunca senti uma dor tão grande. Além disso, meu caro esposo se ressente de Wessex. Ressente-se da dependência. Odeia a terra que o alimenta. Não, ele gostaria de ter um herdeiro com alguma bela garota da Mércia.

— Quer dizer...

— Ele não vai me matar — interrompeu ela jovialmente —, mas adoraria se divorciar de mim.

— Seu pai nunca permitiria isso!

— Permitiria, se eu fosse apanhada em adultério — disse ela num tom notavelmente banal. Encarei-a, sem acreditar muito no que ela me dizia. Æthelflæd viu minha incredulidade e zombou dela com um sorriso. — Bom, você me perguntou sobre Aldhelm.

— Æthelred quer que você...

— Quer, assim ele pode me condenar a um convento e se esquecer de que algum dia existi.

— E Aldhelm encoraja essa ideia?

— Ah, sim, encoraja — ela sorriu como se minha pergunta fosse idiota. — Por sorte tenho auxiliares em Wessex que me protegem, mas e depois que meu pai morrer? — Ela deu de ombros.

— Você já contou isso ao seu pai?

— Ele ficou sabendo, mas não acho que acredite. Claro, ele acredita em fé e orações, por isso me mandou um pente que pertenceu a santa Milburga, e disse que ele vai me dar forças.

— Por que ele não acredita em você?

— Ele acha que tenho tendência a sofrer com pesadelos. Também acha que Æthelred é muito leal. E minha mãe, claro, adora Æthelred.

— Não é de espantar — disse eu, mal-humorado. A mulher de Alfredo, Ælswith, era uma criatura azeda e, como Æthelred, era mércia. — Você poderia tentar veneno — sugeri. — Conheço uma mulher em Lundene que prepara algumas poções malignas.

— Uhtred! — censurou ela, mas antes que pudesse falar mais, um dos homens de Finan veio galopando da retaguarda, o cavalo jogando torrões arrancados da campina ao lado da estrada.

— Senhor! — gritou ele. — É hora de se apressar!

— Osferth! — gritei, e nosso falso rei pulou alegremente da carroça de seu pai e montou num cavalo. Jogou o aro de bronze de volta na carroça e colocou um elmo.

— Livre-se dela — gritei para o cocheiro. — Jogue-a na vala!

Ele conseguiu pôr duas rodas na vala e deixamos o pesado veículo ali, meio tombado, com os cavalos em pânico ainda arreados. Finan e nossa retaguarda vieram galopando e esporeamos à frente deles até chegar a um trecho de floresta onde esperei que Finan nos alcançasse, e quando ele fez isso surgiram os primeiros dinamarqueses em perseguição. Estavam forçando os cavalos, mas eu achava que a carroça abandonada, com seus tesouros baratos, iria atrasá-los por alguns instantes. E, sem dúvida, os primeiros perseguidores se juntaram em volta do veículo enquanto nos virávamos.

— É uma corrida de cavalos — disse Finan.

— E nossos cavalos são mais rápidos — respondi, o que provavelmente era verdade. Os dinamarqueses montavam quaisquer animais que seus grupos de ataque tivessem conseguido capturar, ao passo que nós cavalgávamos os melhores garanhões de Wessex. Olhei rapidamente uma última vez enquanto os inimigos apeavam e se amontoavam na carroça, depois mergulhei mais fundo nas árvores. — Quantos eles são? — gritei para Finan.

— Centenas — gritou ele de volta, rindo. O que significava, supus, que qualquer homem do exército de Harald que pudesse selar um cavalo havia se juntado à perseguição. Harald estava sentindo o êxtase da vitória. Seus homens haviam saqueado todo o leste de Wessex, e agora ele acreditava que havia expulsado o exército de Alfredo de Æscengum, o que efetivamente abria caminho para os dinamarqueses devastarem todo o centro do reino. Mas antes desses prazeres ele queria capturar o próprio Alfredo, por isso seus homens nos seguiam feito loucos, e Harald, sem se preocupar com a falta de disciplina deles, acreditava que a sorte permaneceria a seu lado. Esta era a caçada selvagem, e Harald havia dado rédea solta aos seus homens para lhe entregarem o rei de Wessex.

Nós os guiamos, provocamos e tentamos. Não cavalgávamos tão rápido quanto poderíamos, em vez disso mantínhamos os dinamarqueses à vista e só uma vez eles nos alcançaram. Rypere, um dos meus homens valiosos, estava cavalgando longe, à nossa direita, e seu cavalo enfiou um casco num buraco de toupeira. Ele estava a trinta passos de distância, mas ouvi o estalo de osso se partindo, vi Rypere tombando e o cavalo sacudindo as patas enquanto desmoronava relinchando de dor. Virei Smoka para ele e vi um pequeno grupo de dinamarqueses chegando depressa. Gritei para outro dos meus homens.

— Lança!

Peguei sua pesada lança de cabo de freixo e fui direto na direção dos primeiros dinamarqueses que estavam esporeando os animais para matar Rypere. Finan havia se virado comigo, assim como uma dúzia de outros guerreiros, e os dinamarqueses, vendo-nos, tentaram se desviar, mas agora Smoka estava socando a terra, narinas abertas. Baixei a lança e acertei o dinamarquês mais próximo na lateral do peito. O cabo de freixo se sacudiu para trás, minha mão enluvada escorregou ao longo da madeira, mas a ponta da lança penetrou fundo e o sangue brotava e se derramava nos espaços entre os elos da cota de malha do dinamarquês. Soltei a lança. O homem agonizante permaneceu na sela e um segundo dinamarquês tentou me atacar com a espada, mas desviei o golpe com meu escudo e virei Smoka usando a pressão dos joelhos, enquanto Finan passava sua lâmina comprida no rosto de outro homem. Peguei as rédeas do sujeito que eu havia acertado com a lança e arrastei seu cavalo até Rypere.

— Derrube o desgraçado e monte — gritei.

Os dinamarqueses sobreviventes haviam recuado. Contavam menos de uma dúzia e eram os atacantes avançados, os que tinham os melhores cavalos, e demorou um tempo até que os reforços os alcançassem. Nesse momento, já havíamos nos afastado em segurança. As pernas de Rypere eram curtas demais para alcançar os estribos novos e ele estava xingando enquanto se agarrava ao arção da sela. Finan sorria.

— Isso vai chateá-los, senhor — disse ele.

— Quero que fiquem loucos.

Eu queria que ficassem impetuosos, descuidados e confiantes. Naquele dia de verão, enquanto seguíamos a estrada ao longo de um riacho sinuoso onde a grama crescia densa, Harald já estava fazendo tudo que eu podia pedir. Se eu estava confiante? É perigoso presumir que seu inimigo fará o que você quer, mas naquele dia de Tor eu tinha uma convicção cada vez maior de que Harald estava caindo numa armadilha muito bem montada.

Nossa estrada levava ao vau onde atravessaríamos o rio para chegar a Fearnhamme. Se realmente estivéssemos fugindo para Wintanceaster teríamos ficado ao sul do rio e pegado a estrada romana que levava para o oeste, e eu queria que os dinamarqueses acreditassem que essa era nossa intenção. Assim, quando chegamos ao rio, paramos logo ao sul do vau. Queria que nossos perseguidores nos vissem, queria que eles pensassem que estávamos indecisos. Queria que, eventualmente, pensassem que havíamos entrado em pânico.

A terra era aberta, um trecho de campina de rio aonde o povo levava suas cabras e ovelhas para pastar. A leste, de onde os dinamarqueses vinham, havia florestas; a oeste, estava a estrada que Harald esperava que pegássemos; e, ao norte, ficavam os pilares desmoronados da ponte arruinada que os romanos haviam feito para atravessar o Wei. Fearnhamme e seu morro baixo ficavam do outro lado da ponte arruinada. Olhei para o morro e não consegui ver soldados.

— Era lá que eu queria ver Aldhelm — rosnei, apontando para o morro.

— Senhor? — gritou Finan, alertando.

Os perseguidores dinamarqueses estavam se juntando na borda de uma floresta 800 metros a leste. Podiam nos ver claramente e sabíamos que éramos muitos para sermos atacados até que mais perseguidores chegassem, mas esses reforços estavam aparecendo a cada minuto. Olhei para o outro lado do rio outra vez e não vi ninguém. O morro, com sua antiga fortificação de terra, deveria ser minha bigorna reforçada com quinhentos guerreiros mércios, no entanto parecia deserto. Será que meus duzentos homens bastariam?

— Senhor! — gritou Finan de novo. Os dinamarqueses, que agora estavam em maior número, numa proporção de dois para um, esporeavam os cavalos em nossa direção.

— Atravessando o vau! — gritei. Eu acionaria a armadilha de qualquer modo, por isso instigamos nossos cavalos cansados através do vau profundo que ficava logo rio acima da ponte e, assim que passamos, gritei para meus homens galoparem até o topo do morro. Queria a aparência de pânico. Queria que parecesse que tínhamos abandonado as ambições de chegar a Wintanceaster e que em vez disso íamos nos refugiar no morro mais próximo.

Cavalgamos através de Fearnhamme. Era um amontoado de cabanas cobertas de palha ao redor de uma igreja de pedra, mas havia um belo prédio romano que perdera seu telhado de barro. Não havia habitantes, apenas uma vaca mugindo pateticamente porque precisava ser ordenhada. Presumi que o povo tivesse fugido com os boatos sobre dinamarqueses se aproximando.

— Espero que seus homens desgraçados estejam no morro! — gritei para Æthelflæd, que permanecia perto de mim.

— Eles estarão lá! — gritou ela de volta.

Ela parecia confiante, mas eu duvidava. O primeiro dever de Aldhelm, pelo menos segundo o marido dela, era manter o exército mércio intacto. Será que simplesmente havia se recusado a avançar sobre Fearnhamme? Se tivesse feito isso, eu seria obrigado a lutar contra um exército de dinamarqueses tendo apenas duzentos homens, e os inimigos estavam se aproximando depressa. Eles farejavam a vitória, instigando os cavalos a atravessar o rio e subir pela rua. Eu podia ouvir seus gritos, e então cheguei ao barranco coberto de capim que formava a antiga fortaleza de terra. E enquanto Smoka passava pelo topo do barranco vi que Æthelflæd estava certa. Aldhelm tinha vindo e trazido quinhentos homens. Todos estavam ali, mas Aldhelm os mantivera no lado norte da velha fortaleza, de modo que ficassem escondidos de qualquer inimigo que se aproximasse pelo sul.

E assim, como havia planejado, eu tinha setecentos homens no morro e mais setecentos, esperava, aproximando-se de Æscengum, e entre essas duas forças havia cerca de 2 mil dinamarqueses tumultuosos, descuidados, confiantes demais, que se acreditavam em vias de alcançar o velho sonho viking de conquistar Wessex.

— Parede de escudos! — gritei para meus homens. — Parede de escudos!

Os dinamarqueses precisavam ser contidos por um momento, e o modo mais fácil de fazer isso era mostrar a eles uma parede de escudos no topo do morro. Houve um momento de caos enquanto os homens desciam das selas e corriam para o topo do barranco, mas eram homens bons, bem treinados, e seus escudos se travaram depressa. Os dinamarqueses, saindo das casas para a parte inferior da encosta, viram a parede de salgueiro reforçado com ferro, viram as lanças, as espadas e as lâminas dos machados, viram a inclinação da encosta e seu ataque selvagem parou. Dezenas e dezenas de dinamarqueses estavam atravessando o rio, e muitos outros iam saindo das árvores na margem sul, de modo que em alguns instantes teriam guerreiros em número mais do que suficiente para dominar minha curta parede de escudos, mas por enquanto pararam.

— Estandartes! — gritei. Tínhamos trazido nossos estandartes, minha bandeira com a cabeça de lobo e o dragão de Wessex, e queria que eles balançassem como convite aos homens de Harald.

Aldhelm, alto e macilento, viera me cumprimentar. Não gostava de mim e seu rosto mostrava essa aversão, mas também mostrava perplexidade com o número de dinamarqueses convergindo para o vau.

— Divida seus homens em dois grupos — falei peremptoriamente — e os alinhe dos dois lados dos meus homens. Rypere!

— Senhor?

— Pegue uma dúzia de homens e amarre esses cavalos! — Nossos cavalos abandonados estavam vagueando pelo topo do morro e alguns iriam se desgarrar por cima do barranco.

— Quantos dinamarqueses estão aí? — perguntou Aldhelm.

— O bastante para nos dar um dia de boa matança — respondi. — Agora traga seus homens.

Ele se eriçou diante de meu tom. Era um homem magro, elegante, vestindo uma soberba cota longa de malha com luas crescentes de bronze costuradas aos elos. Tinha uma capa de linho azul forrada de tecido vermelho e usava uma corrente de ouro pesada com duas voltas ao redor do pescoço. Suas botas e as luvas eram de couro preto, o cinturão da espada era decorado com cruzes de ouro, ao passo que o cabelo comprido e preto, perfumado e oleado, era preso na nuca com um pente de dentes de marfim emoldurado em ouro.

— Eu tenho minhas ordens — disse ele friamente.

— É, de trazer seus homens para cá. Temos dinamarqueses para matar.

Ele sempre sentira aversão por mim, desde o dia em que estraguei sua beleza quebrando seu queixo e o nariz, se bem que naquele dia distante ele estava armado e eu não. Ele mal conseguia se obrigar a me olhar, e, em vez disso, observava os dinamarqueses que se juntavam ao pé do morro.

— Fui instruído — disse ele — a preservar as forças do senhor Æthelred.

— Suas instruções mudaram, senhor Aldhelm — disse uma voz animada atrás de nós, e Aldhelm se virou para olhar atônito Æthelflæd, que sorria de cima de sua sela alta.

— Senhora — respondeu ele, fazendo uma reverência, depois olhando para mim. — O senhor Æthelred está aqui?

— Meu marido me mandou para dar uma contraordem — disse Æthelflæd com doçura. — Agora ele confia tanto na vitória que exige que você fique, apesar do número de oponentes.

Aldhelm começou a responder, e então presumiu que eu não sabia quais haviam sido suas últimas ordens dadas por Æthelred.

— Seu marido mandou-a, senhora? — perguntou em vez disso, claramente confuso com a presença inesperada de Æthelflæd.

— Por que outro motivo eu estaria aqui? — perguntou Æthelflæd de modo enganador. — E se houvesse algum perigo real, senhor, meu marido permitiria que eu viesse?

— Não, senhora — respondeu Aldhelm, mas sem convicção.

— Então vamos lutar! — gritou Æthelflæd alto, falando às tropas mércias. Em seguida virou sua égua cinza para que os mércios vissem seu rosto e ouvissem com mais clareza. — Vamos matar dinamarqueses! Meu marido me mandou para testemunhar sua bravura, portanto não me desapontem! Matem todos eles!

Os soldados gritaram, aclamando. Ela cavalgou ao longo da primeira fila e eles gritaram feito loucos. Eu sempre havia considerado a Mércia um lugar miserável, derrotado e carrancudo, sem rei e oprimido, mas naquele momento vi como Æthelflæd, radiante em sua malha de prata, era capaz de entusiasmar os mércios. Eles a amavam. Eu sabia que gostavam pouco de Æthelred, que Alfredo era uma figura distante e, além disso, era rei de Wessex, mas Æthelflæd os inspirava. Dava-lhes orgulho.

Os dinamarqueses ainda estavam se reunindo ao pé do morro. Devia haver trezentos homens que apearam e agora formavam sua própria parede de escudos. Ainda podiam ver só meus duzentos homens, mas era hora de adoçar a isca.

— Osferth! — gritei. — Monte de novo, venha e pareça rei.

— Devo, senhor?

— Deve, sim!

Fizemos Osferth parar seu cavalo sob os estandartes. Ele vestia a capa, e agora usava um elmo em que enrolei minha corrente de ouro de modo que, à distância, parecesse um elmo coroado. Ao vê-lo, os dinamarqueses berraram insultos para cima da encosta suave. Osferth parecia bastante régio, mas qualquer pessoa familiarizada com Alfredo saberia que a figura montada não era o rei de Wessex, simplesmente porque não estava cercado de padres, mas julguei que Harald jamais notaria a omissão. Achei divertido quando vi Æthelflæd, obviamente curiosa com o meio-irmão, levar seu cavalo para perto do garanhão dele.

Virei-me para olhar em direção ao sul, onde mais dinamarqueses atravessavam o rio; e enquanto viver jamais esquecerei aquela paisagem. Todo o terreno do outro lado do rio estava coberto por guerreiros dinamarqueses, com os cascos dos garanhões levantando poeira enquanto os cavaleiros os esporeavam indo para o vau, todos ansiosos para presenciar a destruição de Alfredo e seu reino. Tantos homens esperavam para atravessar o rio que eram obrigados a esperar num enorme rebanho do outro lado do vau.

Aldhelm estava ordenando que seus homens avançassem. Provavelmente fazia isso contra a vontade, mas Æthelflæd os havia inspirado e ele foi apanhado entre o desdém dela e o entusiasmo deles. Os dinamarqueses ao pé do morro viram minha curta linha aumentar de tamanho, viram mais escudos e mais espadas, mais estandartes. Ainda estariam em maior número do que nós, mas agora precisariam de metade de seu exército para fazer um ataque ao morro. Um homem de capa preta carregando um machado de guerra com cabo vermelho estava juntando os homens de Harald, colocando-os em linha. Agora achei que haveria uns quinhentos homens na parede de escudos inimiga, e mais chegavam a cada momento. Alguns dinamarqueses tinham permanecido a cavalo, e supus que planejavam cavalgar até nossa retaguarda e atacar quando as paredes de escudos se encontrassem. A linha inimiga estava a apenas uns duzentos passos de distância, suficientemente perto para que eu visse os corvos, machados, águias e serpentes pintados em seus escudos com bossas de ferro. Alguns começaram a bater as armas contra os escudos, fazendo soar o trovão da guerra. Outros gritavam que éramos crianças molengas ou bastardos gerados por bodes.

— Barulhentos, não? — observou Finan ao meu lado. Apenas sorri. Ele levantou sua espada até o rosto emoldurado pelo elmo e beijou a lâmina. — Lembra-se daquela garota frísia que encontramos nos pântanos? Ela era barulhenta.

É estranho o que os homens pensam antes da batalha. A garota frísia escapara de um traficante de escravos dinamarquês e estava apavorada. Imaginei o que teria acontecido com ela.

Aldhelm estava nervoso, tão nervoso que superou o ódio contra mim e ficou perto.

— E se Alfredo não vier? — perguntou.

— Então cada um de nós terá de matar dois dinamarqueses antes que o resto perca a coragem — respondi com falsa confiança. Se os setecentos homens de Alfredo não viessem, seríamos cercados, derrubados e trucidados.

Apenas metade dos dinamarqueses tinha atravessado o rio, tamanho era o congestionamento no vau estreito, e mais cavaleiros ainda se derramavam do leste para se juntar à multidão que esperava para atravessar o Wey.

Fearnhamme estava cheia de homens arrancando a palha dos telhados à procura de tesouros. A vaca não ordenhada estava morta na rua.

— E se... — começou Aldhelm, e hesitou. — E se as forças de Alfredo chegarem tarde?

— Então todos os dinamarqueses vão atravessar o rio — respondi.

— E nos atacar — disse Finan.

Eu sabia que Adhelm estava pensando em recuar. Atrás de nós, ao norte, havia morros mais altos que ofereciam maior proteção, ou talvez, se recuássemos suficientemente rápido, poderíamos atravessar o Temes antes que os dinamarqueses nos pegassem e nos destruíssem. Porque, a não ser que os homens de Alfredo viessem, certamente morreríamos, e nesse momento senti a serpente da morte deslizar fria em meu coração que batia como um tambor de guerra. A maldição de Skade, pensei, e de repente entendi a magnitude do risco que estava correndo. Eu havia presumido que os dinamarqueses fariam exatamente o que eu queria, e que o resto do exército de Wessex apareceria no momento certo, mas em vez disso estávamos desgarrados num morro baixo e nosso inimigo ia ficando cada vez mais forte. Ainda havia uma grande multidão do outro lado do rio, mas em menos de uma hora todo o exército de Harald teria atravessado o rio, e eu senti a iminência do desastre e o medo da derrota completa. Lembrei-me da ameaça de Harald, de que iria me cegar, me castrar e depois me arrastar na ponta de uma corda. Toquei o martelo e acariciei o punho de Bafo de Serpente.

— Se as tropas de Wessex não chegarem... — começou Aldhelm, com a voz séria e cheia de objetividade.

— Deus seja louvado — interrompeu Æthelflæd atrás de nós.

Porque houve um brilho de sol refletindo em aço nas árvores distantes.

E mais cavaleiros apareceram. Centenas de cavaleiros.

O exército de Wessex tinha vindo.

E os dinamarqueses estavam numa armadilha.

Os poetas exageram. Eles vivem pelas palavras, e meus bardos temem que eu pare de lhes jogar prata se não exagerarem. Lembro-me de escaramuças onde uma dúzia de homens podia ter morrido, mas na narrativa do poeta a matança é contada aos milhares. Vivo alimentando os corvos em suas recitações intermináveis, mas nenhum poeta poderia exagerar a matança que ocorreu naquele dia de Tor às margens do rio Wey.

E foi uma matança rápida. A maioria das batalhas demora para começar enquanto os dois lados juntam sua coragem, lançam insultos e esperam para ver o que o inimigo fará, mas Steapa, comandando os setecentos homens de Alfredo, viu a confusão na margem sul do rio e, assim que tinha homens suficientes à mão, atacou a cavalo. Æthelred, pelo que Steapa me disse mais tarde, quisera esperar até que todos os setecentos tivessem se reunido, mas Steapa ignorou o conselho. Começou com trezentos homens e permitiu que os outros os alcançassem enquanto emergiam das árvores para o terreno aberto.

Os trezentos atacaram a retaguarda do inimigo onde, como seria de esperar, os menos entusiasmados guerreiros de Harald esperavam para cruzar o rio. Eram os retardatários, os serviçais e os meninos, algumas mulheres e crianças, e quase todos estavam estorvados por pilhagens. Nenhum estava pronto para lutar; não havia parede de escudos, alguns nem possuíam escudos. Os dinamarqueses mais ansiosos pela batalha já haviam atravessado o rio e estavam se formando para atacar, e demoraram alguns instantes para entender que uma matança violenta havia começado na outra margem.

— Foi como matar leitões — disse-me Steapa mais tarde. — Um monte de berros e sangue.

Os cavaleiros se chocaram contra os dinamarqueses. Steapa comandava as tropas domésticas de Alfredo, o resto dos meus homens e guerreiros endurecidos por batalhas, vindos de Wiltonscir e Sumorsæte. Estavam ansiosos para lutar, bem montados, levando as melhores armas, e seu ataque provocou o caos. Os dinamarqueses, incapazes de formar uma parede de escudos, tentaram fugir, só que a única segurança estava do outro lado do vau, e este era bloqueado pelos homens que esperavam para atravessar. E assim o inimigo em pânico gadanhava seus próprios homens, impedindo qualquer chance de formar uma parede de escudos, e os homens de Steapa, enormes em seus cavalos, cortavam, retalhavam e cravavam as armas na multidão. Mais saxões vinham da floresta para se juntar à luta. Os cavalos afundavam as patas no sangue e as espadas e os machados continuavam cortando e esmagando.

Alfredo havia suportado a cavalgada, apesar da dor que a sela lhe causava, e ficou olhando da borda das árvores enquanto os padres e monges cantavam louvores ao seu deus pela matança dos pagãos que avermelhava as campinas encharcadas da margem sul do Wey.

Eduardo lutava com Steapa. Era um rapaz pequeno, mas depois Steapa foi só elogios.

— Ele tem coragem — disse-me.

— Tem habilidade com a espada?

— Tem punho rápido — disse Steapa, aprovando.

Æthelred entendeu antes de Steapa que em algum momento os cavaleiros deviam ser impedidos pela simples compressão dos corpos e convenceu o *ealdorman* Æthelnoth, de Sumorsæte, a fazer com que uma centena de seus homens apeassem e formassem uma parede de escudos. Essa parede avançou com firmeza e, enquanto cavalos eram feridos ou mortos, mais saxões se juntavam a essa parede, que avançou como uma fileira de camponeses usando foices na colheita. Centenas de dinamarqueses morreram. Na margem sul, sob o sol alto, houve um massacre e nenhuma vez os inimigos conseguiram se organizar e reagir à luta. Morreram, atravessaram o rio ou foram feitos prisioneiros.

Mas cerca de metade do exército de Harald tinha atravessado o vau, e esses homens estavam prontos para uma luta. E enquanto a matança começava atrás, eles vieram para nos matar. O próprio Harald havia chegado, seguido por um serviçal trazendo um cavalo de carga. Avançou alguns passos à frente de sua parede de escudos cada vez maior, para certificar-se de que víssemos o ritual com que ele amedrontava os inimigos. Encarou-nos, enorme em sua capa e cota de malha, depois abriu os braços como se estivesse crucificado, e na mão direita havia um enorme machado de batalha com que, depois de gritar que todos seríamos dados de comer aos vermes da morte, matou o cavalo. Fez isso com um golpe de machado e, enquanto o animal ainda se retorcia nos espasmos da morte, abriu sua barriga e mergulhou a cabeça sem elmo no fundo das entranhas do bicho. Meus homens olhavam em silêncio. Ignorando os espasmos dos cascos, Harald manteve a cabeça enfiada na barriga do cavalo, depois se levantou e se virou para mostrar o rosto mascarado por sangue, o cabelo encharcado e a barba densa pingando. Harald Cabelo de Sangue estava pronto para a batalha.

— Tor! — gritou ele, levantando o rosto e o machado para o céu. — Tor! — E apontou o machado para nós. — Agora matamos todos vocês! — gritou. Um serviçal lhe trouxe seu grande escudo pintado com a imagem de um machado.

Não sei se Harald sabia o que acontecia na outra margem do rio, escondida dele pelas casas de Fearnhamme. Devia saber que os saxões estavam atacando sua retaguarda, na verdade teria ouvido relatos de luta durante toda a manhã porque, como Steapa me contaria, os perseguidores saxões ficavam o tempo todo encontrando dinamarqueses retardatários na estrada de Æscengum, mas a atenção de Harald estava fixa no morro de Fearnhamme onde, pelo que acreditava, Alfredo se encontrava numa armadilha. Podia perder a batalha na margem sul do rio e ainda ganhar um reino na margem norte. E assim guiou seus homens à frente.

Eu havia planejado deixar que os dinamarqueses nos atacassem e contava com a antiga fortificação de terra para nos dar mais proteção, mas enquanto a linha de Harald avançava com um grande berro de fúria, vi que eles estavam vulneráveis. Harald podia não perceber o desastre que seus homens sofriam do outro lado do rio, mas muitos de seus dinamarqueses estavam se virando, tentando ver o que acontecia lá, e homens com medo de um ataque pela retaguarda não lutam com vigor pleno. Tínhamos de atacá-los. Embainhei Bafo de Serpente e peguei Ferrão de Vespa, minha espada curta.

— Cabeça de porco! — gritei. — Cabeça de porco!

Meus homens sabiam o que eu queria. Tinham ensaiado centenas de vezes até cansar, mas agora essas horas de treino deram resultado enquanto eu os comandava para fora do barranco de terra e atravessava o fosso.

Uma cabeça de porco era simplesmente uma cunha de homens, uma ponta de lança humana, e era o modo mais rápido que eu conhecia de romper uma parede de escudos. Assumi a frente, mas Finan tentou me empurrar de lado. Os dinamarqueses haviam diminuído a velocidade, talvez surpresos por termos abandonado a fortificação de terra, ou talvez porque finalmente entendessem a armadilha que se fechava sobre eles. Havia apenas uma saída da armadilha: destruir-nos. Harald sabia disso e berrou para seus homens atacarem morro acima. Eu estava gritando para meus homens atacarem morro abaixo. A luta começou muito depressa. Eu estava levando a cabeça de porco encosta abaixo e ele instigava os homens para cima, mas os dinamarqueses se sentiam confusos, subitamente apavorados, e sua parede se esfrangalhou antes mesmo que a alcançássemos. Alguns homens obedeceram a Harald, outros ficaram para trás, e assim a linha entortou. Mas no centro, onde voava o estandarte de Harald com o crânio de lobo e o machado, a parede de escudos permaneceu firme. Era onde a guarnição de Harald se concentrava, e para onde minha cabeça de porco apontava.

Estávamos dando um grande grito de desafio. Meu escudo com borda de ferro pesava no braço esquerdo, Ferrão de Vespa estava em posição recuada. Era uma lâmina curta, feita para perfurar. Bafo de Serpente era minha espada magnífica, mas uma espada longa, como um machado de cabo comprido, pode ser um estorvo numa batalha de paredes de escudos. Eu sabia que, quando nos chocássemos, seria pressionado tão perto como um amante contra os meus inimigos, e nessa compressão uma lâmina curta podia ser mortal.

Fui na direção do próprio Harald. Ele não usava elmo, contando com o sangue brilhando ao sol para aterrorizar os inimigos, e era aterrorizante: um homem enorme, rosnando, com olhos selvagens, cabelo embolado e pingando vermelho, o escudo pintado com uma lâmina de machado, usando um machado de guerra com cabo curto e lâmina pesada como arma escolhida. Gritava feito louco, os olhos fixos em mim, a boca formando um rosnado numa máscara de sangue. Lembro-me de ter pensado, enquanto atacávamos descendo o morro, que ele usaria o machado para me golpear de cima para baixo, o que me faria levantar o escudo, e seu vizinho, um homem de rosto escuro com espada curta, passaria a lâmina por baixo do meu escudo para estripar minha barriga. Mas Finan estava à minha direita, e isso significava que o sujeito de rosto escuro estava condenado.

— Matem todos! — berrei, repetindo o grito de guerra de Æthelflæd. — Matem todos! — Nem me virei para ver se Aldhelm havia trazido seus homens à frente, mas ele tinha feito isso. Só senti o medo da luta na parede de escudos e a empolgação da luta na parede de escudos. — Matem todos! — gritei.

E os escudos se chocaram.

Os poetas dizem que 6 mil dinamarqueses foram a Fearnhamme, e às vezes acham que foram 10 mil. Sem dúvida, à medida que a história ficar mais velha, o número irá aumentar. Na verdade acho que Harald levou por volta de 1.600 homens, porque parte de seu exército ficou em Æscengum. Ele comandava muito mais homens do que os que estavam em Æscengum e Fearnhamme. Tinha atravessado desde a Frankia com cerca de duzentos navios, e talvez 5 ou 6 mil homens vieram em todas aquelas embarcações, mas menos da metade encontrara cavalos, e nem todos os homens montados foram até Fearnhamme. Alguns permaneceram em Cent, onde reivindicaram terras capturadas; outros ficaram para saquear Godelmingum. Portanto quantos homens nós enfrentamos? Talvez metade das forças de Harald tenha atravessado o rio, de modo que minhas tropas e os guerreiros de Aldhelm estavam atacando não mais de oitocentos, e alguns nem estavam na parede de escudos, mas ainda tentavam saquear as casas de Fearnhamme. Os poetas dizem que estávamos em menor número, mas acho que provavelmente tínhamos mais homens.

Éramos mais disciplinados, tínhamos a vantagem do terreno mais alto e acertamos a parede de escudos.

Bati com meu escudo. Para fazer a cabeça de porco funcionar, o ímpeto precisa ser duro e rápido. Lembro-me de ter soltado o grito de guerra de Æthelflæd, "matem todos!", e depois saltar o último passo, com todo o peso concentrado no braço esquerdo com meu escudo pesado, que bateu contra o escudo de Harald e ele foi lançado para trás enquanto eu cutucava Ferrão de Vespa por baixo da borda inferior do meu escudo redondo. A lâmina acertou e furou. Esse momento é vago, uma confusão. Sei que Harald baixou o machado porque a lâmina estragou a cota de malha nas minhas costas, mas sem tocar a pele. Meu salto súbito devia ter me levado para dentro do giro de seu braço. Mais tarde descobri que meu ombro esquerdo estava com um hematoma preto, e acho que foi ali que o cabo de seu machado acertou, mas durante a luta não percebi a dor.

Eu chamo de luta, mas ela acabou logo. Lembro-me de Ferrão de Vespa furando e tive a sensação da lâmina em carne, e soube que havia ferido Harald, mas então ele girou para a minha esquerda, empurrado de lado pelo peso e a velocidade de nosso ataque, e Ferrão de Vespa se soltou. Finan, à minha direita, me cobriu com seu escudo enquanto eu me chocava contra a segunda fileira e cutucava de novo com Ferrão de Vespa, e ainda estava movendo-me à frente. Bati com a bossa de ferro do escudo contra um dinamarquês e vi a lança de Rypere acertá-lo no olho. Havia sangue no ar, gritos, e uma espada estocou vindo da direita, penetrando entre o escudo e o meu corpo, e simplesmente continuei adiante enquanto Finan cortava o braço do homem com sua espada curta. A espada caiu debilmente. Agora eu estava me movendo devagar, fazendo força contra uma compressão de homens e sendo empurrado por meus homens que vinham atrás. Estava estocando com Ferrão de Vespa, em golpes curtos e fortes, e na minha memória essa passagem da batalha foi bastante silenciosa. Não pode ter sido silenciosa, é claro, mas é o que parece quando recordo Fearnhamme. Vejo bocas abertas, cheias de dentes podres. Vejo caretas. Vejo o clarão das lâminas. Lembro-me de me agachar enquanto golpeava à frente, lembro-me do giro de machado que veio da minha esquerda e de como Rypere o recebeu no escudo que se partiu. Lembro-me de tropeçar no cadáver do cavalo que Harald havia sacrificado a Tor, mas fui levantado por um dinamarquês que tentou me estripar com uma lâmina curta que foi impedida pela fivela de ouro de meu cinturão de espada, e me lembro de passar Ferrão de Vespa entre as pernas dele, fazer um movimento de serra para trás e ver seus olhos se arregalarem em dor terrível, e então ele se foi subitamente. E, de modo igualmente súbito, súbito demais, não havia paredes de escudos à minha frente, apenas uma horta, um monte de esterco e uma cabana com seu teto de palha destruído amontoado no chão, e me lembro de tudo isso, menos de qualquer ruído.

Mais tarde Æthelflæd me disse que nossa cabeça de porco havia atravessado diretamente a fileira de Harald. Devia ter parecido assim para ela que olhava do topo do morro, mas para mim pareceu um trabalho lento e difícil, no entanto atravessamos, partimos a parede de escudos de Harald e então a matança de verdade podia começar.

A parede de escudos dinamarquesa estava despedaçada. Agora, em vez de vizinho ajudando vizinho, era cada um por si, e nossos homens, tanto saxões do oeste quanto mércios, ainda uniam escudo com escudo e cortavam, retalhavam e estocavam contra inimigos frenéticos. O pânico se espalhou depressa, como fogo em capim seco, os dinamarqueses fugiram e meu único arrependimento foi que nossos cavalos ainda estavam no topo do morro, guardados pelos meninos, caso contrário poderíamos persegui-los e matá-los por trás.

Nem todos os dinamarqueses fugiram. Alguns cavaleiros que estavam se preparando para cercar o morro e nos atacar por trás vieram contra a parede de escudos, mas os cavalos relutam em se chocar contra uma parede benfeita. Os dinamarqueses bateram com lanças contra nossos escudos e forçaram nossa linha a entortar, e mais dinamarqueses vieram ajudar os cavaleiros. Minha cabeça de porco não tinha mais forma de cunha, mas meus homens permaneciam juntos e eu os comandei em direção à fúria súbita. Um cavalo empinou para mim, com os cascos balançando, e eu deixei o escudo receber as patadas. O garanhão tentou me morder e o cavaleiro golpeou com uma espada que foi contida pela borda de ferro do escudo. Meus homens estavam envolvendo os atacantes que perceberam o perigo e se afastaram, e foi então que vi por que os dinamarqueses haviam atacado. Tinham vindo salvar Harald. Dois dos meus homens haviam capturado o estandarte de Harald, com a caveira de lobo pintada de vermelho ainda presa ao mastro, mas o próprio Harald estava caído no meio de sangue e dos pés de ervilha. Gritei que devíamos capturá-lo, mas o cavalo estava no meu caminho e o cavaleiro ainda golpeava loucamente com a espada. Cravei Ferrão de Vespa na barriga do bicho e vi Harald ser arrastado para trás, pelos tornozelos. Um dinamarquês enorme jogou Harald numa sela e outros homens levaram o cavalo para longe. Tentei alcançá-lo, mas Ferrão de Vespa estava encravada no cavalo que estremecia e o cavaleiro continuava tentando me matar desajeitadamente, por isso soltei o punho da espada curta, agarrei o pulso do sujeito e puxei. Ouvi um berro quando o cavaleiro tombou da sela.

— Mate-o — rosnei para o homem ao meu lado, depois soltei Ferrão de Vespa, mas era tarde demais: os dinamarqueses tinham conseguido resgatar o ferido Harald.

Embainhei Ferrão de Vespa e peguei Bafo de Serpente. Não haveria mais parede de escudos lutando nesse dia, porque agora iríamos caçar os dinamarqueses através dos becos de Fearnhamme e mais além. A maioria dos homens de Harald fugiu para o leste, mas não todos. Nossos dois ataques haviam espremido a horda dele, dividindo-a, e alguns tiveram de fugir para o oeste, penetrando mais fundo em Wessex. Agora os primeiros cavaleiros saxões estavam atravessando o rio e perseguiam os fugitivos. Os dinamarqueses que sobrevivessem a essa perseguição seriam caçados por camponeses. Os homens que foram para o leste, os que levavam seu líder caído, eram numerosos e pararam para se juntar a 800 metros dali. Mas, assim que os cavaleiros saxões do oeste apareceram, esses dinamarqueses continuaram a retirada. E ainda havia dinamarqueses em Fearnhamme, homens que tinham se refugiado nas casas, onde os caçamos feito ratos. Eles gritavam por misericórdia, mas não demonstramos nenhuma, porque ainda estávamos sob o fascínio do desejo selvagem de Æthelflæd.

Matei um homem num monte de esterco, derrubando-o com Bafo de Serpente e cortando sua garganta com a ponta da espada. Finan perseguiu dois para dentro de uma casa e eu corri atrás dele, mas ambos estavam mortos quando passei pela porta. Finan me jogou um bracelete dourado, depois ambos entramos no caos sob o sol. Cavaleiros passavam pela rua a meio-galope, procurando vítimas. Ouvi gritos vindos de trás de uma choupana, e Finan e eu corremos para lá, vendo um dinamarquês enorme, brilhante com braceletes de ouro e prata e uma corrente de ouro no pescoço, lutando contra três mércios. Achei que era um comandante de navio, um homem que trouxera suas tripulações a serviço de Harald na esperança de encontrar terras em Wessex, mas em vez disso estava encontrando uma sepultura. Ele era bom e rápido, sua espada e o escudo maltratado continham os atacantes, e então ele me viu, reconheceu a riqueza em meu equipamento de guerra e, nesse instante, os três mércios recuaram como se quisessem me dar o privilégio de matar o grandalhão.

— Segure firme sua espada — disse eu.

Ele assentiu. Olhou para o martelo pendurado no meu pescoço. Estava suando, mas não de medo. Era um dia quente e todos usávamos couro e malha.

— Espere por mim no salão de festa — disse eu.

— Meu nome é Othar.

— Uhtred.

— Othar, Cavaleiro da Tempestade.

— Ouvi esse nome — falei educadamente, mas não tinha ouvido. Othar queria que eu soubesse, para poder dizer aos homens que Othar, Cavaleiro da Tempestade, havia morrido bem, e eu havia lhe dito para segurar firme a espada para que Othar, Cavaleiro da Tempestade, fosse para o salão de festa no Valhalla, para onde vão todos os guerreiros que morrem com bravura. Hoje, mesmo estando velho e frágil, sempre uso uma espada, para que quando a morte chegue eu vá para aquele castelo distante onde homens como Othar me esperam. Estou ansioso para encontrá-los.

— A espada chama-se Fogo Brilhante — disse ele, erguendo a arma. E beijou a lâmina. — Ela me serviu bem. — Fez uma pausa. — Uhtred de Bebbanburg?

— Isso.

— Conheci Ælfric, o Generoso.

Demorei um ou dois instantes para perceber que ele estava falando do meu tio, que usurpara minha herança na Nortúmbria.

— O generoso? — perguntei.

— De que outro modo ele mantém as terras — perguntou Othar de volta — senão pagando aos dinamarqueses para ficar longe?

— Espero matá-lo também.

— Ele tem muitos guerreiros — disse Othar, e com isso estocou rápido com Fogo Brilhante, esperando me surpreender, querendo ir ao Valhalla tendo minha morte como motivo para se gabar, mas fui tão rápido quanto ele e Bafo de Serpente aparou o golpe e eu o acertei com a bossa do escudo, empurrando-o para trás. Girei minha espada rápido e ele nem estava tentando apará-la quando Bafo de Serpente cortou sua garganta.

Tirei Fogo Brilhante de sua mão morta. Tinha cortado sua garganta para não danificar mais a cota de malha. A malha é cara, um troféu tão valioso quanto os braceletes de Othar.

Fearnhamme estava cheia de mortos e dos vivos triunfantes. Praticamente os únicos dinamarqueses a sobreviver foram os que haviam se refugiado na igreja, e só viveram porque Alfredo tinha atravessado o rio e insistiu que a igreja era um refúgio. Ficou montado na sela, o rosto tenso de dor, e os padres o rodearam enquanto os dinamarqueses eram levados para fora da igreja. Æthelred estava ali, com a espada sangrenta. Aldhelm sorria. Tínhamos obtido uma vitória famosa, uma grande vitória, e a notícia da matança se espalharia aonde quer que os nórdicos levassem seus barcos, e os comandantes saberiam que ir a Wessex era um caminho rápido para a sepultura.

— Deus seja louvado — disse Alfredo, me cumprimentando.

Minha malha estava coberta de sangue. Eu sabia que estava sorrindo como Aldhelm. O padre Beocca praticamente gritava de júbilo. Então Æthelflæd apareceu, ainda a cavalo, e dois de seus mércios levavam um prisioneiro.

— Ela estava tentando matá-lo, senhor Uhtred! — disse Æthelflæd, animada, e eu percebi que o prisioneiro era o cavaleiro cujo animal eu havia golpeado com Ferrão de Vespa.

Era Skade.

Æthelred olhava para sua esposa, sem dúvida imaginando o que ela fazia em Fearnhamme vestindo cota de malha, mas não teve tempo de perguntar porque Skade começou a uivar. Eram berros terríveis como os de uma mulher sendo comida pelo verme da morte, e arrancou cabelos, caiu no chão e começou e se retorcer.

— Amaldiçoo todos vocês — gemeu. Agarrou punhados de terra e esfregou-a em seu cabelo preto, enfiou na boca, e o tempo todo se retorcia e gritava. Um dos guardas carregava a cota de malha que ela estivera usando na batalha, deixando-a com uma camisola de linho que subitamente rasgou, expondo os seios. Ela espalhou a terra nos seios e eu tive de sorrir quando Eduardo, ao lado do pai, ficou olhando arregalado a nudez de Skade. Alfredo pareceu mais dolorido ainda.

— Silenciem-na — ordenou ele.

Um dos guardas mércios bateu com um cabo de lança na cabeça de Skade, que tombou de lado na rua. Agora havia sangue misturado com a terra em seu cabelo preto, e pensei que ela estava inconsciente, mas então ela cuspiu a terra e me olhou.

— Amaldiçoado — rosnou ela.

E uma das fiandeiras pegou o meu fio. Gosto de pensar que ela hesitou, mas talvez não tenha hesitado. Talvez tenha sorrido. Mas, quer tenha hesitado ou não, empurrou sua agulha de osso na trama mais escura.

Wyrd bið ful ãræd.

CINCO

Lâminas afiadas golpeando, lanças matando
Enquanto Æthelred, Senhor da Matança, trucidava milhares,
Transbordando o rio com sangue, rio nutrido por espada,
E Aldhelm, nobre guerreiro, seguia seu senhor
Para a batalha dura, derrubando inimigos

E assim segue o poema por muitos, muitos, muitos versos mais. Tenho o pergaminho à minha frente, mas vou queimá-lo a qualquer momento. Meu nome não é mencionado, é claro, e por isso vou queimá-lo. Homens morrem, mulheres morrem, o gado morre, mas a reputação vive como o eco de uma canção. No entanto, por que os homens deveriam cantar sobre Æthelred? Ele lutou bastante bem naquele dia, mas Fearnhamme não foi sua batalha, foi minha.

Eu deveria pagar aos meus poetas para escrever suas canções, mas eles preferem ficar deitados ao sol, beber minha cerveja e, para ser franco, os poetas me entediam. Aturo-os em nome dos convidados ao meu castelo, que esperam ouvir a harpa e as bazófias. A curiosidade me levou a comprar este pergaminho em vias de ser queimado de um monge que vende esse tipo de coisa nos castelos nobres. Ele viera das terras que eram a Mércia, claro, e é natural que os poetas mércios exaltem seu país, caso contrário ninguém ouviria falar dele, por isso escrevem suas mentiras, mas nem eles conseguem competir com os homens da Igreja. Todos os anais de nosso tempo são escritos por monges e padres, e um homem pode ter fugido de uma centena de batalhas e jamais matado um dinamarquês, mas desde que dê dinheiro à Igreja será descrito como herói.

A batalha de Fearnhamme foi vencida por duas razões. A primeira foi Steapa ter trazido os homens de Alfredo para o campo exatamente quando eles eram necessários e, olhando para trás, isso poderia facilmente ter dado errado. O *Ætheling* Eduardo, claro, estava supostamente no comando daquela metade do exército, e tanto ele quanto Æthelred possuíam muito mais autoridade do que Steapa. Na verdade os dois insistiram que ele daria a ordem de sair de Æscengum cedo demais e contradisseram sua ordem, mas Alfredo passou por cima deles. Alfredo estava doente demais para comandar o exército pessoalmente, mas, como eu, tinha aprendido a confiar no instinto bruto de Steapa. E assim os cavaleiros chegaram à retaguarda do exército de Harald quando este estava desorganizado e metade ainda esperava para atravessar o rio.

A segunda razão para o sucesso foi a velocidade com que minha cabeça de porco despedaçou a parede de escudos de Harald. Esses ataques nem sempre davam certo, mas tínhamos a vantagem da encosta e acho que os dinamarqueses já haviam perdido o ânimo por causa da matança do outro lado do vau. E assim vencemos.

> O Senhor Deus garantiu a vitória, bênçãos a Æthelred,
> Que, ao lado do rio, rompeu a cerca de escudos.
> E Eduardo estava lá, o nobre Eduardo, filho de Alfredo.
> Que, abrigado por anjos, viu quando Æthelred
> Derrubou o líder nórdico...

Ser queimado é bom demais para isto. Talvez eu o rasgue em pedacinhos e jogue-o na latrina.

Estávamos cansados demais para organizar uma perseguição adequada, e nossos homens sentiam-se atordoados pela velocidade do triunfo. Também haviam encontrado cerveja, hidromel e vinho franco nas bolsas das selas dos dinamarqueses, e muitos ficaram bêbados enquanto andavam pelo matadouro que haviam criado. Alguns homens começaram a jogar cadáveres dinamarqueses no rio, mas eram tantos que os corpos se amontoaram nos pilares da ponte romana formando uma represa que inundou as margens do vau. Cotas de malha estavam sendo amontoadas e armas capturadas eram empilhadas. Os poucos prisioneiros estavam sob guarda num celeiro, com as mulheres soluçantes e crianças reunidas do lado de fora, ao passo que Skade fora posta num depósito de grãos vazio, onde dois de meus homens a vigiavam. Alfredo, naturalmente, foi à igreja agradecer ao seu deus, e todos os padres e monges foram com ele. O bispo Asser parou antes de ir rezar. Olhou os mortos e a pilhagem, depois virou os olhos frios para mim. Apenas me espiou, como se eu fosse um daqueles bezerros de duas cabeças mostrados em feiras, depois pareceu perplexo e indicou que Eduardo deveria ir com ele à igreja.

Eduardo hesitou. Era um rapaz tímido, mas estava claro que sentia que deveria me dizer alguma coisa mas não fazia ideia de que palavras usar. Por isso falei:

— Parabéns, senhor.

Ele franziu a testa e por um momento ficou tão perplexo quanto Asser, depois estremeceu e se empertigou.

— Não sou idiota, senhor Uhtred.

— Nunca pensei isso — respondi.

— O senhor deve me ensinar.

— Ensinar?

Ele indicou a carnificina e, por um instante, pareceu aterrorizado.

— Como fazer isso — respondeu bruscamente.

— O senhor deve pensar como seu inimigo — disse eu. — E depois pensar mais intensamente. — Eu teria falado mais, porém nesse momento vi Cerdic num beco entre duas cabanas. Virei-me, depois fui distraído pelo bispo Asser, carrancudo, chamando Eduardo, e quando olhei de novo Cerdic não estava ali. Nem podia estar, disse a mim mesmo. Eu havia deixado Cerdic em Lundene para guardar Gisela e decidi que era apenas uma peça que os pensamentos cansados podem pregar.

— Aqui, senhor. — Sihtric, que fora meu serviçal mas agora era um dos meus guerreiros domésticos, largou uma pesada cota de malha aos meus pés. — Tem elos de ouro, senhor — disse empolgado.

— Fique com ela — respondi.

— Senhor? — Ele me encarou atônito.

— Sua mulher tem gostos caros, não tem? — perguntei. Sihtric havia se casado com uma prostituta, Ealhswith, contra meu conselho e sem minha permissão, mas eu o havia perdoado e depois fiquei surpreso porque o casamento era feliz. Eles tinham dois filhos, ambos garotinhos fortes. — Leve-a.

— Obrigado, senhor. — Sihtric pegou a cota de malha.

O tempo passa devagar.

É estranho como esqueci algumas coisas. Não consigo lembrar de verdade o momento em que levei a cabeça de porco para a linha de batalha de Harald. Eu estava olhando para o rosto dele? Lembro-me de verdade do sangue fresco do cavalo voando de sua barba quando a cabeça dele se virou? Ou eu estava olhando o homem à sua esquerda, cujo escudo o protegia? Esqueci muita coisa, mas não aquele momento em que Sihtric pegou a cota de malha. Vi um homem levando uma dúzia de cavalos capturados atravessar o vau inundado. Dois outros estavam soltando cadáveres da represa de corpos na ponte arruinada. Um dos homens tinha cabelo ruivo encaracolado e o outro estava se dobrando ao meio, rindo de alguma piada. Três outros jogavam corpos no rio, fazendo aumentar o bloqueio de cadáveres mais rápido do que os dois podiam aliviá-lo. Um cachorro magro estava se coçando na rua onde Osferth, o bastardo de Alfredo, conversava com a senhora Æthelflæd, e fiquei surpreso por ela não estar na igreja com o pai, o irmão e o marido, e porque ela e o meio-irmão pareciam ter estabelecido rapidamente um relacionamento amigável. Lembro-me de Oswi, meu novo garoto serviçal, levando Smoka para a rua e parando para falar com uma mulher, e percebi que o povo de Fearnhamme já estava retornando. Supus que deviam ter se escondido na floresta próxima assim que viram homens armados atravessar o rio. Outra mulher, com uma capa amarela desbotada, usava uma faca para cortar o dedo de um dinamarquês, onde havia um anel. Lembro-me de um corvo, circulando preto-azulado no céu fedendo a sangue e senti uma empolgação intensa ao olhar o pássaro. Seria um dos dois corvos de Odin? Será que os próprios deuses ouviram falar dessa carnificina? Ri alto, um som incongruente porque, na minha memória, havia apenas silêncio naquele momento.

Até que Æthelflæd falou:

— Senhor? — Ela havia chegado perto e estava me olhando. — Uhtred? — disse gentilmente. Finan estava dois passos atrás dela e, com ele, Cerdic. E foi então que eu soube. Soube mas não disse nada. Æthelflæd veio até mim e pôs a mão no meu braço. — Uhtred? — disse ela de novo. Acho que apenas a encarei. Seus olhos azuis estavam brilhantes de lágrimas. — O parto — disse gentilmente.

— Não — respondi baixinho. — Não.

— Sim — disse ela simplesmente. Finan estava me olhando com dor em seu semblante.

— Não — falei mais alto.

— Mãe e filho — disse Æthelflæd muito baixo.

Fechei os olhos. Meu mundo estava escuro, tinha ficado escuro, porque minha Gisela estava morta.

Wyn eal gedreas. Isso é parte de outro poema que às vezes ouço ser cantado no meu castelo. É um poema triste, e portanto um poema verdadeiro. *Wyrd bið ful ãrœd,* diz ele. O destino é inexorável. E *wyn eal gedreas.* Toda a alegria morreu.

Toda a minha alegria havia morrido e eu tinha entrado na escuridão. Finan disse que uivei como um lobo, e talvez tenha mesmo, mas não lembro. O sofrimento deve ser escondido. O homem que cantou pela primeira vez que o destino é inexorável disse também que devemos atar com correntes nossos pensamentos mais íntimos. Uma mente entristecida não serve para nada, disse ele, e os pensamentos devem ser escondidos, e talvez eu tenha mesmo uivado, mas então afastei a mão de Æthelflæd e rosnei para os homens que jogavam cadáveres no rio, ordenando que dois deles deveriam ajudar os homens a tentar tirar os corpos do meio dos pilares da ponte arruinada.

— Certifique-se de que todos os nossos cavalos sejam descidos do morro — disse a Finan.

Naquele momento não pensei em Skade, caso contrário poderia ter deixado Bafo de Serpente arrancar sua alma podre. Foi a sua maldição, percebi mais tarde, que matou Gisela, porque ela havia morrido na mesma manhã que

Harald me obrigara a libertar Skade. Cerdic havia cavalgado para me contar, com o coração pesado enquanto guiava seu cavalo pelo território infestado de dinamarqueses até Æscengum, onde descobriu que tínhamos partido.

Quando soube, Alfredo veio até mim, pegou meu braço e andou pela rua de Fearnhamme. Estava mancando, e os homens saíam da frente para nos abrir caminho. Apertou meu cotovelo e pareceu que ia falar uma dúzia de vezes, no entanto as palavras sempre morriam em seus lábios. Por fim me segurou e me olhou nos olhos.

— Não conheço a razão para Deus infligir tanto sofrimento — disse, e eu não respondi nada. — Sua mulher era uma joia. — Alfredo franziu a testa e suas palavras seguintes foram tão generosas quanto difíceis de dizer. — Rezo para que seus deuses lhe deem conforto, senhor Uhtred. — Ele me levou até a casa romana que fora confiscada como castelo real, e ali Æthelred parecia desconfortável, enquanto o querido padre Beocca me deixou sem graça agarrando-se à minha mão da espada e rezando alto para que seu deus me tratasse com misericórdia. Estava chorando. Gisela podia ser pagã, mas Beocca a havia amado. O bispo Asser, que me odiava, mesmo assim falou palavras gentis, e o irmão Godwin, o monge cego que espreitava Deus, soltou um gemido plangente até que Asser o levou para longe. Mais tarde, naquele dia, Finan me trouxe uma jarra de hidromel e cantou suas tristes canções irlandesas até eu estar bêbado demais para me importar. Somente ele me viu chorar naquele dia, e não contou a ninguém.

— Recebemos ordem de voltar a Lundene — disse-me Finan na manhã seguinte. Eu apenas assenti, distraído demais do mundo para me importar com as ordens. — O rei volta a Wintanceaster e os senhores Æthelred e Eduardo devem perseguir Harald.

Harald, muito ferido, fora levado pelo que restou de seu exército em direção ao norte, atravessando o Temes, até que, sofrendo demais para continuar, ordenou que encontrassem refúgio, o que fizeram numa ilha coberta de espinhos chamada Torneie. A ilha ficava no rio Colne, não longe de onde este se junta ao Temes, e os homens de Harald fortificaram Torneie, primeiro fazendo uma grande paliçada com os fartos arbustos de espinheiros, depois levantando barrancos de terra. O senhor Æthelred e o *ætheling* Eduardo alcançaram-nos e os assediaram. As tropas domésticas de Alfredo, sob o comando de Steapa, varreram Cent em direção ao leste, expulsando os últimos homens de Harald e recuperando vastas quantidades de saques. Fearnhamme foi uma vitória magnífica, deixando Harald encalhado numa ilha infestada de febre enquanto o resto de seu exército fugia para os barcos e abandonava Wessex, ainda que muitos tripulantes tenham se juntado a Haesten, que continuava acampado no litoral norte de Cent.

E eu estava em Lundene. Lágrimas ainda me vêm aos olhos quando me lembro de ter encontrado Stiorra, minha filha, minha filhinha sem mãe que se agarrou a mim e não queria soltar, e ela chorava e eu chorava, e abracei-a como se ela fosse a única coisa que pudesse me manter vivo. Osbert, o mais novo, chorava e se agarrava à sua ama enquanto Uhtred, meu filho mais velho, pode ter chorado, mas jamais na minha frente, e esta não foi uma reticência admirável, mas aconteceu porque ele tinha medo de mim. Era uma criança nervosa e cheia de vontades, e eu o achava irritante. Insisti para que ele aprendesse a usar a espada, mas o garoto não tinha qualquer habilidade com uma arma, e quando o levei rio abaixo no *Seolferwulf*, ele não demonstrou qualquer entusiasmo por navios ou pelo mar.

Ele estava comigo, a bordo do *Seolferwulf*, na próxima vez que vi Haesten. Tínhamos saído de Lundene no escuro, tateando o caminho rio abaixo na maré e sob uma lua que ia empalidecendo. Alfredo havia aprovado uma lei — ele adorava fazer leis — dizendo que os filhos dos *ealdormen* e *thegns* deviam ir à escola, mas me recusei a deixar que Uhtred, o Jovem, frequentasse a escola que o bispo Erkenwald havia estabelecido em Lundene. Não me importava se ele aprendesse a ler e escrever, ambas as habilidades são muito superestimadas, mas me importava com que ele não fosse exposto à pregação do bispo. Erkenwald tentou insistir para que eu mandasse o garoto, mas argumentei que na verdade Lundene fazia parte da Mércia, e naqueles dias era mesmo, e que as leis de Alfredo não se aplicavam ali. O bispo me olhou irritado, mas não podia obrigar o menino a frequentar a escola. Eu preferia treinar meu filho como guerreiro e, naquele dia no *Seolferwulf*, eu o havia vestido com um casaco de couro e dado um cinturão de espada para menino, para que ele se acostumasse a usar equipamento de guerra, mas em vez de mostrar orgulho ele simplesmente pareceu desajeitado.

— Ponha os ombros para trás — rosnei. — Fique ereto. Você não é um cachorrinho!

— Está bem, papai — gemeu ele. Estava com os ombros frouxos, apenas olhando para o convés.

— Quando eu morrer, você será senhor de Bebbanburg — disse eu, e ele não falou nada.

— O senhor deveria lhe mostrar Bebbanburg, senhor — sugeriu Finan.

— Talvez eu faça isso — respondi.

— Leve o navio para o norte — disse Finan, entusiasmado. — Uma verdadeira viagem pelo mar! — Em seguida deu um tapa no ombro do meu filho. — Você vai gostar, Uhtred! Talvez a gente veja uma baleia!

Meu filho apenas olhou para Finan e não disse nada.

— Bebbanburg é uma fortaleza junto ao mar — contei ao meu filho. — Uma grande fortaleza. Varrida pelo vento, lavada pelo mar, invencível. — E senti a pontada das lágrimas porque havia sonhado muitas vezes em tornar Gisela a Senhora de Bebbanburg.

— Não é invencível, senhor — disse Finan —, porque vamos tomá-la.

— Vamos — respondi, mas não podia sentir entusiasmo, nem mesmo pela perspectiva de invadir minha própria fortaleza e trucidar meu tio e seus homens. Dei as costas para meu filho pálido e fiquei na proa do navio, sob a cabeça de lobo, e olhei para o leste onde o sol estava nascendo, e ali, na névoa sob o sol nascente, no nevoeiro de mar e ar, na luz tremeluzente acima do mar que ia subindo vagaroso, vi os navios. Uma frota. — Devagar! — gritei.

Nossos remos subiam e desciam suavemente, de modo que foi principalmente a maré vazante que nos levou em direção àquela frota que remava para o norte atravessando nosso caminho.

— Remos para trás! — gritei, e fomos mais devagar, paramos e viramos de costado para a corrente. — Deve ser Haesten — disse Finan, que viera para perto de mim.

— Está saindo de Wessex — disse eu. Tinha certeza de que era Haesten, e era mesmo, já que um instante depois um único navio se virou da frota e eu vi o clarão das pás dos remos enquanto os remadores faziam força vindo em nossa direção. Atrás dele os outros navios continuaram para o norte e havia muito mais do que os oitenta que Haesten havia trazido para Cent, porque sua frota fora inchada pelos fugitivos do exército de Harald. Agora o navio que se aproximava estava perto. — É o *Viajante-Dragão* — disse eu, reconhecendo-o, o mesmo navio que tínhamos dado a Haesten no dia em que ele recebeu o tesouro de Alfredo e nos entregou os reféns sem valor.

— Escudos? — perguntou Finan.

— Não — respondi. Se Haesten quisesse me atacar, teria trazido mais de um navio, e assim nossos escudos permaneceram no fundo do *Seolferwulf*.

O *Viajante-Dragão* inverteu o movimento dos remos à distância de metade de um navio. Ficou perto, arfando no movimento vagaroso da água, e por um momento sua tripulação encarou minha tripulação, e então vi Haesten subindo à plataforma do leme. Ele acenou.

— Posso subir a bordo? — gritou.

— Pode subir a bordo — gritei de volta, e fiquei olhando enquanto seu remador mais à popa virava habilmente o *Viajante-Dragão* de modo a deixar a proa perto da nossa. Os remos compridos foram puxados para dentro quando as duas embarcações se aproximaram, e então Haesten pulou. Outro homem acenava para mim da plataforma do leme do *Viajante-Dragão*, e vi que era o padre Willibald. Acenei de volta, depois fui para a popa, receber Haesten.

Ele estava com a cabeça descoberta. Abriu as mãos enquanto eu me aproximava, um gesto que revelava impotência, e parecia ter dificuldade para falar, mas finalmente encontrou a voz.

— Lamento muito, senhor — disse, e seu tom era humilde, convincente. — Não existem palavras, senhor Uhtred.

— Ela era uma boa mulher — respondi.

— Famosa por isso — disse ele. — E realmente lamento, senhor.

— Obrigado.

Ele olhou para meus remadores, sem dúvida observando suas armas, depois me olhou de volta.

— Essa notícia triste sombreou os relatos de sua vitória, senhor. Foi um grande triunfo.

— Parece que o convenceu a deixar Wessex — falei secamente.

— Sempre tive a intenção de partir, senhor, assim que fizemos nosso acordo, mas alguns de nossos navios precisavam de conserto. — Então ele notou Uhtred e viu as placas de prata costuradas no cinturão de espada do garoto. — Seu filho, senhor?

— Meu filho — respondi. — Uhtred.

— Garoto impressionante — mentiu Haesten.

— Uhtred — gritei. — Venha cá!

Ele se aproximou nervoso, o olhar saltando à esquerda e à direita como se esperasse um ataque. Era tão impressionante quanto um pinto.

— Este é o *jarl* Haesten — disse eu. — Um dinamarquês. Um dia vou matá-lo ou ele vai me matar. — Haesten deu um risinho, mas meu filho apenas olhou para o convés. — Se ele me matar — continuei —, seu dever é matá-lo.

Haesten esperou alguma resposta de Uhtred, o Jovem, mas o menino só pareceu embaraçado. Haesten deu um riso malicioso.

— E meu filho, senhor Uhtred? — perguntou inocente. — Imagino que esteja bem de saúde, como refém.

— Afoguei o bastardozinho há um mês — respondi.

Haesten riu da mentira.

— Não havia necessidade de reféns, de qualquer modo — disse ele —, já que cumprirei nosso acordo. O padre Willibald confirmará isso. — Ele fez um gesto para o *Viajante-Dragão*. — Eu ia mandar o padre Willibald para Lundene com uma carta. O senhor pode levá-lo?

— Só o padre Willibald? Eu não lhe trouxe dois padres?

— O outro morreu depois de comer enguias demais — disse Haesten descuidadamente. — Vai levar Willibald?

— Claro — respondi, e olhei para a frota que continuava remando para o norte. — Aonde vocês vão?

— Para o norte — disse Haesten distraidamente. — Ânglia Oriental. Algum lugar. Não, Wessex.

Ele não queria me falar de seu destino, mas estava claro que os navios iam em direção a Beamfleot. Havíamos lutado lá, cinco anos antes, e Haesten podia ter lembranças ruins do local, no entanto Beamfleot, na margem norte do estuário do Temes, oferecia duas vantagens inestimáveis. A primeira era um riacho chamado Hothlege, enfiado atrás da ilha de Caninga, que podia abrigar trezentos navios, ao passo que acima dele, erguendo-se num morro verdejante, ficava a velha fortaleza. Era um local de grande segurança, muito mais seguro do que o acampamento que Haesten fizera no litoral de Cent, mas ele só fizera este para instigar Alfredo a lhe pagar para ir embora. Agora estava indo, mas para um lugar muito mais perigoso para Wessex. Em Beamfleot ele teria uma fortaleza praticamente inatacável, ao mesmo tempo que estaria a uma distância da qual poderia atacar Lundene e Wessex. Ele era uma serpente.

Esta não era a opinião do padre Willibald. Tivemos de fazer os dois navios praticamente se tocarem para que o padre passasse de um para o outro. Ele se esparramou desajeitado no convés do *Seolferwulf*, depois se despediu amigavelmente de Haesten, que me deu um riso de despedida antes de saltar de volta para seu navio.

O padre Willibald me olhou confuso. Num momento seu rosto era todo preocupação, no outro era empolgação, ambas expressões acompanhadas de uma agitação impaciente enquanto tentava encontrar palavras para um clima ou outro. A preocupação venceu.

— Senhor, diga, diga que não é verdade.

— É verdade, padre.

— Santo Deus! — Ele balançou a cabeça e fez o sinal da cruz. — Vou rezar pela alma dela, senhor. Vou rezar pela alma dela todas as noites, senhor, e pelas almas de seus queridos filhos. — Sua voz ficou no ar, sob meu olhar funesto, mas então a empolgação o dominou. — Que notícias, senhor, que notícias eu tenho! — Então, desanimando diante de minha expressão, virou-se para pegar seu patético saco de pertences que fora jogado do *Viajante-Dragão*.

— Que notícias? — perguntei.

— O *jarl* Haesten, senhor — disse Willibald ansioso. — Ele requisitou que sua esposa e os dois filhos sejam batizados, senhor! — O padre sorriu como se esperasse que eu compartilhasse sua alegria.

— Ele o quê? — perguntei surpreso.

— Ele quer o batismo para a família! Eu escrevi a carta para ele, endereçada ao nosso rei! Parece que nossa pregação deu frutos, senhor. A esposa do *jarl*, que Deus abençoe sua alma, viu a luz! Ela busca a redenção de nosso Senhor! Passou a amar nosso Salvador, senhor, e o marido aprovou sua conversão.

Apenas olhei para ele, corroendo sua alegria com meu rosto amargo, mas Willibald não seria desencorajado tão facilmente. Reuniu seu entusiasmo de novo.

— Não vê, senhor? Se ela se converter, ele a acompanhará! Acontece com frequência, senhor, de a esposa encontrar a salvação primeiro, e quando a esposa vai na frente, o marido a acompanha!

— Ele está nos acalentando para dormir, padre — respondi. O *Viajante-Dragão* havia se juntado à frota e remava com firmeza para o norte.

— O *jarl* é uma alma perturbada — disse Willibald. — Ele conversou frequentemente comigo. — O padre levantou as mãos para o céu, onde uma miríade de aves aquáticas iam para o sul batendo asas. — Há regozijo no céu, senhor, quando apenas um pecador se arrepende. E ele está muito perto da redenção! E quando um chefe se converte, senhor, seu povo o acompanha até Cristo.

— Chefe? — zombei. — Haesten é apenas um *earsling*. É um cagalhão. E não está perturbado, padre, a não ser pela cobiça. Ainda teremos de matá-lo.

Willibald ficou desanimado com meu cinismo e foi sentar-se perto do meu filho. Olhei os dois conversando e imaginei por que Uhtred nunca havia demonstrado qualquer entusiasmo pela minha conversa, apesar de parecer fascinado pela de Willibald.

— Espero que não esteja envenenando o cérebro do menino — gritei.

— Estamos falando de pássaros, senhor — explicou Willibald, animado —, e do lugar para onde vão no inverno.

— Para onde eles vão?

— Para baixo do mar? — sugeriu ele.

A maré abrandou, parou e se inverteu, e navegamos no fluxo de volta rio acima. Fiquei sentado pensativo na plataforma do leme enquanto Finan cuidava do grande remo-leme. Meus homens remavam devagar, contentes em deixar que a maré fizesse o serviço, e cantavam a canção de Aegir, deus do mar, e de Ran, sua esposa, e de suas nove filhas, e todos eles devem ser adulados para que os navios fiquem em segurança nas águas revoltas. Cantavam porque sabiam que eu gostava daquela canção, mas ela parecia vazia e as palavras sem sentido, e não me juntei a eles. Só olhei para a névoa de fumaça acima de Lundene, a escuridão anuviando um céu de verão, e desejei ser um pássaro, no alto daquele vazio, desaparecendo.

A carta de Haesten deixou Alfredo animado. Segundo ele, era sinal da graça de Deus, e o bispo Erkenwald, claro, concordou. Segundo pregou o bispo, Deus havia trucidado os pagãos em Fearnhamme e agora havia operado um milagre no coração de Haesten. Willibald foi mandado a Beamfleot com um convite para Haesten trazer sua família a Lundene, onde Alfredo e Æthelred seriam padrinhos de Brunna, de Haesten, o Jovem, e do verdadeiro Horic. Agora ninguém se incomodava em fingir que o refém surdo-mudo era filho de Haesten, mas a mentira foi perdoada no entusiasmo que marcou Wessex enquanto aquele verão ia se desbotando e virando outono.

O refém surdo-mudo — dei-lhe o nome de Harald — foi mandado à minha casa. Era um garoto inteligente e eu o coloquei para trabalhar na armaria, onde demonstrou habilidade com a pedra de afiar e uma vontade de aprender sobre armas. Também fiquei com a custódia de Skade, porque ninguém mais parecia querê-la. Por um tempo eu a exibi numa jaula junto à minha porta, mas essa humilhação era um consolo pequeno para sua maldição. Agora ela não tinha valor como refém, porque seu amante estava entocado na ilha Torneie, e um dia eu a levei rio acima num dos barcos menores que mantínhamos acima da ponte quebrada de Lundene.

Torneie ficava perto de Lundene e, com trinta homens nos remos, chegamos ao rio Colne antes do meio-dia. Remamos lentamente subindo o rio menor, mas havia pouca coisa a ser vista. Os homens de Harald, menos de trezentos, tinham feito um barranco de terra encimado por uma grossa paliçada de espinhos. Lanças apareciam acima daquele obstáculo eriçado, mas nenhum telhado, porque Torneie não tinha madeira para fazer casas. O rio fluía preguiçoso dos dois lados da ilha, limitado por pântanos para além dos quais eu podia ver os dois acampamentos das forças saxãs que sitiavam a ilha. Dois navios estavam atracados no rio, ambos tripulados por mércios, cujo trabalho era impedir que qualquer suprimento chegasse aos dinamarqueses encurralados.

— Lá está o seu amante — disse eu a Skade, apontando para os espinhos.

Ordenei que Ralla, que pilotava o navio, nos levasse o mais perto possível da ilha, e quando nossos remos estavam quase tocando os juncos, arrastei Skade até a proa.

— Lá está seu marido perneta e impotente — disse eu. Um punhado de dinamarqueses havia desertado e informado que Harald fora ferido na perna esquerda e na virilha. Evidentemente Ferrão de Vespa o havia acertado por baixo da barra da cota de malha, e me lembro da lâmina acertando o osso e de como eu a havia apertado com mais força, de modo que o aço escorregou subindo pela coxa, rasgando músculos e abrindo vasos sanguíneos até parar na virilha. A carne havia apodrecido e fora cortada. Ele ainda vivia, e talvez seu ódio e seu fervor dessem vida aos seus homens, que agora encaravam o futuro mais sombrio.

Skade não disse nada. Olhou para o muro de espinhos onde apareciam umas poucas pontas de lança. Ela vestia uma túnica de escrava, apertada com um cinto na cintura fina.

— Eles comeram os cavalos — disse eu — e pegam enguias, rãs e peixes.

— Eles viverão — respondeu ela em voz opaca.

— Eles estão encurralados — falei com escárnio — e desta vez Alfredo não vai pagar ouro brilhante para eles irem embora. Quando passarem fome neste inverno, vão se render e Alfredo vai matar todos. Um a um, mulher.

— Eles viverão — insistiu ela.

— Você vê o futuro?

— Vejo — disse ela, e toquei o martelo de Tor.

Eu a odiava; e achava difícil afastar os olhos dela. Skade recebera o dom da beleza, no entanto era a beleza de uma arma. Era esguia, dura e brilhante. Mesmo como uma cativa degradada, sem banho e vestida com trapos, ela brilhava. Seu rosto era ossudo, mas suavizado pelos lábios e pela densidade dos cabelos. Meus homens a olhavam. Queriam que eu a desse a eles como brinquedo, para depois matá-la. Ela era considerada uma feiticeira dinamarquesa, tão perigosa quanto desejável, e eu sabia que fora sua maldição que havia matado Gisela, e Alfredo não seria contra eu a executar. Mesmo assim eu não podia matá-la. Ela me fascinava.

— Você pode ir ficar com eles — disse eu.

Ela virou os olhos grandes e escuros para mim e não disse nada.

— Pule do barco — disse eu. Não estávamos longe do barranco na margem da ilha. Ela teria de nadar uns dois passos, mas depois poderia vadear para a terra. — Você sabe nadar?

— Sei.

— Então vá para ele. — Esperei. — Não quer ser rainha de Wessex? — zombei.

Ela olhou de volta para a ilha desolada.

— Eu sonho — disse ela baixinho — e em meus sonhos Loki vem até mim.

Loki era o deus trapaceiro, a praga de Asgard, o deus que merecia a morte. Os cristãos falam da serpente do paraíso, e a serpente era Loki.

— Ele fala maldades com você? — perguntei.

— Ele é triste, e fala. Eu o consolo.

— O que isso tem a ver com você pular do barco?

— Não é meu destino.

— Loki lhe disse isso?

Ela confirmou com a cabeça.

— Ele disse que você seria rainha de Wessex?

— Disse — respondeu ela simplesmente.

— Mas Odin tem mais poder — disse eu, e desejei que Odin tivesse pensado em proteger Gisela em vez de Wessex, e então me perguntei por que os deuses haviam permitido que os cristãos vencessem em Fearnhamme em vez de deixar que seus cultuadores capturassem Wessex, mas os deuses são caprichosos, cheios de malícia, e nenhum mais do que o esperto Loki. — E o que Loki lhe diz para fazer agora? — perguntei asperamente.

— Para me submeter.

— Eu não tenho necessidade de você. Então pule. Nade. Vá. Morra de fome.

— Não é meu destino — repetiu ela. Sua voz estava embotada, como se não houvesse vida em sua alma.

— E se eu empurrá-la?

— Não fará isso — disse ela, confiante, e estava certa. Deixei-a na proa enquanto virávamos o navio e deixávamos a corrente rápida nos levar de volta ao Temes e a Lundene. Naquela noite soltei-a do depósito que lhe servia de prisão. Disse a Finan que ela não deveria ser tocada, que não seria contida, que estava livre, e de manhã ela continuava no meu pátio, agachada, me olhando, sem dizer coisa alguma.

Virou escrava da cozinha. Os outros escravos e serviçais a temiam. Ela era silenciosa, funesta, como se a vida lhe tivesse sido drenada. A maioria das pessoas de minha casa era cristã, e elas faziam o sinal da cruz quando Skade atravessava seu caminho, mas minhas ordens de que ela não deveria ser molestada eram obedecidas. Ela poderia ter partido a qualquer momento, mas ficou. Poderia ter nos envenenado, mas ninguém adoeceu.

O outono trouxe ventos úmidos e frios. Emissários tinham sido mandados às terras do outro lado do mar, e para os reinos galeses, anunciando que a família de Haesten seria batizada e convidando emissários a testemunhar a cerimônia. Alfredo evidentemente via a disposição de Haesten sacrificar sua mulher e seus filhos ao cristianismo como uma vitória a ser posta ao lado de Fearnhamme, e ordenou que as ruas de Lundene fossem enfeitadas com bandeiras para dar as boas-vindas aos dinamarqueses. Alfredo chegou à cidade num fim de tarde sob um aguaceiro feroz. Correu ao palácio do bispo Erkenwald, que ficava ao lado da igreja reconstruída no topo do morro, e naquela noite houve uma missa de agradecimento à qual me recusei a comparecer.

Na manhã seguinte levei meus três filhos ao palácio. Æthelred e Æthelflæd, que pelo menos fingiam um casamento feliz quando a cerimônia exigia, tinham vindo a Lundene, e Æthelflæd se oferecera para deixar meus três filhos brincarem com sua filha.

— Isso significa que a senhora não vai à igreja? — perguntei.

— Claro que vou — respondeu ela, sorrindo —, se Haesten ao menos chegar. — Cada sino de igreja na cidade tocava em antecipação à chegada dos dinamarqueses e multidões se reuniam nas ruas apesar de uma chuva gelada que soprava do leste.

— Ele vem — disse eu.

— Você sabe?

— Eles partiram ao alvorecer. — Eu mantinha vigias nas planícies pantanosas onde o Temes se alargava, e as fogueiras de sinalização tinham sido acesas às primeiras luzes do dia, indicando que navios haviam deixado o riacho de Beamfleot e vinham subindo o rio.

— Ele só está fazendo isso para meu pai não atacá-lo — disse Æthelflæd.

— Ele é o *earsling* de uma fuinha.

— Ele quer a Ânglia Oriental. Eohric é um rei fraco e Haesten gostaria da coroa dele.

— Talvez — disse eu em dúvida. — Mas ele preferiria Wessex.

Ela balançou a cabeça.

— Meu marido tem um informante no acampamento dele, e tem certeza de que Haesten planeja atacar Grantanceaster.

Grantanceaster era onde o novo rei dinamarquês da Ânglia Oriental tinha sua capital, e um ataque bem-sucedido poderia dar a Haesten o trono da Ânglia Oriental. Ele certamente queria um trono, e todos os relatos diziam que Eohric era um governante débil, mas Alfredo fizera um tratado com Guthrum, o rei anterior, concordando que Wessex não interferiria nas questões da Ânglia Oriental, de modo que, se a ambição de Haesten fosse tomar aquele trono, por que deveria aplacar Alfredo? Haesten queria realmente Wessex, claro, mas Fearnhamme devia tê-lo convencido de que esta era uma ambição difícil demais. Então me lembrei do único trono vago, e tudo fez sentido.

— Acho que ele está mais interessado na Mércia.

Æthelflæd considerou a ideia, depois balançou a cabeça.

— Ele sabe que teria de lutar contra nós e contra Wessex para conquistar a Mércia. E o espião de meu marido tem certeza de que é a Ânglia Oriental.

— Veremos.

Ela olhou para o outro aposento, onde as crianças se divertiam com brinquedos de madeira esculpida.

— Uhtred tem idade para ir à igreja — disse ela.

— Não estou criando-o como cristão — respondi com firmeza.

Ela sorriu para mim, o rosto lindo mostrando momentaneamente a travessura que eu me lembrava de sua infância.

— Caro senhor Uhtred, ainda nadando contra a corrente.

— E a senhora? — perguntei, lembrando-me de que ela quase havia fugido com um dinamarquês pagão.

— Eu sigo à deriva no barco do meu marido — suspirou ela, e então serviçais vieram chamá-la para ficar ao lado de Æthelred. Parecia que Haesten estava à vista das muralhas da cidade.

Ele chegou no *Viajante-Dragão*, que atracou num cais decadente abaixo da minha casa. Foi recebido por Alfredo e Æthelred, ambos usando mantos com acabamento de pele e pequenas coroas de bronze. Trompas soaram e tambores bateram um ritmo rápido que foi estragado quando a chuva ficou mais forte e encharcou as peles. Haesten, presumivelmente aconselhado por Willibald, não usava armadura nem armas, mas sua comprida capa de couro parecia suficientemente grossa para suportar um golpe de espada. As tranças da barba estavam amarradas com tiras de couro e eu jurei que havia um amuleto de martelo enfiado numa das tranças. Sua esposa e os dois filhos usavam branco penitente e caminhavam descalços na procissão que subiu a colina de Lundene. A esposa se chamava Brunna, mas nesse dia receberia um novo nome cristão. Era pequena e gorducha, com olhos nervosos que giravam à esquerda e à direita como se esperasse um ataque por parte da multidão enfileirada nas ruas estreitas. Fiquei surpreso com sua falta de beleza. Haesten era um homem ambicioso, ansioso para ser reconhecido como um dos grandes comandantes guerreiros, e para um homem assim a aparência da esposa era tão importante quanto o esplendor de sua armadura ou a riqueza de seus seguidores, mas Haesten não havia se casado com Brunna pela aparência. Tinha se casado porque ela trouxera um dote que o fizera começar a jornada ascendente. Era sua esposa, mas achei que não seria sua companheira na cama, no salão ou em qualquer outro lugar. Haesten estava disposto a deixar que ela fosse batizada simplesmente porque ela não era importante para ele, se bem que Alfredo, com sua visão elevada do casamento, jamais compreenderia esse cinismo. E quanto aos filhos de Haesten, duvido que ele levasse seu batismo a sério e, assim que se afastasse de Lundene, ordenaria que eles esquecessem a cerimônia. As crianças são facilmente influenciadas pela religião, por isso é uma coisa boa elas crescerem e tomarem tino.

Monges cantavam puxando a procissão, depois vinham crianças com ramos verdes, mais monges, um grupo de abades e bispos, depois Steapa e cinquenta homens da guarda real, que caminhavam imediatamente à frente de Alfredo e seus convidados. Alfredo andava devagar, claramente sentindo desconforto, mas tinha se recusado a usar uma carroça. Sua carroça antiga, que eu havia abandonado numa vala perto de Fearnhamme, fora recuperada, mas Alfredo insistia em andar porque gostava da humildade de se aproximar de seu deus a pé. Às vezes se apoiava em Æthelred, e assim rei e genro mancavam dolorosamente subindo juntos a colina. Æthelflæd andava um passo atrás do marido, e atrás dela e de Haesten vinham os emissários de Gales e da Frankia, que tinham viajado para testemunhar o milagre dessa conversão dinamarquesa.

Haesten hesitou antes de entrar na igreja. Suspeitei que ele temeu uma emboscada, mas Alfredo o encorajou, e os dinamarqueses entraram cautelosos e não encontraram nada mais ameaçador do que um bando de monges vestidos de preto. Havia pouquíssimo espaço na igreja. Eu não queria estar lá, mas um mensageiro de Alfredo insistira em minha presença, por isso fiquei no fundo, observei a fumaça subir das velas altas e ouvi o canto dos monges que, às vezes, era abafado pelo som da chuva no teto de palha. Uma multidão havia se reunido na pequena praça do lado de fora e um padre maltrapilho subiu numa banqueta junto à porta do santuário para repetir as palavras do bispo Erkenwald ao povo encharcado. O padre precisava berrar para ser ouvido acima do vento e da chuva.

Havia três barris com aros de prata diante do altar, cada um com água do Temes até a metade. Brunna, parecendo completamente confusa, foi convencida a entrar no barril do meio. Deu um gritinho de horror ao cair na água fria, depois ficou de pé, tremendo, com os braços cruzados sobre os seios. Seus dois filhos foram jogados sem cerimônia nos barris dos lados, e então o bispo Erkenwald e o bispo Asser usaram conchas para derramar água sobre a cabeça dos garotos amedrontados.

— Eis que o espírito desce! — gritou o bispo Asser enquanto encharcava os meninos. Então os dois bispos encharcaram o cabelo de Brunna e pronunciaram seu novo nome cristão, Æthelbrun. Alfredo reluzia de prazer. Os três dinamarqueses ficaram tremendo enquanto um coro de crianças vestidas de branco cantava uma música interminável. Lembro-me de Haesten se virando lentamente para me olhar. Ele ergueu uma sobrancelha e teve dificuldade para suprimir um riso, e eu suspeitei de que ele havia gostado da humilhação aquosa de sua esposa sem graça.

Alfredo conversou com Haesten depois da cerimônia, e então os dinamarqueses partiram, carregados de presentes. Alfredo lhes deu moedas num baú, um grande crucifixo de prata, um evangelho e um relicário com o osso de um dedo de são Æthelburg, um santo que aparentemente fora arrastado ao céu por correntes de ouro, mas devia ter deixado pelo menos um dedo para trás. O aguaceiro era mais forte ainda quando o *Viajante-Dragão* se afastou do cais. Ouvi Haesten gritar uma ordem para seus remadores, as pás mergulharam na água imunda do Temes e o navio partiu para o leste.

Naquela noite houve uma festa para comemorar os grandes acontecimentos do dia. Parecia que Haesten pedira licença para não participar da ceia, o que era descortês de sua parte, já que a comida e a cerveja eram em sua homenagem, mas provavelmente foi uma decisão sábia. Os homens podem não portar armas num salão real, mas a cerveja sem dúvida provocaria brigas entre os guerreiros de Haesten e os saxões. Alfredo, de qualquer modo, não se ofendeu. Estava simplesmente feliz demais. Podia ver a própria morte se aproximando, mas achava que seu deus havia lhe dado grandes presentes. Tinha testemunhado Harald ser absolutamente derrotado e vira Haesten trazer a família para o batismo.

— Deixarei Wessex em segurança — disse ao bispo Erkenwald, ao alcance de minha audição.

— Espero que o senhor demore muitos anos para nos deixar, senhor — respondeu Erkenwald devotamente.

Alfredo deu um tapinha no ombro do bispo.

— Isso está nas mãos de Deus, bispo.

— E Deus ouve as preces de seu povo, senhor.

— Então reze por meu filho — disse Alfredo, virando-se para olhar Eduardo, que estava sentado inquieto na mesa do alto.

— Nunca deixo de rezar — respondeu o bispo.

— Então reze agora — disse Alfredo, feliz — e peça a Deus para abençoar nossa festa!

Erkenwald esperou que o rei se sentasse na mesa elevada, depois rezou alto e longamente, pedindo a bênção de seu deus para a comida que estava esfriando, depois agradecendo pela paz que agora garantia o futuro de Wessex.

Mas seu deus não estava escutando.

Foi a festa que deu início ao problema. Acho que os deuses estavam entediados conosco. Olharam para baixo, viram a felicidade de Alfredo e decidiram, como fazem os deuses, que era hora de jogar os dados.

Estávamos no grande palácio romano, uma construção de tijolos e mármore remendada com palha e pau a pique saxão. Havia um tablado onde costumava ficar um trono, mas que agora tinha uma comprida mesa de cavaletes coberta com panos de linho verde. Alfredo estava sentado no centro da mesa comprida, flanqueado por Ælswith, sua esposa, e Æthelflæd, sua filha. Eram as únicas mulheres presentes, além das serviçais. Æthelred estava ao lado de Æthelflæd, e Eduardo, junto da mãe. Os outros seis lugares da mesa elevada eram ocupados pelo bispo Erkenwald, pelo bispo Asser e pelos emissários mais importantes dos outros países. Um harpista sentou-se num dos lados do tablado e cantou um longo hino em louvor ao deus de Alfredo.

Abaixo do tablado, entre as colunas do salão, havia mais quatro mesas de cavaletes onde os convidados comiam. Esses convidados eram uma mistura de homens da Igreja e guerreiros. Eu me sentei entre Finan e Steapa no canto mais escuro do salão, e confesso que estava de péssimo humor. Para mim parecia claro que Haesten havia enganado Alfredo. O rei era um dos homens mais sábios que eu conhecia, no entanto tinha uma fraqueza por seu deus e jamais lhe ocorreu que pudesse haver um plano político por trás das aparentes concessões de Haesten. Para Alfredo seu deus simplesmente havia operado um milagre. Ele sabia, claro, a partir dos espiões de seu genro e dos seus próprios, que Haesten ambicionara tomar o trono da Ânglia Oriental, mas isso não o preocupava porque ele já havia concedido esse território ao domínio dinamarquês. Ele sonhava em recuperá-lo, mas sabia o que era possível e o que era apenas aspiração. Naqueles últimos anos de vida, Alfredo sempre se referia a si mesmo como o rei dos *angelcynn*, rei do povo inglês, e com isso queria dizer toda a terra da Britânia onde as línguas saxãs eram faladas, mas sabia que esse título era uma esperança, não uma realidade. Coubera a Alfredo tornar Wessex seguro e estender sua autoridade sobre boa parte da Mércia, mas o resto dos *angelcynn* estava sob domínio dinamarquês e Alfredo podia fazer pouca coisa com relação a isso. No entanto sentia orgulho por ter tornado Wessex suficientemente forte para destruir o grande exército de Harald e obrigar Haesten a buscar o batismo para sua família.

Fiquei pensando nessas coisas. Steapa resmungava alguma conversa, que mal escutei, e Finan fazia piadas sujas das quais sorri obedientemente, mas tudo o que eu queria era sair daquele salão. As festas de Alfredo jamais eram festivas. A cerveja era escassa e a diversão era respeitosa. Três monges cantaram uma longa oração em latim, depois o coro infantil entoou uma cançoneta dizendo que eram cordeiros de deus, o que fez Alfredo sorrir de prazer.

— Lindo! — exclamou ele quando as crianças de mantos encardidos haviam terminado de miar como gatos no cio. — Realmente lindo! — Achei que ele ia pedir outra música às crianças, mas o bispo Asser se inclinou por trás de Ælswith e evidentemente sugeriu algo que fez os olhos de Alfredo se iluminarem. — Irmão Godwin! — gritou ele para o monge cego. — Você não canta para nós há muitas semanas!

O jovem monge pareceu espantado, mas um companheiro de mesa pegou-o pelo cotovelo e o levou até o espaço aberto enquanto as crianças, arrebanhadas por uma freira, eram levadas embora. O irmão Godwin ficou de pé sozinho enquanto o harpista tocava uma série de acordes com suas cordas de crina. Pensei que o monge cego não iria cantar, porque não fazia nenhum som, mas então começou a sacudir a cabeça para a frente e para trás enquanto os acordes ficavam rápidos e fantasmagóricos. Alguns homens fizeram o sinal da cruz, e então o irmão Godwin começou a fazer pequenos sons semelhantes a gemidos.

— Ele tem a loucura da lua — murmurei para Finan.

— Não, senhor — sussurrou Finan. — Ele está possuído. — E segurou a cruz que sempre levava pendurada no pescoço. — Já vi homens santos iguais a ele na Irlanda — continuou baixinho.

— O espírito fala através dele — disse Steapa em espanto reverente. Alfredo devia ter escutado nossas vozes baixas porque virou o rosto irritado para nós. Ficamos em silêncio, e de repente Godwin começou a se retorcer e soltou um grande grito que ecoou no salão. A fumaça dos braseiros girou em volta dele antes de desaparecer pelo buraco aberto no teto romano.

Muito mais tarde fiquei sabendo que o irmão Godwin fora descoberto pelo bispo Asser, que encontrara o monge jovem e cego trancado numa cela no mosteiro de Æthelingæg. Fora mantido preso porque o abade acreditava que Godwin era louco, mas o bispo Asser concluiu que Godwin escutava mesmo a voz de seu deus, por isso trouxe o monge a Alfredo que, claro, acreditava que qualquer coisa vinda de Æthelingæg era auspiciosa porque ali havia sobrevivido à maior crise de seu reino.

Godwin começou a ganir. O som era de um homem sofrendo grande dor, e o harpista tirou as mãos das cordas. Cães reagiram aos sons, uivando nos cômodos escuros dos fundos do palácio.

— O espírito santo está vindo — sussurrou Finan com reverência, e Godwin soltou um grande grito como se suas entranhas estivessem sendo rasgadas por dentro.

— Deus seja louvado — disse Alfredo. Ele e sua família estavam olhando o monge que agora parecia crucificado, mas depois relaxou os braços abertos e começou a falar. Estremecia enquanto falava, e sua voz subia e descia, ora esganiçada, ora quase baixa demais para ser ouvida. Se era um canto, era o barulho mais estranho que já ouvi. A princípio as palavras pareciam não fazer sentido, ou então eram cantadas numa língua desconhecida, mas, lentamente, a partir da algaravia, frases coerentes emergiram. Alfredo era o escolhido de Deus. Wessex era a terra prometida. Leite e mel abundavam. As mulheres trouxeram o pecado para o mundo. Os anjos luminosos de Deus haviam aberto suas asas sobre nós. O altíssimo é terrível. As águas de Israel viraram sangue. A prostituta da Babilônia estava entre nós.

Depois de cantar isso ele parou. O harpista havia detectado um ritmo nas palavras de Godwin e estava tocando baixinho, mas suas mãos pararam sobre as cordas de novo quando o monge virou seu rosto cego pelo salão ao redor, com expressão perplexa.

— A prostituta! — começou a gritar de repente e ficou repetindo. — A prostituta! A prostituta! A prostituta! Ela está entre nós! — Em seguida soltou um miado, girou ajoelhando-se e começou a soluçar.

Ninguém falou, ninguém se mexeu. Escutei o vento no buraco para a fumaça, pensei nos meus filhos em algum lugar nos aposentos de Æthelflæd e imaginei se estariam escutando aquelas loucuras.

— A prostituta — disse Godwin, transformando a palavra num uivo longo e latejante. Depois se levantou e pareceu razoavelmente são. — A prostituta está entre nós, senhor — disse na direção de Alfredo, com voz perfeitamente normal.

— A prostituta? — perguntou Alfredo, inseguro.

— A prostituta! — gritou Godwin de novo, e mais uma vez recuperando a sanidade: — A prostituta, senhor, é o verme na fruta, o rato no depósito de grãos, o gafanhoto no campo de trigo, a doença no filho de Deus. Isso entristece Deus, senhor — disse, e começou a chorar.

Toquei o martelo de Tor. Godwin era completamente louco, pensei, mas todos aqueles cristãos no salão olhavam-no como se tivesse sido enviado do céu.

— Onde fica a Babilônia? — sussurrei para Finan.

— Em algum lugar muito longe, senhor — respondeu ele baixinho —, talvez até mais longe do que Roma.

Godwin estava chorando sem dizer nada, por isso Alfredo sinalizou para o harpista tocar as cordas de novo. Os acordes soaram e Godwin reagiu começando a cantar de novo, mas agora suas palavras careciam de ritmo.

— A Babilônia é a casa do diabo — gritou ele. — A prostituta é filha do diabo, o fermento no pão não vai agir, a prostituta veio para nós. A prostituta morreu e o diabo a criou. A prostituta vai nos destruir, pare!

Esta última ordem foi para o harpista que, em obediência apavorada, encostou as mãos nas cordas para impedi-las de vibrar.

— Deus está do nosso lado — disse Alfredo em voz gentil. — Então quem pode nos destruir?

— A prostituta pode nos destruir — disse o bispo Asser, e pensei, não pude ter certeza, que ele olhou na minha direção, mas duvido que pudesse me ver porque eu estava imerso nas sombras.

— A prostituta, seu tolo! — gritou Godwin para Alfredo. — A prostituta!

Ninguém o censurou por chamar o rei de tolo.

— Sem dúvida Deus vai nos proteger! — disse o bispo Erkenwald.

— A prostituta esteve entre nós, e a prostituta morreu, e Deus mandou-a para os fogos do inferno e o diabo criou-a e ela está aqui — disse Godwin enfaticamente. — Ela está aqui! Seu fedor azeda o povo escolhido de Deus! Ela deve ser morta. Deve ser cortada em pedaços e suas partes imundas devem ser lançadas no mar sem fundo! Deus ordena! Deus chora em seu céu porque vocês não obedecem às suas ordens, e Ele ordena que a prostituta deve morrer! Deus chora! Sente dor! Deus chora! As lágrimas de Deus caem sobre nós como gotas de fogo, e é a prostituta que produz essas lágrimas!

— Que prostituta? — perguntou Alfredo, e então Finan pôs a mão em meu braço, alertando.

— Ela se chamava Gisela — havia sibilado Godwin.

A princípio pensei ter ouvido mal. Homens olhavam para mim, Finan estava segurando meu braço e eu tive certeza de que ouvi mal, mas então Godwin começou a cantar de novo.

— Gisela, a grande prostituta, é agora Skade. É um pedaço de imundície sob disfarce humano, uma prostituta de podridão, um excremento de diabo com seios, uma prostituta Gisela! Deus a matou porque ela era imunda e agora ela voltou!

— Não — disse-me Finan, mas sem muita insistência. Eu havia me levantado.

— Senhor Uhtred! — gritou Alfredo enfaticamente. O bispo Asser estava me observando, sorrindo, enquanto seu monge de estimação se retorcia e gritava. — Senhor Uhtred! — gritou Alfredo de novo, batendo na mesa.

Eu havia caminhado até o centro do salão onde segurei o ombro de Godwin e virei seu rosto cego para mim.

— Senhor Uhtred! — Alfredo havia se levantado.

— Você mente, monge — disse eu.

— Ela era imunda! — cuspiu Godwin, para mim. Começou a bater os punhos no meu peito. — Sua mulher era a prostituta do diabo, uma prostituta odiada por Deus, e você é o instrumento do diabo, marido de prostituta, pagão, pecador!

O salão estava num tumulto completo. Eu não percebia nada, apenas uma fúria rubra que me consumia, me inflamava e enchia meus ouvidos com um som uivante. Eu não tinha armas. Este era um salão real e as armas eram proibidas, mas o monge louco estava batendo em mim, uivando para mim. Recuei a mão direita e bati nele.

Minha mão não o acertou em cheio. Talvez ele sentisse que o golpe vinha porque recuou depressa e minha mão o acertou no queixo, deslocando-o, de modo que o maxilar ficou torto, de lado, enquanto o sangue jorrava dos lábios. Ele cuspiu um dente e tentou me dar um soco.

— Chega! — gritou Alfredo. Finalmente havia homens se movendo, mas parecia que se moviam com lentidão exagerada enquanto Godwin cuspia sangue em mim.

— Amante de prostituta — rosnou ele, ou acho que foi o que disse.

— Pare! Eu ordeno! — gritou Alfredo.

— Marido de prostituta — disse nitidamente a boca sangrenta.

Por isso dei-lhe outro soco, e com este segundo golpe quebrei seu pescoço. Eu não pretendera matá-lo, queria meramente silenciá-lo, mas ouvi o pescoço estalar. Vi sua cabeça se inclinar de modo pouco natural, e então ele caiu sobre um dos braseiros e seu cabelo preto e curto se incendiou. Ele despencou nos mosaicos quebrados do chão e o salão se encheu com o fedor de cabelo queimado e carne chamuscada.

— Prendam-no! — ouvi o grito alto do bispo Asser.

— Ele deve morrer! — gritou o bispo Erkenwald.

Alfredo estava me olhando horrorizado. Sua esposa, que sempre me odiara, estava gritando que eu devia pagar pelos meus pecados.

Finan pegou meu braço e me puxou para a porta do salão.

— Para casa, senhor — disse ele.

— Steapa! Segure-o! — gritou Alfredo.

Mas Steapa gostava de mim. Moveu-se na minha direção, mas suficientemente lento para que eu chegasse à porta onde os guardas reais fizeram um esforço insignificante para barrar meu caminho, mas um rosnado ameaçador de Finan fez suas lanças ficarem de lado. Ele me arrastou para a noite.

— Agora venha — disse ele. — Depressa!

Descemos correndo a colina até o rio escuro.

E atrás de nós havia um monge morto e tumulto.

Segunda Parte

Viking

Seis

Permaneci furioso, sem me arrepender, andando de um lado para outro na grande sala junto ao rio onde serviçais, amedrontados e silenciosos diante de minha fúria, reanimaram o fogo. É estranho como as notícias se espalham numa cidade. Em minutos uma multidão havia se reunido diante da casa para ver como a noite acabaria. O povo estava em silêncio, apenas olhando. Finan havia posto barreiras nas portas externas e ordenado que acendessem tochas no pátio. A chuva sibilava nas chamas e deixava escorregadias as pedras do pavimento. A maioria dos meus homens vivia perto, e eles vieram um a um, alguns bêbados, e Finan ou Cerdic os recebia na porta externa e os mandava pegar suas malhas e armas.

— Está esperando uma luta? — perguntei a Finan.

— Eles são guerreiros — respondeu ele simplesmente.

Estava certo, por isso pus minha cota de malha. Vesti-me como um comandante guerreiro. Vesti-me para a batalha com ouro nos braços e as duas espadas à cintura, e foi logo depois de eu afivelar o cinto que chegou o emissário de Alfredo.

O emissário era o padre Beocca. Meu velho amigo veio sozinho, com o manto de padre enlameado das ruas e molhado da chuva. Estava tremendo, por isso pus um banco ao lado da lareira central e joguei uma capa de pele sobre seus ombros. Ele sentou-se, depois estendeu a mão boa para as chamas. Finan o havia escoltado desde o portão da frente e permanecido ali. Vi que Skade também havia se esgueirado para um canto nas sombras. Captei seu olhar e assenti rapidamente indicando que ela deveria permanecer.

— Você olhou embaixo do piso? — perguntou o padre Beocca de repente.

— Embaixo do piso?

— Os romanos deviam esquentar esta casa com uma fornalha que espalhava o calor para o espaço embaixo do piso.

— Eu sei.

— E nós arrebentamos buracos nos telhados e fazemos fogueiras — disse ele com tristeza.

— Você vai ficar doente se insistir em andar por aí nas noites frias e úmidas.

— Claro que um bocado desses pisos desmoronou — disse Beocca, como se fosse um argumento muito importante que ele precisava enfatizar. Em seguida bateu nos ladrilhos com o cajado que agora usava para andar. — Mas o seu parece em boas condições.

— Eu gosto de lareira.

— Uma lareira é reconfortante — disse Beocca. Em seguida virou o olho bom para mim e sorriu. — O mosteiro de Æscengum conseguiu, inteligentemente, inundar o espaço embaixo do piso com esgoto, e a única solução foi derrubar a casa inteira e construir de novo! Na verdade foi uma bênção.

— Uma bênção?

— Eles encontraram algumas moedas de ouro no meio da bosta — disse ele. — Portanto suspeito que Deus dirigiu os dejetos dos monges, não foi?

— Meus deuses têm coisa melhor a fazer do que se preocupar com merda.

— Por isso você nunca encontrou ouro no meio da sua bosta! — disse Beocca, e começou a rir. — Pronto, Uhtred — exclamou ele com triunfo. — Finalmente provei que meu Deus é mais poderoso do que os seus falsos ídolos! — Ele sorriu para mim, mas o sorriso se desbotou lentamente, de modo que Beocca pareceu velho e cansado de novo. Eu amava Beocca. Ele fora meu tutor na infância e era sempre exasperador e pedante, mas um bom homem também. — Você tem até o amanhecer — disse ele.

— Para fazer o quê?

Ele falou com cansaço, como se estivesse desalentado com o que me dizia.

— Você irá ao rei em penitência, sem malha ou armas. Vai se rebaixar. Entregará a bruxa ao rei. Toda a terra que você tem em Wessex foi confiscada. Você pagará um *wergild* à Igreja em troca da vida do irmão Godwin, e seus filhos serão mantidos como reféns até o pagamento.

Silêncio.

Fagulhas redemoinharam para o alto. Dois de meus cães wolfhounds entraram na sala. Um farejou a batina de Beocca, ganiu e depois os dois se acomodaram junto ao fogo, com os olhos tristes me espiando por um momento antes de se fechar.

— O *wergild* é de quanto? — perguntou Finan por mim.

— Mil e quinhentos xelins — respondeu Beocca.

Zombei.

— Por um monge louco?

— Por um santo — disse Beocca.

— Um louco idiota — rosnei.

— Um idiota santo — disse Beocca, afável.

O *wergild* é o preço que pagamos pela morte. Se eu for considerado culpado de matar injustamente um homem ou mulher, devo pagar um preço aos seus parentes, e esse preço depende de sua posição social, e isso é justo, mas Alfredo havia estabelecido o *wergild* de Godwin quase num nível real.

— Para pagar isso — disse eu — teria de vender tudo que possuo, e o rei acaba de tirar todas as minhas terras.

— E também deve fazer um juramento de lealdade ao *ætheling* — disse Beocca. Em geral ele ficava exasperado comigo e engasgava enquanto sua exasperação ia aumentando, mas naquela noite ficou muito calmo.

— Então o rei quer me empobrecer e me amarrar ao seu filho?

— E devolverá a feiticeira ao marido dela — disse Beocca, olhando para Skade coberta com a capa preta, cujos olhos brilhavam no canto mais escuro da sala. — Skirnir ofereceu uma recompensa pela devolução dela.

— Skirnir? — perguntei. O nome não me era familiar.

— Skirnir é o marido dela — disse Beocca. — Um frísio.

Olhei para Skade, que assentiu abruptamente.

— Se vocês a devolverem — disse eu — ela morrerá.

— Isso o preocupa? — perguntou Beocca.

— Não gosto de matar mulheres.

— A lei de Moisés nos diz que não devemos deixar que uma bruxa viva. Além disso ela é adúltera, e seu marido tem o direito, dado por Deus, de matá-la, se assim o desejar.

— Skirnir é cristão? — perguntei, mas nem Skade nem o padre Beocca responderam. — Ele vai matar você? — perguntei a Skade e ela simplesmente assentiu. — Então — virei-me para Beocca — até que eu pague o *wergild*, faça meu juramento a Eduardo e mande Skade para a morte, meus filhos são reféns?

— O rei decretou que seus filhos ficarão aos cuidados da casa da senhora Æthelflæd. — Beocca me olhou de cima a baixo com seu olho bom. — Por que está vestido para a guerra? — Não respondi e Beocca deu de ombros. — Você achou que o rei mandaria seus guardas?

— Achei.

— E você teria lutado contra eles? — Beocca pareceu chocado.

— Eu faria com que soubessem quem eles vieram prender.

— Você matou um homem! — Beocca finalmente encontrou alguma energia. — O homem o ofendeu, eu sei, mas era o Espírito Santo que falava por ele. Você bateu nele, Uhtred! O rei perdoou o primeiro soco, mas não o segundo, e você deve pagar por isso! — Ele se recostou, parecendo cansado de novo. — O *wergild* está dentro de sua possibilidade de pagar. O bispo Asser queria que fosse muito mais alto, mas o rei é misericordioso. — Um pedaço de lenha na lareira estalou subitamente, espantando os cães que se remexeram e ganiram. O fogo encontrou vida nova, clareando a sala e lançando sombras trêmulas.

Encarei Beocca do outro lado das chamas.

— O bispo Asser — cuspi com raiva.

— O que tem ele?

— Godwin era o cachorrinho dele.

— O bispo via santidade nele, sim.

— Ele via um caminho para sua ambição de livrar Wessex de mim — rosnei. — Eu estivera pensando nos acontecimentos da festa desde que minha mão tirou a vida de Godwin e havia decidido que Asser estava por trás das palavras do monge louco. O bispo Asser acreditava que Wessex estava em segurança. O poder de Harald estava destruído e Haesten enviara sua família para ser batizada, por isso Wessex não tinha necessidade de um comandante pagão e Asser usara Godwin para envenenar a mente de Alfredo contra mim. — Aquele monte de bosta galesa disse a Godwin o que falar. Não era o espírito santo que falava através de Godwin, padre, era o bispo Asser.

Beocca me olhou através da luz tremeluzente do fogo.

— Você sabia que as chamas do inferno não lançam luz? — disse ele.

— Não — respondi.

— É um dos mistérios de Deus — disse Beocca, depois grunhiu enquanto se levantava. Encolheu os ombros deixando cair a capa de pele emprestada e se apoiou pesadamente em seu cajado. — O que devo dizer ao rei?

— Seu deus é responsável pelo inferno? — perguntei.

Ele franziu a testa, pensando.

— Boa pergunta — disse finalmente, mas não respondeu. — Assim como a minha. O que devo dizer ao rei?

— Que ele terá minha resposta ao amanhecer.

Beocca esboçou um sorriso.

— E qual será essa resposta, senhor Uhtred?

— Ele descobrirá ao amanhecer.

Beocca assentiu.

— Você deverá ir ao palácio sozinho, sem armas, sem malha e vestido com simplicidade. Mandaremos homens para pegar a bruxa. Seus filhos serão devolvidos ante o pagamento de cem xelins, e o resto do *wergild* será pago em seis meses. — Ele foi mancando até a porta do pátio, depois se virou e me encarou. — Deixe-me morrer em paz, senhor Uhtred.

— Assistindo à minha humilhação?

— Sabendo que sua espada estará sob o comando do rei Eduardo. Que Wessex estará em segurança. Que a obra de Alfredo não morrerá com ele.

Era a primeira vez que eu ouvia Eduardo ser chamado de rei.

— Vocês terão minha resposta ao amanhecer — disse eu.

— Deus esteja com você — respondeu Beocca, e saiu mancando pela noite.

Ouvi a pesada porta externa se fechar com estrondo e a barra de tranca se encaixar, e me lembrei de Ravn, o *skald* cego que fora pai de Ragnar, o Velho, dizendo que nossa vida é como uma viagem por um mar desconhecido, e, às vezes, dizia ele, nós nos cansamos das águas calmas e dos ventos suaves e não temos escolha senão bater com força o remo-leme e partir para as nuvens cinza, as ondas cobertas de espuma e o tumulto do perigo. "Este é o nosso tributo aos deuses", dizia ele, e ainda não sei bem o que isso significava, mas naquele som da porta se fechando ouvi o eco do remo-leme batendo com força.

— O que vamos fazer? — perguntou Finan.

— Vou lhe dizer o que não farei — rosnei. — Não vou prestar juramento àquela criança desgraçada.

— Eduardo não é criança — disse Finan, em tom ameno.

— É um desgraçadozinho molenga — respondi com raiva. — Foi estragado pelo deus dele, assim como o pai. Foi criado nas tetas de vinagre daquela cadela, e não vou prestar juramento a ele.

— Ele logo será rei de Wessex — observou Finan.

— E por quê? Porque você e eu mantivemos o reino deles em segurança, você e eu! Se Wessex viver, amigo, será porque um nanico irlandês e um pagão da Nortúmbria o mantiveram vivo! E eles esquecem isso!

— Nanico? — perguntou Finan, rindo.

— Olhe o seu tamanho! — Eu gostava de provocá-lo por causa da pequena estatura, mas isso era enganador, porque ele tinha uma velocidade espantosa com a espada. — Espero que o deus deles desgrace esse reino maldito — cuspi, depois fui até um baú no canto da sala. Abri e tateei dentro, encontrando um embrulho que levei até Skade. Senti uma pontada quando peguei o embrulho de couro, porque aquelas coisas haviam pertencido a Gisela. — Leia isso — ordenei, jogando-lhe o pacote.

Ela desenrolou as varetas de amieiro. Eram duas dúzias, nenhuma maior do que o antebraço de um homem, e todas polidas com cera de abelha até brilhar. Finan fez o sinal da cruz ao ver essa magia pagã, mas eu havia aprendido a confiar nas varetas de runas. Skade segurou-as numa das mãos, levantou-as ligeiramente, fechou os olhos e as deixou cair. As varetas fizeram barulho ao bater no chão e ela se inclinou para a frente a fim de extrair a mensagem.

— Ela não verá a própria morte ali — alertou Finan baixinho, sugerindo que eu não podia confiar em sua interpretação.

— Todos vamos morrer — disse Skade. — E as varetas não falam de mim.

— O que elas dizem? — perguntei.

Skade olhou para o padrão.

— Vejo uma fortaleza — disse finalmente — e vejo água. Água cinza.

— Cinza? — perguntei.

— Cinza, senhor — disse ela, e foi a primeira vez que me chamou de "senhor" —, cinza como os gigantes congelados — acrescentou, e eu soube que ela estava falando de um lugar ao norte, em direção ao mundo de gelo onde os gigantes congelados percorrem o mundo.

— E a fortaleza? — perguntei.

— Ela queima, senhor. Queima e queima e queima. A areia da praia está negra com as cinzas.

Fiz um gesto para ela pegar as varetas de runas, depois fui para o terraço. Ainda era o meio da noite e o céu estava escuro com nuvens e pingando uma garoa. Ouvi o som da água se espremendo entre os pilares da velha ponte e pensei em Stiorra, minha filha.

— Cinza? — perguntou Finan, juntando-se a mim.

— Significa norte — respondi. — E Bebbanburg fica no norte, e um vento sul carregará suas cinzas até as areias de Lindisfarena.

— Norte — disse Finan baixinho.

— Diga aos homens que eles têm uma escolha. Podem ficar e servir a Alfredo ou podem ir comigo. Você tem a mesma escolha.

— O senhor sabe o que farei.

— E quero o *Seolferwulf* pronto ao amanhecer.

Quarenta e três homens foram comigo, o resto ficou em Lundene. Quarenta e três guerreiros, 26 esposas, cinco prostitutas, um amontoado de crianças e 16 cães. Eu queria levar meus cavalos, especialmente Smoka, mas o barco não era equipado com as estruturas de madeira que mantêm os garanhões seguros durante uma viagem, por isso dei um tapinha em seu focinho e fiquei triste por abandoná-lo. Skade subiu a bordo porque ficar em Lundene significaria sua morte. Eu havia posto minha cota de malha, armas, elmos, escudos e o baú de tesouro no pequeno espaço embaixo da plataforma do leme, e vi quando ela pôs seu pequeno embrulho de roupas no mesmo lugar.

Não tínhamos uma tripulação inteira, mas um número suficiente de homens ocupou os lugares nos bancos dos remos. O alvorecer vinha chegando quando ordenei que a cabeça de lobo fosse montada na proa. Essa escultura, com a boca rosnando, ficava guardada sob a plataforma da proa e só era mostrada quando estávamos longe das águas de nosso lar. É um risco à sorte ameaçar os espíritos de nossa terra usando um dragão desafiante, um lobo rosnando ou um corvo esculpido, mas agora eu não tinha lar, por isso deixei o lobo desafiar os espíritos de Lundene. Alfredo mandara homens vigiar minha casa, e ainda que esses guerreiros com cota de malha pudessem nos vir na doca ao lado do terraço, nenhum interferiu enquanto tirávamos os cabos e empurrávamos o *Seolferwulf* para a corrente forte do Temes. Virei-me e olhei a cidade sob sua mancha de fumaça.

— Levantar! — gritou Finan, e vinte pás de remos foram posicionadas acima da imundície do rio. — E bater! — gritou mais uma vez, e o barco partiu para a alvorada.

Eu estava sem senhor. Era um pária. Estava livre. Seria viking.

Há um júbilo em navegar. Eu ainda estava oprimido pela morte de Gisela, mas ir para o mar trouxe esperança de novo. Não muita, mas alguma. Levar um barco para as ondas cinzentas, olhar a cabeça de lobo mergulhar nas cristas e se empinar numa explosão de água branca, sentir o vento forte e frio, ver a vela se retesar como uma barriga de grávida, ouvir o sibilo do mar contra o casco e sentir o leme tremer na mão como as batidas do coração do barco, tudo isso traz júbilo.

Durante cinco anos eu não havia levado um barco para além das águas amplas do estuário do Temes, mas, assim que saímos dos baixios traiçoeiros na ponta de Foghelness, pudemos virar para o norte e ali icei a vela, puxei os remos para dentro e deixei o *Seolferwulf* correr livre. Agora íamos para o norte no extenso oceano, para o mar furioso, chicoteado pelo vento, matador de navios. O litoral da Ânglia Oriental aparecia baixo e opaco à esquerda e o mar cinza corria para o céu de mesma cor à direita, enquanto adiante ficava o desconhecido.

Cerdic estava comigo, além de Sihtric e Rypere, assim como a maioria dos meus melhores homens. O que me surpreendeu foi Osferth, o bastardo de Alfredo, também ter vindo. Ele havia embarcado em silêncio, quase o último homem a tomar a decisão. Levantei uma sobrancelha e ele apenas esboçou um sorriso e ocupou seu lugar num banco de remador. Ele estivera ao meu lado enquanto amarrávamos os remos aos berços que geralmente mantinham a vela em sua longa verga, e perguntei se ele tinha certeza da decisão.

— Por que eu não ficaria com o senhor? — perguntou ele.

— Você é filho de Alfredo. É saxão ocidental.

— Metade desses homens são saxões ocidentais, senhor — disse ele, olhando a tripulação. — Provavelmente mais do que a metade.

— Seu pai não vai gostar de você ter ficado comigo.

— E o que ele fez por mim? — perguntou Osferth com amargura. — Tentou me tornar monge ou padre para poder esquecer que eu existia. E se eu ficasse em Wessex, o que poderia esperar? Favores? — Ele riu com amargura.

— Talvez você nunca mais veja Wessex.

— Então agradecerei a Deus por isso — disse ele e, inesperadamente, sorriu. — Não há fedor, senhor — acrescentou.

— Fedor?

— O mau cheiro de Lundene sumiu.

E era verdade, porque estávamos no mar e as ruas azedadas pelo esgoto haviam ficado muito atrás de nós. Corremos sob a vela durante todo aquele dia e não vimos nenhum outro navio, a não ser um punhado de embarcações pequenas que pescavam, e essas, vendo nossa cabeça de lobo empinada, saíam do nosso caminho, com seus homens remando desesperadamente para escapar da ameaça do *Seolferwulf*. Naquele fim de tarde levamos o navio para perto da costa, baixamos a vela e tateamos o caminho sob os remos entrando num canal raso, para acampar. Era tarde, no ano, para estar viajando, de modo que a escuridão fria veio cedo. Não tínhamos cavalos, por isso era impossível explorar o terreno junto ao local de desembarque, mas eu não sentia medo porque não podia ver nenhum povoado, a não ser uma choupana com teto de palha bem longe, no norte, e quem vivesse ali nos temeria mais do que o temíamos. Aquele era um lugar de lama, junco, capim e riachos sob um vasto céu varrido pelo vento. Digo que acampamos, mas tudo o que fizemos foi carregar capas por cima da grossa linha de maré marcada por junco e madeira trazida pelo mar. Deixei sentinelas no barco e pus outras nas extremidades da ilhota, depois acendemos fogueiras e cantamos sob as nuvens noturnas.

— Precisamos de homens — disse Finan, sentado perto de mim.

— Precisamos — concordei.

— Onde vamos encontrar?

— No norte. — Eu estava indo para a Nortúmbria, afastando-me de Wessex e seus padres, indo para onde meu amigo tinha uma fortaleza numa curva de rio e meu tio tinha uma fortaleza junto ao mar. Ia para casa.

— Se formos atacados — disse Finan, e não terminou o pensamento.

— Não seremos — respondi confiante. Qualquer navio no mar era presa de piratas, mas o *Seolferwulf* era um navio de guerra, e não de comércio. Era mais longo do que a maioria dos navios mercantes e, ainda que tivesse o bojo largo, era esguio como os navios guerreiros. E a distância pareceria totalmente tripulado por causa do número de mulheres a bordo. Um par de navios poderia ousar nos atacar, mas até mesmo isso era improvável, já que havia presas mais fáceis navegando. — Mas precisamos mesmo de homens — concordei — e de prata.

— Prata? — Ele riu. — O que há naquele grande baú de tesouro? — Finan jogou a cabeça na direção do navio encalhado.

— Prata — respondi —, mas preciso de mais. Muito mais. — Vi a expressão interrogativa no rosto dele. — Sou senhor de Bebbanburg — expliquei — e para tomar aquela fortaleza preciso de homens, Finan. Pelo menos três tripulações. E talvez nem isso baste.

Ele assentiu.

— E onde encontraremos prata?

— Vamos roubar, claro.

Ele ficou olhando o coração brilhante do fogo onde a madeira trazida pelo mar queimava mais forte. Dizem que o futuro pode ser lido nas formas móveis dentro daquele inferno reluzente, e talvez ele estivesse tentando prever o que o destino nos reservava, mas então franziu a testa.

— As pessoas aprenderam a guardar sua prata — disse baixinho. — Há lobos demais e as ovelhas ficaram espertas.

— É verdade — respondi. — Na minha infância, quando os nórdicos retornaram à Britânia, o saque era fácil. Os vikings desembarcavam, matavam e roubavam, mas agora quase todo objeto de valor fica atrás de uma paliçada guardada por lanças, ainda que haja uns poucos mosteiros e igrejas que confiam sua defesa ao deus pregado.

— E o senhor não pode roubar da Igreja — disse Finan, com os mesmos pensamentos.

— Não?

— A maioria dos seus homens é cristã, e eles vão segui-lo, senhor, mas não para entrar nos portões do inferno.

— Então vamos roubar dos pagãos.

— Os pagãos, senhor, são os ladrões.

— Então eles têm a prata que eu quero.

— E quanto a ela? — perguntou Finan baixinho, olhando para Skade, que havia se agachado perto de mim, mas ligeiramente atrás do círculo de pessoas em volta da fogueira.

— O que é que tem?

— As mulheres não gostam dela, senhor. Têm medo.

— Porque é uma feiticeira? — Girei para olhá-la. — Skade — perguntei —, você vê o futuro?

Ela me olhou em silêncio por um tempo. Um pássaro noturno piou no pântano e sua voz áspera instigou-a, porque ela assentiu rapidamente.

— Eu vislumbro, senhor, às vezes.

— Então diga o que vê — ordenei. — Levante-se e diga. Diga o que vê.

Ela hesitou, depois ficou de pé. Estava usando uma capa de lã preta, que envolvia seu corpo de modo que, com o cabelo preto que ela usava solto como uma garota solteira, parecia uma figura noturna alta e magra, com o rosto pálido brilhando branco. O canto hesitou, depois morreu e vi algumas pessoas do meu povo fazerem o sinal da cruz.

— Diga o que vê — ordenei outra vez.

Ela ergueu o rosto pálido para as nuvens, mas não disse nada por um longo tempo. Ninguém mais falou. Depois Skade estremeceu e me lembrei irresistivelmente de Godwin, o homem que eu havia assassinado. Alguns homens e mulheres ouvem o sussurro dos deuses e outras pessoas os temem, e eu estava convencido de que Skade via e ouvia coisas ocultas ao restante de nós. Então, assim como parecera que jamais iria falar, ela riu alto.

— Diga — falei irritado.

— Você comandará exércitos — disse ela —, exércitos capazes de fazer sombra na terra, senhor, e atrás do senhor as plantações vão crescer altas, alimentadas pelo sangue de seus inimigos.

— E estas pessoas? — perguntei, indicando os homens e mulheres que nos ouviam.

— O senhor é seu doador de ouro. O senhor vai torná-las ricas.

— E como sabemos que você não mente?

Ela abriu os braços.

— Se eu mentir, senhor, morrerei agora. — Ela esperou, como se provocasse um golpe do martelo de Tor, mas os únicos sons eram o sussurro do vento nos juncos, o estalo da madeira queimando e o borbulhar da água se esgueirando no pântano com a maré noturna.

— E você? — perguntei. — O que acontecerá com você?

— Serei maior do que o senhor — disse ela, e algumas pessoas sibilaram, mas as palavras não me causaram ofensa.

— E como será isso, Skade?

— O que o destino decidir, senhor — disse ela, e sinalizei para que se sentasse. Meu pensamento fora para anos atrás, para outra mulher que tinha entreouvido os murmúrios dos deuses, e ela também dissera que eu comandaria exércitos. No entanto agora eu era o mais desprezível dos homens: um homem que violara um juramento, um homem fugindo de seu senhor.

Nossos povos são ligados por juramentos. Quando um homem jura lealdade a mim ele se torna mais próximo do que um irmão. Minha vida é dele assim como a dele é minha, e eu havia jurado servir a Alfredo. Pensei nisso enquanto os cantos recomeçaram e Skade se agachava atrás de mim. Como jurado a Alfredo, eu lhe devia serviço, no entanto havia fugido, e isso me retirava a honra e me tornava desprezível.

No entanto não controlamos nossa vida. As três fiandeiras tecem nossos fios. *Wyrd bið ful ãrœd*, dizemos, e é verdade. O destino é inexorável. No entanto, se o destino decreta e as fiandeiras sabem qual será o decreto, por que fazemos juramentos? É uma pergunta que me assombrou durante toda a vida, e o mais perto que cheguei de uma resposta é que os juramentos são feitos por homens, ao passo que o destino é decretado pelos deuses, e que os juramentos são a tentativa dos homens para determinar o destino. No entanto, não podemos decretar o que desejamos. Fazer um juramento é como estabelecer um curso, mas se os ventos e as marés do destino forem fortes demais, o leme perde seu poder. Assim, fazemos juramentos, mas somos impotentes diante do *wyrd*. Eu havia perdido a honra ao fugir de Lundene, mas a honra me fora tirada pelo destino, e isso era algum consolo naquela noite escura no frio litoral da Ânglia Oriental.

Havia outro consolo. Acordei no escuro e fui até o navio. Sua proa subia suavemente na maré que chegava.

— Podem dormir — informei às sentinelas. Nossas fogueiras em terra ainda brilhavam, mas suas chamas estavam baixas. — Juntem-se às suas mulheres. Eu vigio o barco.

O *Seolferwulf* não precisava de guardas porque não havia inimigo, mas estabelecer sentinelas é um hábito, por isso me sentei na popa e pensei no destino e em Alfredo, em Gisela e Iseult, em Brida e Hild, em todas as mulheres que eu conhecera e em todas as reviravoltas da vida, e ignorei o balanço leve quando alguém subiu na proa ainda encalhada do *Seolferwulf*. Não falei nada quando a figura escura se moveu cuidadosamente pelos bancos dos remadores.

— Eu não a matei, senhor — disse Skade.

— Você me amaldiçoou, mulher.

— O senhor era meu inimigo na época. O que eu deveria fazer?

— E a maldição matou Gisela.

— Não foi a maldição.

— Então o que foi?

— Pedi aos deuses para entregar você cativo a Harald.

Então olhei-a pela primeira vez desde que ela viera a bordo.

— Não deu certo — respondi.

— Não.

— Então que tipo de feiticeira você é?

— Uma feiticeira amedrontada.

Eu açoitaria um homem por não se manter alerta quando deveria estar montando guarda, mas mil inimigos poderiam ter vindo naquela noite, porque eu não estava cumprindo com meu dever. Levei Skade para baixo da plataforma do leme, para o pequeno espaço que havia ali, tirei sua capa e deitei-a, e quando havíamos terminado estávamos ambos chorando. Não dissemos nada, mas ficamos nos braços um do outro. Senti o *Seolferwulf* se levantar da lama e puxar gentilmente o cabo de atracação, no entanto não me mexi. Apertei Skade, não querendo que a noite terminasse.

Eu havia me convencido de que deixara Alfredo porque ele iria me impor um juramento, um juramento que eu não desejava, o de servir seu filho. Mas essa não era toda a verdade. Havia outra de suas condições que eu não podia aceitar, e agora eu a segurava junto ao corpo.

— Hora de ir — disse eu finalmente, porque podia escutar vozes. Mais tarde fiquei sabendo que Finan tinha nos visto e manteve a tripulação em terra. Afrouxei o abraço, mas Skade ficou agarrada comigo.

— Sei onde você pode encontrar todo o ouro do mundo — disse ela.

Olhei-a nos olhos.

— Todo o ouro?

Ela deu um leve sorriso.

— Ouro suficiente, senhor — sussurrou. — Mais do que suficiente. Um tesouro assombrado por um dragão, senhor, ouro.

Wyrd bið ful ãrœd.

Peguei uma corrente de ouro no meu baú do tesouro e pendurei no pescoço de Skade, o que era anúncio suficiente, se fosse necessário algum anúncio, de seu novo status. Pensei que meu pessoal iria se ressentir mais dela, porém aconteceu o oposto. Eles pareceram aliviados. Tinham-na visto como ameaça, mas agora ela era uma de nós, e assim navegamos para o norte.

Para o norte, ao longo do litoral baixo da Ânglia Oriental, sob céus cinzentos e impelidos por um vento sul que trazia nevoeiros densos e constantes. Procurávamos abrigo em riachos pantanosos quando a névoa soprava densa sobre o mar ou, se uma cerração nos pegasse de surpresa e não desse tempo de encontrar uma enseada segura, guiávamos o navio para alto-mar, onde não haveria bancos de lama para nos fazer naufragar.

A névoa nos retardava, de modo que demorou seis longos dias para chegarmos a Dumnoc. Chegamos àquele porto numa tarde enevoada, remando o *Seolferwulf* para a foz do rio entre montes brilhantes de lama apinhada de aves aquáticas. O canal era bem marcado por varas, mas mesmo assim coloquei um homem na proa sondando com um remo para o caso de as varas nos enganarem levando a um baixio que encalhava navios. Eu havia tirado a cabeça de lobo para mostrar que vínhamos em paz, mas mesmo assim sentinelas que vigiavam de uma precária torre de madeira mandaram um garoto correndo à cidade para alertar a respeito de nossa chegada.

Dumnoc era um porto bom e rico. Foi construído na margem sul do rio e uma paliçada cercava a cidade para impedir um ataque por terra, mas o porto era escancarado a partir da água cheia de píeres e atulhada de barcos pesqueiros e mercantes. A maré estava quase no auge quando chegamos e vi como o mar se espalhava a partir dos bancos de lama até afogar a parte de baixo da paliçada. Algumas casas mais próximas do mar foram construídas sobre palafitas baixas, e toda a madeira da cidade fora descorada pelo tempo até um cinza prateado. Era um lugar bonito, cheirando a sal e mariscos. Uma torre de igreja coroada com uma cruz de madeira era a construção mais alta, lembrança de que Guthrum, o dinamarquês que se tornara rei da Ânglia Oriental, convertera seu reino ao cristianismo.

Meu pai nunca gostara do povo da Ânglia Oriental porque, anos atrás, o reino deles havia se juntado à Mércia para atacar a Nortúmbria. Mais tarde, muito mais tarde, durante a minha infância, os homens da Ânglia Oriental haviam fornecido comida, cavalos e abrigo para o exército dinamarquês que tinha conquistado a Nortúmbria, se bem que essa traição havia se voltado contra eles quando os dinamarqueses retornaram para tomar a Ânglia Oriental, que permanecia um reino dinamarquês, ainda que agora fosse supostamente um reino cristão, como atestava a torre da igreja. A névoa passava pela cruz alta enquanto eu ia guiando o *Seolferwulf* para o centro do rio, logo acima dos píeres. Manobramos o navio ali, invertendo o movimento de uma fileira de remos, e só quando sua proa sem lobo ficou de frente para o mar coloquei-o ao lado de um navio mercante de bojo gordo atado a um dos maiores píeres. Finan riu.

— Pronto para uma fuga rápida para o mar, senhor?

— Sempre — respondi. — Lembra-se do *Corvo do mar*?

Ele riu. Pouco depois de termos capturado Lundene, o *Corvo do mar*, um navio dinamarquês, chegou à cidade e inocentemente atracou num cais, descobrindo que agora um exército saxão ocidental ocupava o lugar e não era amigável com os dinamarqueses. Os tripulantes fugiram de volta para o navio, mas precisaram virá-lo antes de poder escapar rio abaixo, e o pânico os atrapalhou de modo que seus remos se chocaram uns com os outros e o barco deslizou de novo para o cais, onde o capturamos. Era um barco horrível, cheio de vazamentos e com o bojo fedorento. Acabei desmontando-o e usando as costelas como traves de telhado para algumas casas que construímos no lado leste de Lundene.

Um homem barbudo e barrigudo, vestindo cota de malha enferrujada, saltou do píer para o barco mercante. Em seguida, depois de receber permissão, subiu pelo flanco do *Seolferwulf*.

— Sou Guthlac — apresentou-se ele —, *reeve* de Dumnoc. Quem é você? — A pergunta era peremptória, apoiada por uma dúzia de homens que esperavam no píer com espadas e machados. Eles pareciam nervosos, o que não era de espantar, já que minha tripulação estava em número muito maior.

— Meu nome é Uhtred — respondi.

— Uhtred de onde? — perguntou Guthlac. Falava dinamarquês e era beligerante, fingindo não se preocupar com a aparência assustadora da minha tripulação. Tinha bigode comprido atado com barbante enegrecido de alcatrão, que chegava bem abaixo de seu queixo raspado. Ele ficava puxando uma das pontas do bigode; um sinal de nervosismo, deduzi.

— Uhtred de Bebbanburg.

— E onde fica Bebbanburg?

— Na Nortúmbria.

— Você está muito longe de casa, Uhtred de Bebbanburg — disse Guthlac. Ele estava espiando nosso bojo para ver que carga levávamos. — Muito longe de casa — repetiu. — Está comerciando?

— Parecemos comerciantes? — perguntei. Outros homens se juntavam na costa baixa, diante das casas mais próximas. Estavam, em sua maioria, desarmados, de modo que sua presença era provavelmente explicada pela curiosidade.

— Vocês parecem vagabundos — disse Guthlac. — Há duas semanas houve um ataque alguns quilômetros ao sul. Uma propriedade foi incendiada, homens foram mortos, mulheres, levadas. Como vou saber que não foram vocês?

— Não vai — falei, dando uma resposta amena à sua hostilidade.

— Talvez eu devesse segurar vocês aqui até que possamos provar uma coisa ou outra, não?

— E talvez você devesse limpar sua cota de malha, não? — sugeri.

Ele me desafiou com um olhar furioso, sustentou o meu olhar por alguns instantes, depois assentiu abruptamente.

— E qual é o seu interesse aqui? — perguntou.

— Precisamos de comida, de cerveja.

— Isso nós temos — disse ele, depois esperou enquanto algumas gaivotas gritavam acima de nós. — Mas primeiro vocês precisam pagar a taxa portuária do rei. — Ele estendeu a mão. — Dois xelins.

— Dois pence, talvez.

Concordamos em quatro pence, dos quais, sem dúvida, dois iriam para o bolso de Guthlac, e depois disso ficamos livres para ir à terra firme, mas Guthlac insistiu, sensatamente, que não levássemos armas; apenas facas curtas.

— A Taverna do Ganso é boa — disse ele, apontando para uma construção grande onde estava pendurada uma placa com um ganso pintado — e vende arenque seco, ostras secas, farinha, cerveja e prostitutas saxãs.

— A taverna é sua? — perguntei.

— E se for?

— Só espero que a cerveja seja melhor do que a recepção do dono.

Ele riu disso.

— Bem-vindo a Dumnoc — disse, voltando para o navio mercante. — Dou-lhes permissão para passar uma noite aqui em paz. Mas se algum de vocês cometer um crime prenderei todos! — Ele fez uma pausa e olhou para a popa do *Seolferwulf*. — Quem é ela?

Ele estava olhando para Skade, mas devia tê-la notado antes. Ela estava de novo envolta em preto, de modo que o rosto pálido parecia luminoso no fim de tarde enevoado. Havia ouro em seu pescoço.

— Seu nome é Edith — respondi —, e é uma prostituta saxã.

— Edith — repetiu ele. — Talvez eu a compre de você.

— Talvez — respondi. Nós nos entreolhamos e nenhum confiou no outro, e então Guthlac deu um aceno indiferente e se virou.

Tiramos a sorte para decidir quem podia ir para a terra naquela noite. Eu precisava que homens ficassem para vigiar o barco, e Osferth se ofereceu para comandar esse grupo. Colocamos 23 ervilhas secas numa tigela com vinte moedas de prata, depois Finan pegou a tigela e ficou de costas para mim enquanto eu encarava a tripulação reunida. Um a um, Finan pegou uma moeda ou uma ervilha da tigela e ergueu bem alto.

— Quem vai ficar com esta? — perguntava, e eu escolhia um homem da tripulação sem saber se Finan segurava uma ervilha ou uma moeda. Os que tiravam ervilhas tinham de ficar com Osferth; o restante teve permissão de ir para a terra. Eu poderia simplesmente ter escolhido quais homens deveriam ficar a bordo, mas uma tripulação trabalha melhor quando acredita que seu senhor é justo. Todas as crianças ficaram, mas as esposas do grupo que ia para terra acompanharam seus homens.

— Fiquem na taverna — disse eu. — Esta cidade não é amigável! Vamos permanecer juntos!

A cidade podia ser hostil, mas a Taverna do Ganso era boa. A cerveja era pungente, recém-preparada nos grandes tonéis no pátio da estalagem. O amplo salão principal tinha traves tiradas de navios desmontados e era aquecido por um fogo feito de madeira trazida pelo mar, ardendo numa lareira central. Havia mesas e bancos, mas, antes que eu soltasse meus homens na cerveja, negociei arenque defumado, toucinho, barris de cerveja, pão e enguias defumadas, e mandei que todos esses suprimentos fossem levados ao *Seolferwulf*. Guthlac havia posto guardas na extremidade do píer junto à terra e esses homens deviam se certificar de que nenhum de nós carregasse armas, mas eu tinha Ferrão de Vespa pendurada numa bainha às costas, escondida por uma capa, e não duvidei de que a maioria dos meus tripulantes estivesse armada de modo parecido. Fui de mesa em mesa e disse que não deveriam começar brigas.

— A não ser que queiram brigar comigo — alertei, e depois ri.

A taverna era bastante pacífica. Uma dúzia de homens locais bebia ali, todos saxões e nenhum demonstrando qualquer interesse na tripulação do *Seolferwulf*. Sihtric havia tirado um xelim de prata no sorteio e eu ordenei que ele fizesse visitas frequentes ao pátio.

— Fique atento a homens com armas — disse eu.

— O que o senhor teme?

— Traição — respondi. O *Seolferwulf* valia os ganhos anuais de um *thegn* com uma propriedade substancial, e Guthlac devia ter percebido que levávamos moedas a bordo. Seus homens achariam difícil capturar o navio enquanto Osferth e seu grupo defendessem a extremidade do píer, mas bêbados numa taverna eram presa mais fácil. Temi que ele pudesse nos manter como reféns e exigir um resgate gigantesco, e assim Sihtric passava constantemente pela porta dos fundos, retornando a cada vez com um meneio de cabeça.

— Sua bexiga é pequena demais — zombou um dos meus homens.

Sentei-me com Skade, Finan e sua mulher escocesa, Ethne, num canto do salão, onde ignorei os risos e as canções ruidosas nas outras mesas. Imaginei quantos homens viveriam em Dumnoc e por que tão poucos estavam na Taverna do Ganso. Imaginei se armas estariam sendo afiadas. Imaginei onde todo o ouro do mundo estaria escondido.

— Então — falei a Skade. — Onde está todo o ouro do mundo?

— Na Frísia.

— Um lugar grande.

— Meu marido tem uma fortaleza junto ao mar.

— Então fale de seu marido.

— Skirnir Thorson — disse ela.

— Sei o nome dele.

— Ele chama a si mesmo de Lobo do Mar — disse ela, olhando-me, mas consciente de que Finan e Ethne estavam escutando.

— Ele pode se chamar do que quiser — respondi —, mas isso não torna a coisa verdadeira.

— Ele tem uma reputação — disse ela, e nos contou sobre Skirnir. O que disse fazia sentido. Havia ninhos de piratas na costa da Frísia, onde eram protegidos por águas rasas e traiçoeiras e dunas móveis. Finan e eu, quando éramos escravos de Sverri, tínhamos remado por aquela águas, às vezes sentindo as pás dos remos bater em areia ou lama. Sverri, um esperto comandante de navio, escapava de navios perseguidores porque conhecia os canais, e não duvido de que Skirnir conhecesse intimamente aquelas águas. Ele se dizia um *jarl*, título equivalente ao de senhor, mas na verdade era um pirata selvagem que atacava navios. As ilhas Frísias sempre haviam produzido áreas de naufrágio e piratas, na maioria homens desesperados que morriam cedo, mas Skade insistiu que Skirnir havia prosperado. Ele capturava navios ou então recebia pagamento pela passagem segura, e ao fazer isso havia se tornado rico e famoso.

— Quantas tripulações ele tem? — perguntei a Skade.

— Quando estive lá pela última vez, 16 navios pequenos e 2 grandes.

— Quando você esteve lá pela última vez?

— Há dois verões.

— Por que foi embora? — perguntou Ethne.

Skade dirigiu um olhar curioso para a escocesa, mas Ethne sustentou o olhar. Era uma mulher pequena, ruiva e impetuosa que tínhamos libertado da escravidão, e era de uma lealdade feroz para com Finan, de quem agora tinha um filho e uma filha. Ela podia ver aonde a conversa iria dar, e antes que seu marido entrasse em batalha queria saber tudo o que pudesse.

— Fui embora porque Skirnir é um porco — disse Skade.

— Ele é um homem — disse Ethne, e recebeu uma cutucada nas costelas, dada por Finan.

Olhei uma jovem serviçal carregar pedaços de lenha para a lareira da taverna. O fogo aumentou e eu me perguntei de novo por que tão poucos homens bebiam na Taverna do Ganso.

— Skirnir fornica como um porco — disse Skade —, ronca como um porco e bate nas mulheres.

— E como você escapou do porco? — persistiu Ethne.

— Skirnir capturou um navio que tinha um baú de moedas de ouro e levou parte do ouro a Haithabu, para comprar armas novas, me levando junto.

— Por quê? — perguntei.

Ela me olhou sem se abalar.

— Porque não suportava ficar sem mim.

Sorri ao ouvir isso.

— Mas Skirnir devia ter homens para vigiar você em Haithabu, não?

— Três tripulações.

— E deixou que você conhecesse Harald?

Ela balançou a cabeça.

— Eu não o conheci. Só olhei uma vez para ele e ele olhou para mim.

— E?

— Naquela noite Skirnir estava bêbado, roncando, e seus homens estavam bêbados, por isso consegui ir embora. Fui até o navio de Harald e nós partimos. Eu nunca havia falado com ele.

— Parem com isso! — gritei para dois dos meus homens que estavam disputando uma das prostitutas da taverna. As prostitutas ganhavam a vida num sótão ao qual se chegava por uma escada, e um dos homens estava tentando empurrar o outro dos degraus. — Você primeiro — apontei para o mais bêbado dos dois — e você depois. Ou os dois juntos, não importa! Mas não comecem a brigar por causa dela! — Olhei até eles se acalmarem, depois me virei de volta para Skade. — Skirnir — falei simplesmente.

— Ele tem uma ilha, Zegge, e vive num *terpen.*

— *Terpen?*

— Um morro feito à mão — explicou ela. — É o único modo de viver na maioria das ilhas. Eles fazem um morro com madeira e barro, constroem as casas e esperam a maré derrubá-lo. Skirnir tem uma fortaleza em Zegge.

— E uma frota de navios — disse eu.

— Alguns são muito pequenos — respondeu Skade. Mesmo assim calculei que Skirnir teria pelo menos trezentos guerreiros, talvez até quinhentos. Eu tinha 43. — Eles não vivem todos em Zegge — continuou Skade. — O lugar é pequeno demais. A maioria tem casas nas ilhas próximas.

— Ele tem uma fortaleza?

— Um salão construído num *terpen* e cercado por uma paliçada.

— Mas para chegar ao salão — disse eu — temos de passar pelas outras ilhas. — Qualquer navio que passasse pelo que sem dúvida seria um canal raso e varrido pelas marés encontraria os homens de Skirnir seguindo-o, e eu podia me imaginar desembarcando em Zegge com duas tripulações inimigas logo atrás.

— Mas no salão — disse Skade, baixando a voz — há um buraco no chão, e embaixo do chão há uma câmara forrada de olmo, e dentro da câmara existe ouro.

— Existia ouro — corrigiu Finan.

Ela balançou a cabeça.

— Ele não suporta se separar daquilo. É generoso com seus homens. Compra armas, malha, navios, remos, comida. Compra escravos. Mas guarda o que pode. Ele adora abrir o alçapão e admirar seu tesouro. Ele estremece, olhando. Ama o ouro. Uma vez ele fez uma cama de moedas de ouro.

— Elas não machucam as costas? — perguntou Ethne, achando divertido.

Skade ignorou isso, olhando para mim.

— Há ouro e prata naquela câmara, senhor, o bastante para iluminar seus sonhos.

— Outros homens devem ter tentado pegar — disse eu.

— Tentaram — respondeu ela —, mas água, areia e maré são uma defesa tão boa quanto muralhas de pedra, senhor, e a guarda dele é leal. Ele tem três irmãos, seis primos e todos o servem.

— Filhos? — perguntou Ethne.

— Nenhum meu. Muitos das escravas.

— Por que se casou com ele? — perguntou Ethne.

— Fui vendida a ele. Tinha 12 anos. Minha mãe não tinha dinheiro e Skirnir me queria.

— Ainda quer — afirmei em tom especulativo, lembrando-me de que sua oferta de uma recompensa pela devolução de Skade chegara aos ouvidos de Alfredo.

— O desgraçado tem muitos homens — disse Finan em dúvida.

— Eu posso arranjar homens — falei baixinho, e depois me virei, pois Sihtric tinha vindo correndo da porta dos fundos da taverna.

— Homens — disse ele. — Há pelo menos trinta lá fora, senhor, e todos com armas.

Então minha suspeitas estavam certas. Guthlac me queria, queria meu tesouro, meu navio e minha mulher.

E eu queria o ouro de Skirnir.

Sete

Escancarei a porta da frente da taverna e vi mais homens esperando no cais. Pareceram espantados quando apareci, tão espantados que a maioria deu um passo involuntário para trás. Eram pelo menos cinquenta, uns poucos armados com lanças e espadas, mas a maioria com machados, foices ou cajados, sugerindo que eram pessoas da aldeia, convocadas por Guthlac para uma noite de trabalho traiçoeiro, mas, muito mais preocupante, um punhado deles carregava arcos. Não tinham feito qualquer tentativa de capturar o *Seolferwulf*, que estava iluminado na extremidade do píer pelo brilho opaco das fogueiras de secar arenque, ardendo acima da linha de maré alta da praia estreita. Essa luz fraca se refletia na cota de malha que Osferth e seus homens usavam, e nas lâminas de suas lanças, das espadas e dos machados. Osferth havia feito uma parede de escudos atravessando o píer, e ela parecia intimidadora.

Fechei a porta e baixei a tranca. Parecia claro que Guthlac não desejava atacar os homens de Osferth, o que sugeria que desejava nos capturar primeiro, depois nos usar como reféns para tomar o navio.

— Temos uma luta pela frente — declarei aos nossos homens. Tirei Ferrão de Vespa do esconderijo e olhei, divertido, enquanto outras armas apareciam. Eram na maior parte espadas curtas também, mas Rorik, um dinamarquês que eu havia capturado num dos ataques punitivos contra a Ânglia Oriental e que fizera juramento a mim para não voltar ao seu antigo senhor, de algum modo conseguira trazer um machado de guerra. — Há homens daquele lado — disse eu, apontando para a porta da frente — e daquele — apontei na direção da cervejaria.

— Quantos, senhor? — perguntou Cerdic.

— Muitos — respondi. Eu não tinha dúvida de que poderíamos abrir caminho lutando até o *Seolferwulf*, porque aldeões armados com foices e cajados seriam oponentes fáceis para meus guerreiros treinados, mas os arqueiros do lado de fora poderiam causar baixas sérias à minha tripulação, e eu já estava com poucos homens. Os arcos que eu tinha visto eram pequenos, de caça, mas mesmo assim suas flechas eram mortais contra homens sem cota de malha.

— Se são muitos, senhor — sugeriu Finan — é melhor atacar agora, em vez de esperar até que haja ainda mais, não?

— Ou esperar até que se cansem — disse eu, e neste momento uma batida tímida soou na porta dos fundos da taverna. Assenti para Sihtric, que tirou a tranca e puxou a porta para dentro, revelando uma criatura de aparência lamentável, magra e apavorada, usando um manto preto e puído sobre o qual pendia uma cruz de madeira que ele segurava nervosamente. Balançou a cabeça na nossa direção. Tive um vislumbre dos homens armados no pátio antes que o homem se esgueirasse para dentro da taverna e Sihtric fechasse a porta e pusesse a tranca. — Você é padre? — perguntei, e ele assentiu. — Então Guthlac manda um padre porque está com medo demais para mostrar a cara aqui?

— O *reeve* não quer lhe fazer mal, senhor — disse o padre. Era dinamarquês, e isso me surpreendeu. Eu sabia que os dinamarqueses da Ânglia Oriental haviam se convertido ao cristianismo, mas tinha achado que era uma conversão cínica, feita para aplacar as ameaças de Alfredo de Wessex, no entanto parecia que alguns dinamarqueses haviam mesmo virado cristãos.

— Qual é o seu nome, padre?

— Cuthbert, senhor.

Dei um riso de desprezo.

— Você assumiu um nome cristão?

— Fazemos isso, senhor, depois da conversão — disse ele, nervoso. — E Cuthbert, senhor, foi um homem muito santo.

— Sei quem ele é, até vi o cadáver dele. Então, se Guthlac não quer nos fazer mal, podemos voltar ao nosso navio?

— Seus homens podem, senhor — disse o padre Cuthbert muito timidamente —, desde que o senhor e a mulher fiquem.

— A mulher? — perguntei, fingindo não entender. — Quer dizer que Guthlac quer que eu fique com uma das prostitutas dele?

— As prostitutas dele? — perguntou Cuthbert, confuso com minha pergunta, depois balançou a cabeça vigorosamente. — Não, ele está falando da mulher, senhor. De Skade, senhor.

Então Guthlac sabia quem era Skade. Provavelmente sabia desde que havíamos desembarcado em Dumnoc, e amaldiçoei a névoa que havia tornado nossa viagem tão vagarosa. Alfredo devia ter adivinhado que desembarcaríamos num porto da Ânglia Oriental para pegar suprimentos, e sem dúvida oferecera uma recompensa ao rei Eohric por nossa captura. Guthlac tinha visto um caminho rápido, ainda que não fácil, para a riqueza.

— Vocês querem Skade e a mim? — perguntei ao padre.

— Só os dois, senhor — afirmou o padre Cuthbert. — E, caso se entreguem, senhor, seus homens podem partir na maré da manhã.

— Vamos começar com a mulher — disse eu, e estendi Ferrão de Vespa para Skade. Ela permaneceu imóvel enquanto pegava a espada e eu dei um passo para o lado. — Pode pegá-la — disse ao padre.

O padre Cuthbert olhou enquanto Skade passava um dedo comprido e lento pela lâmina da espada curta. Ela sorriu para o padre, que estremeceu.

— Senhor? — perguntou ele, lamentoso.

— Pegue-a — disse eu.

Skade segurou a espada com a mão baixa, a lâmina apontada para cima, e o padre Cuthbert não precisou de muita imaginação para visualizar aquele aço brilhante rasgando sua barriga. Franziu a testa, embaraçado pelos risos dos homens, depois juntou a coragem e sinalizou para Skade.

— Baixe a arma, mulher, e venha comigo.

— O senhor Uhtred disse para me pegar, padre.

Cuthbert lambeu os lábios.

— Ela vai me matar, senhor — reclamou ele comigo.

Fingi pensar nessa declaração, depois confirmei com a cabeça.

— Muito provavelmente — respondi.

— Devo consultar o *reeve* — disse ele, com o pouco de dignidade que pôde reunir, e quase correu de volta para a porta. Assenti para Sihtric deixar o padre sair, depois peguei a espada de volta com Skade.

— Poderíamos dar uma corrida até o navio, senhor? — sugeriu Finan. Ele estava olhando por um buraco na madeira da porta da taverna, e evidentemente não tinha grande opinião sobre os homens que montavam a emboscada.

— Está vendo que eles têm arcos? — perguntei.

— Ah, então eles têm — disse Finan —, e isso coloca um grande cagalhão no barril de cerveja, não é? — Ele se empertigou, afastando-se do buraco. — Então vamos esperar que eles se cansem, senhor?

— Ou que eu tenha uma ideia melhor — sugeri, e nesse momento houve outra batida na porta dos fundos, dessa vez mais alta, e de novo assenti para Sihtric tirar a tranca.

Agora Guthlac estava na porta. Ainda usava sua cota de malha, mas tinha posto um elmo e carregava um escudo como proteção adicional.

— Uma trégua enquanto conversamos? — sugeriu ele.

— Quer dizer que estamos em guerra? — perguntei.

— Quero dizer que você me deixa falar e depois me deixa sair — disse ele com truculência, puxando um dos lados do bigode comprido e preto.

— Vamos conversar — concordei —, depois você poderá sair.

Ele deu um passo cauteloso para dentro do salão, onde pareceu um tanto surpreso ao ver como meus homens estavam bem armados.

— Mandei chamar as tropas domésticas do meu senhor — disse ele.

— Provavelmente foi sensato — disse eu —, pois seus homens não podem vencer os meus.

Diante disso ele franziu a testa.

— Não queremos lutar!

— Nós queremos — respondi entusiasmado. — Estávamos esperando uma luta. Nada encerra tão bem uma noite numa taverna quanto uma briga, não concorda?

— Talvez uma mulher? — sugeriu Finan, rindo para Ethne.

— Certo — concordei. — Primeiro cerveja, depois uma briga e depois uma mulher. Como no Valhalla. Então diga quando estiver pronto, Guthlac, e teremos uma luta.

— Entregue-se, senhor — disse ele. — Nós fomos avisados de que o senhor poderia vir, e parece que Alfredo de Wessex o quer. Ele não quer sua vida, senhor, só seu corpo. Seu e da mulher.

— Não quero que Alfredo tenha meu corpo — respondi.

Guthlac suspirou.

— Vamos impedir que o senhor parta — disse ele com paciência. — Tenho quarenta caçadores com arcos esperando-o. Sem dúvida o senhor vai matar alguns homens, e será mais um crime para acrescentar às suas ofensas, mas meus arqueiros vão matar alguns dos seus, e não queremos isso. Sua tripulação e seu navio estão livres para partir, mas o senhor, não. Nem a mulher. — Ele olhou para Skade. — Edith.

Sorri para ele.

— Então me pegue! Mas lembre-se de que eu sou o homem que matou Ubba Lothbrokson junto ao mar.

Guthlac olhou para minha espada, puxou o bigode de novo e deu um passo para trás.

— Não vou morrer com esta espada, senhor. Vou esperar as tropas do meu senhor. Eles vão pegá-lo e matar o resto de vocês. Por isso aviso para que se entregue, senhor, antes que eles cheguem.

— Quer que eu me entregue agora para que você receba a recompensa?

— E o que há de errado com isso? — perguntou ele, beligerante.

— Quanto é?

— O bastante. Então, entrega-se?

— Espere lá fora e descobrirá.

— E quanto a eles? — perguntou Guthlac, apontando para os homens do povoado, que tinham ficado presos na taverna conosco. Nenhum tinha qualquer valor como refém, por isso mandei-os embora com Guthlac. Eles correram para o pátio dos fundos, sem dúvida aliviados por não fazerem parte da matança que imaginavam avermelhar o chão da taverna.

Guthlac era um idiota. O que deveria ter feito era atacar a taverna e nos dominar ou, se apenas quisesse nos prender até que as tropas treinadas chegassem, deveria ter posto barricadas nas duas portas com alguns dos gigantescos barris de cerveja do pátio. Mas o que fez foi dividir suas tropas em dois grupos. Calculei que houvesse cinquenta esperando entre nós e o *Seolferwulf* e mais cinquenta no pátio de trás. Eu estava pensando que minha vintena de homens poderia abrir caminho através dos cinquenta que estavam no cais, mas sabia que teríamos perdas para chegar ao navio. Os arcos matariam um punhado de homens e mulheres antes que passássemos pelo inimigo, e nenhum de nós usava malha. Eu queria escapar sem que nenhum dos meus fosse morto ou ferido.

Ordenei que Sihtric ficasse vigiando o pátio dos fundos, o que era feito facilmente através de uma fenda na parede de pau a pique. Outro homem vigiava o cais.

— Diga quando eles forem embora — disse eu.

— Forem embora? — perguntou Finan, rindo. — Por que iriam embora, senhor?

— Sempre obrigue o inimigo a fazer o que você quer que ele faça — disse eu, e subi a escada até o sótão das prostitutas onde três garotas estavam agarradas umas às outras num dos colchões de palha. Ri para elas. — Como vão, senhoras? — perguntei. Nenhuma respondeu, só olharam enquanto eu atacava o lado inferior do baixo teto de palha com Ferrão de Vespa. — Vamos partir logo — disse a elas, falando inglês — e vocês podem ir conosco. Vários dos meus homens não têm mulher. É melhor ser casada com um guerreiro do que se prostituir para aquele dinamarquês gordo. Ele é um bom patrão?

— Não — disse uma delas em voz muito baixa.

— Ele gosta de chicotear vocês? — Eu havia arrancado um feixe de juncos e a fumaça da lareira da taverna começou a passar pelo novo buraco que eu havia feito. Guthlac sem dúvida veria a abertura em seu teto, mas era improvável que mandasse homens para bloqueá-la. Precisaria de escadas.

— Finan! — gritei para baixo. — Traga fogo!

Uma flecha bateu no teto, confirmando que Guthlac tinha mesmo visto o buraco. Ele devia ter pensado que eu queria tirar meus homens pelo teto aberto, e agora seus arqueiros disparavam para lá, mas estavam no lugar errado para lançar flechas através da abertura. Só podiam disparar através do buraco, o que significava que qualquer homem que tentasse escapar seria acertado assim que subisse através da palha, mas não era por isso que eu havia arrancado os juncos apodrecidos. Olhei de volta para as garotas.

— Vamos sair daqui a pouco — anunciei. — Se quiserem ir conosco, vistam-se, desçam a escada e esperem perto da porta da frente.

Depois disso foi simples. Joguei pedaços de lenha acesa da lareira da taverna o mais longe que pude e observei-os cair sobre os tetos de palha das cabanas mais próximas. Queimei a mão, mas esse foi um preço pequeno a pagar enquanto as chamas pegavam nos juncos e brilhavam fortes. Uma dúzia de meus homens passava os pedaços de lenha acesa escada acima, e eu jogava cada um deles o mais longe que podia, tentando incendiar o máximo de casas que pudesse alcançar.

Nenhum homem podia olhar sua cidade queimando. O fogo gera um medo gigantesco, já que palha e madeira queimam com facilidade, e um incêndio numa casa se espalha rapidamente para as outras, e os homens de Guthlac, ouvindo os gritos de suas mulheres e dos filhos, o abandonaram. Usavam ancinhos para puxar a palha que queimava e carregavam baldes de água do rio. Tudo o que tivemos que fazer foi abrir a porta da frente da taverna e ir para o navio.

A maioria dos meus homens e duas das prostitutas fizeram simplesmente isso, correndo pelo píer e chegando à segurança do navio onde os homens de Osferth estavam com armas e com armaduras, mas Finan e eu nos esgueiramos para o beco ao lado da Taverna do Ganso. Agora a cidade estava horrível com tantas chamas. Homens gritavam, cães latiam e gaivotas acordadas guinchavam. O fogo era barulhento, e as pessoas em pânico gritavam ordens contraditórias enquanto tentavam desesperadamente salvar suas propriedades. Montes de palha acesa enchiam as ruas enquanto o céu ficava vermelho de fagulhas. Guthlac, concentrado em salvar a taverna, gritava para homens derrubarem a casa mais próxima, mas, na confusão, ninguém prestava atenção a ele. Tampouco notaram Finan e a mim enquanto saíamos à rua atrás da taverna.

Eu havia me armado com um pedaço de lenha da taverna, um dos que esperavam para ser postos no fogo, e simplesmente bati-o com força na lateral do elmo de Guthlac e ele caiu como um boi que fosse espetado entre os olhos. Agarrei sua cota de malha e usei-a para puxá-lo de volta ao beco, depois pelo píer. Ele era pesado, por isso foram necessários três dos meus homens para carregá-lo passando pelo navio mercante e jogá-lo no *Seolferwulf*. E então, vendo que toda a minha tripulação estava em segurança, soltamos os cabos de atracação. O navio deslizou rio acima levado pela maré, e fomos contra esse movimento usando os remos, enquanto esperávamos que a vazante começasse.

Olhamos Dumnoc queimar. Agora seis ou sete casas estavam em chamas, o fogo rugindo como uma fornalha e cuspindo fagulhas para o alto do céu noturno. Os incêndios iluminavam a cena, lançando uma luz crua e trêmula sobre o rio. Vimos homens derrubando casas para fazer uma abertura por onde achavam que as chamas não saltariam e vimos uma corrente de pessoas passando água do rio. Apenas olhamos, achando divertido. Guthlac recuperou os sentidos e se pegou sentado na pequena plataforma da proa, sem a cota de malha e com mãos e pés amarrados. Eu havia recolocado a cabeça de lobo na proa.

— Aproveite a vista, Guthlac — disse eu.

Ele gemeu, depois se lembrou da bolsa em sua cintura, onde havia posto a prata com que eu pagara pelos suprimentos. Tateou dentro e descobriu que não restavam moedas. Gemeu de novo, me olhou e dessa vez reconheceu o guerreiro que havia matado Ubba Lothbrokson junto ao mar. Eu estava com equipamento de guerra completo, cota de malha e elmo, Bafo de Serpente pendurada no cinturão cravejado de prata.

— Eu estava cumprindo meu dever, senhor — disse Guthlac.

Eu podia ver homens com cotas de malha em terra e achei que as tropas domésticas de quem quer que fosse o senhor de Guthlac teriam chegado, mas elas não podiam fazer nada contra nós, a não ser que decidissem tripular um dos navios atracados, mas não tentaram isso. Só olharam a cidade queimar, e algumas vezes se viravam para nós.

— Eles podiam ao menos mijar nas chamas — disse Finan, reprovando. — Fazer alguma coisa útil! — Em seguida franziu a testa para Guthlac. — O que faremos com este aí, senhor?

— Eu estava pensando em dá-lo a Skade. — Guthlac olhou para ela, ela sorriu e ele estremeceu. — Quando eu a conheci — disse eu a Guthlac — ela havia acabado de torturar um *thegn*. Matou-o, e não foi bonito.

— Eu queria saber onde estava o ouro dele — explicou ela.

— Não foi nem um pouco bonito — repeti. Guthlac se encolheu.

O *Seolferwulf* pairava no intervalo das marés. Agora era maré alta e o rio parecia largo, mas isso era enganador porque, por baixo da superfície tremeluzente que refletia o vermelho, havia baixios de lama e areia. A corrente iria nos ajudar logo, mas eu queria esperar até que houvesse luz do dia suficiente para ver os marcos do canal, e assim meus homens moveram os remos para nos manter mais um tempo junto à cidade em chamas.

— O que você deveria ter feito — disse eu a Guthlac — era levar seus homens diretamente à taverna enquanto estávamos bebendo. Teria perdido alguns, mas pelo menos teria uma chance.

— O senhor vai me colocar em terra? — perguntou ele, quase chorando.

— Claro que vou — respondi em tom agradável —, mas não por enquanto. Olhe aquilo! — Uma casa havia acabado de desmoronar em suas próprias chamas e as grandes traves e os caibros explodiram jorros de fogo, fumaça e fagulhas em direção às nuvens. Agora o teto da Taverna do Ganso havia pegado fogo e, enquanto chamejava brilhante contra o céu, meus homens comemoraram.

Partimos sem ser molestados, deslizando rio abaixo à primeira luz fraca do dia. Remamos até o fim do canal, onde a água espumava branca e ampla nos longos baixios, e foi ali que desamarrei Guthlac e o empurrei até a popa do *Seolferwulf*. Fiquei ao lado dele na plataforma do leme. A maré estava nos levando mais para dentro do mar e o navio estremecia e pulava com as ondas empurradas pelo vento.

— Ontem à noite — disse eu a Guthlac — você disse que éramos bem-vindos em Dumnoc. Você nos deu licença para passar a noite em paz, lembra?

Ele apenas me olhou.

— Você faltou com a palavra — disse eu. Ele continuou sem falar nada. — Faltou com a palavra — repeti, e tudo o que ele pôde fazer foi balançar a cabeça horrorizado. — Então, quer ir para a terra?

— Sim, senhor.

— Então vá sozinho — disse eu, e empurrei-o para fora do barco. Ele deu um grito, houve um espirro de água, e então Finan gritou a ordem para os remos agirem.

Muitos dias depois, Osferth me perguntou por que eu havia matado Guthlac.

— Ele era inofensivo, não era, senhor? Era só um idiota, não?

— Reputação — respondi, e vi a perplexidade de Osferth. — Ele me desafiou. Se eu o deixasse viver, ele teria alardeado que desafiou Uhtred de Bebbanburg e viveu.

— Por isso precisava morrer, senhor?

— Sim — respondi, e Guthlac morreu mesmo. Remamos para o mar alto e fiquei olhando o *reeve* lutar atrás de nós. Por alguns instantes ele conseguiu manter a cabeça acima da água, depois desapareceu. Içamos a vela, sentimos o navio se inclinar sob o vento e fomos para o norte.

Tivemos mais névoa, mais dias e noites em riachos vazios, mas então os ventos viraram para o leste, o ar clareou e o *Seolferwulf* saltou para o norte. O inverno havia tocado o ar.

O último dia da viagem foi luminoso e frio. Tínhamos passado a noite em mar aberto, e com isso chegamos ao nosso destino de manhã. A cabeça de lobo estava na proa, e a visão dela fez os pequenos barcos de pesca se afastarem correndo em busca de abrigo entre as várias ilhas rochosas onde focas brilhavam e atarracados papagaios-do-mar ruflavam as asas para o céu. Eu havia baixado a vela e, nas ondas longas e cinzentas, remei o *Seolferwulf* para perto da praia arenosa.

— Segure-o aqui — ordenei a Finan. Os remos descansaram e o barco arfou lentamente. Fiquei de pé na proa com Skade e olhei para o oeste. Vestia-me em glória guerreira. Malha, elmo, espada e braceletes.

Estava me lembrando de um dia distante em que estivera nesta mesma praia e olhei, espantado, enquanto três navios vinham para o sul percorrer as ondas como o *Seolferwulf* fazia agora. Na época eu era criança, e aquele fora meu primeiro vislumbre dos dinamarqueses. Fiquei maravilhado com os navios deles, tão esguios e bonitos, e com a simetria de suas fileiras de remos que subiam e desciam como asas mágicas. Eu havia olhado, atônito, enquanto o líder dinamarquês corria por cima dos remos com armadura completa, pulando de um cabo para outro, arriscando a vida a cada passo, e tinha ouvido meu pai e meu tio xingar os recém-chegados. Em questão de horas meu irmão fora morto e dentro de semanas meu pai o acompanhara à sepultura. Meu tio havia roubado Bebbanburg e eu me juntara à família do homem que havia corrido sobre os remos: Ragnar, o Intrépido. Aprendi dinamarquês, lutei pelos dinamarqueses, esqueci Cristo e dei as boas-vindas a Odin, e tudo havia começado aqui, em Bebbanburg.

— Seu lar? — perguntou Skade.

— Meu lar — respondi, porque sou Uhtred de Bebbanburg e estava olhando para aquela grande fortaleza em sua alta rocha sobre o mar. Homens se enfileiravam nas fortificações de madeira e olhavam de volta. Acima deles, voando num mastro erguido na empena do grande salão voltada para o mar, estava a bandeira da minha família, a cabeça de lobo, e ordenei que a mesma bandeira fosse içada em nosso mastro, ainda que não houvesse vento suficiente para exibi-la. — Quero que saibam que estou vivo — disse a ela — e que enquanto eu viver eles devem sentir medo. — E então o destino pôs um pensamento na minha cabeça e eu soube que jamais retomaria Bebbanburg, jamais escalaria a rocha e subiria as muralhas a não ser que fizesse o que Ragnar fizera tantos anos antes. A perspectiva me apavorou, mas o destino é inexorável. As fiandeiras estavam me olhando, esperando, agulhas prontas, e a menos que acatasse o desejo delas, meu destino seria o fracasso. Eu tinha de correr sobres os remos.

— Mantenham os remos firmes! — ordenei aos vinte remadores no flanco voltado para a terra. — Mantenham-nos firmes e segurem-nos com força!

— Senhor — disse Skade, alertando, mas também vi a empolgação em seus olhos.

Eu estava usando minha armadura completa para parecer um comandante guerreiro para os homens do meu tio em Bebbanburg, e agora eles poderiam me ver morrer porque um escorregão nos cabos compridos me mandaria para o leito do mar, arrastado para baixo pela cota de malha. Mas a convicção era forte demais em mim. Para ganhar tudo, o homem precisa arriscar tudo.

Desembainhei Bafo de Serpente. Segurei-a no alto de modo que a guarnição da fortaleza visse o sol brilhar no aço comprido, em seguida pus os pés para fora do navio.

O truque de andar sobre os remos é fazer isso depressa, mas não tão depressa que pareça uma fuga em pânico. Eram vinte passos que precisavam ser dados com as costas eretas para fazer com que parecesse fácil, e me lembro do navio balançando e do medo pinicando em mim, e de cada remo se abaixando sob minha pisada, no entanto dei aqueles vinte passos e saltei do último remo, subindo à popa onde Sihtric me firmou enquanto meus homens gritavam comemorando.

— O senhor é um idiota desgraçado — disse Finan com apreço.

— Estou indo! — gritei para a fortaleza, mas duvido que as palavras tenham chegado até lá. As ondas estouravam brancas e eram sugadas de volta. As rochas acima da praia estavam brancas de espuma. Era uma fortaleza branco-acinzentada. Era meu lar. — Um dia — disse eu aos meus homens — vamos todos morar lá. — Depois viramos o navio, içamos a vela de novo e fomos para o sul. Olhei as fortificações até desaparecerem.

E naquele mesmo dia deslizamos para a foz do rio que eu conhecia tão bem. Havia tirado a cabeça de lobo da proa porque esta era uma terra amigável e vi a fogueira de sinalização no morro, o mosteiro arruinado e a praia onde o navio vermelho havia me resgatado, e então, no auge da maré, fiz o *Seolferwulf* correr para o cascalho onde mais de trinta outros navios já estavam encalhados, todos guardados por um pequeno forte junto ao mosteiro em ruínas na colina. Pulei em terra, pisei com força no cascalho e espiei os cavaleiros que vinham do forte. Vinham descobrir o que queríamos e um deles apontou a lança para mim.

— Quem é você? — perguntou.

— Uhtred de Bebbanburg.

A ponta da lança baixou e o homem sorriu.

— Disseram-nos que deveria ter chegado mais cedo, senhor.

— Houve nevoeiro.

— E o senhor é bem-vindo. Terá qualquer coisa de que precisar. Qualquer coisa!

E havia calor, comida, cerveja, boas-vindas e, na manhã seguinte, cavalos para mim, Finan e Skade. Cavalgamos para sudoeste, não muito longe, e minha tripulação foi comigo. Um carro de boi levava o baú de tesouro, nossas armaduras e armas. O *Seolferwulf* estava seguro no rio, guardado pela guarnição de lá, mas fomos para a fortaleza maior, o lugar onde eu sabia que seríamos bem-vindos, e o senhor daquela grande fortaleza veio a cavalo nos receber. Ele rugia de modo incoerente, berrando e gargalhando. Saltou do cavalo, assim como eu, e nos encontramos na trilha, onde nos abraçamos.

Ragnar. O *jarl* Ragnar, amigo e irmão. Ragnar de Dunholm, dinamarquês e viking, senhor do norte, me apertou com força, depois deu um soco no meu ombro.

— Você está mais velho — disse ele. — Mais velho e muito mais feio.

— Então estou mais parecido com você — respondi.

Ele riu disso. Deu um passo atrás e eu vi como sua barriga havia crescido desde que tínhamos nos encontrado pela última vez. Ele não estava gordo, apenas maior, mas parecia feliz como sempre.

— Vocês são todos bem-vindos — berrou para a minha tripulação. — Por que não veio mais cedo?

— Fomos atrasados pelo nevoeiro.

— Achei que pudesse estar morto — disse ele. — Depois pensei que os deuses ainda não querem sua companhia miserável. — Ele parou, lembrando-se de repente, e seu rosto ficou sério. Franziu a testa e não conseguiu me encarar. — Chorei quando soube de Gisela.

— Obrigado.

Ele assentiu abruptamente, depois passou o braço pelo meu ombro e andou comigo. A mão do escudo, pendurada em volta do meu pescoço, fora mutilada na batalha em Ethandun, onde Alfredo destruíra o grande exército de Guthrum. Naquele dia eu havia lutado por Alfredo, e Ragnar, meu melhor amigo, havia lutado por Guthrum.

Ragnar era muito parecido com o pai. Tinha um rosto largo e generoso, olhos brilhantes e o sorriso mais rápido que já conheci. O cabelo era claro, como o meu, e frequentemente éramos tomados como irmãos. Seu pai havia me tratado como filho e, se eu tinha um irmão, era Ragnar.

— Ouviu falar do que aconteceu na Mércia? — perguntou ele.

— Não.

— As forças de Alfredo atacaram Harald.

— Em Torneie?

— Onde quer que ele estivesse. O que eu soube é que Harald estava de cama, os homens dele passando fome, eles estavam encurralados, em menor número, por isso os mércios e os saxões ocidentais decidiram acabar com eles.

— Então Harald está morto?

— Claro que não está morto! — disse Ragnar, feliz. — Harald é dinamarquês! Lutou e expulsou os desgraçados, fez com que corressem. — Ele gargalhou. — Ouvi dizer que Alfredo não é um homem feliz.

— Nunca foi — disse eu. — Ele é assombrado por seu deus.

Ragnar se virou e lançou um olhar para Skade, que ainda estava montada.

— Esta é a mulher de Harald?

— É.

— Tem cara de encrenca. Então, vamos vendê-la de volta a Skirnir?

— Não.

Ele riu.

— Então agora ela não é mulher de Harald?

— Não.

— Coitada — disse ele, e gargalhou.

— O que sabe sobre Skirnir?

— Sei que está oferecendo ouro em troca dela.

— E Alfredo está oferecendo ouro em troca de mim?

— Está mesmo! — disse Ragnar, animado. — Eu estava pensando que poderia amarrar uma peia em você, como um bode, e ficar mais rico ainda. — Ele parou, porque tínhamos chegado à vista de Dunholm, sobre sua grande rocha na curva do rio. O estandarte da asa de águia voava sobre a fortaleza. — Bem-vindo ao lar — disse Ragnar calorosamente.

Eu tinha ido para o norte e, pela primeira vez em anos, me sentia livre.

Brida esperava na fortaleza. A mulher de Ragnar era da Ânglia Oriental. Ela envolveu-me com os braços, não disse nada, e simplesmente senti seu sofrimento por Gisela.

— Destino — disse eu.

Ela deu um passo atrás e passou um dedo pelo meu rosto, me olhando como se pensasse no que os anos haviam feito.

— O irmão dela também está morrendo — disse.

— Mas ainda é rei?

— Ragnar governa aqui e deixa que Guthred se chame de rei. — Guthred, o irmão de Gisela, governava a Nortúmbria a partir de sua capital em Eoferwic. Era um homem bom, mas fraco, e só mantinha o trono porque Ragnar e os outros grandes *jarls* nórdicos permitiam. — Ele ficou louco — disse Brida desolada. — Louco e feliz.

— É melhor do que louco e triste.

— Os padres cuidam dele, mas ele não come. Joga a comida na parede e diz que é Salomão.

— Então ainda é cristão?

— Por precaução cultua todos os deuses — disse ela, mordaz.

— Ragnar vai se declarar rei?

— Ele não diz — respondeu Brida baixinho.

— Você gostaria disso?

— Quero que Ragnar encontre seu destino — disse ela, e havia algo agourento em suas palavras.

Naquela noite houve uma festa no castelo. Sentei-me ao lado de Brida, e o fogo que rugia iluminava seu rosto forte e moreno. Ela se parecia um pouco com Skade, só que mais velha, e as duas haviam reconhecido a semelhança e imediatamente se eriçaram de hostilidade. Um harpista tocava na lateral do salão, cantando uma música sobre um ataque feito por Ragnar à Escócia, mas as palavras eram abafadas pelos sons das vozes. Um dos homens de Ragnar cambaleou até a porta, mas vomitou antes de encontrar o ar livre. Cães correram para comer o vômito, o homem voltou à sua mesa e gritou pedindo mais cerveja.

— Estamos confortáveis demais aqui — disse Brida.

— Isso é ruim?

— Ragnar está feliz — respondeu ela, baixinho demais para seu amante ouvir. Ragnar estava sentado à sua direita, e Skade do outro lado dele. — Ele bebe demais — continuou Brida, depois suspirou. — Quem imaginaria?

— Que Ragnar gosta de cerveja?

— Que você seria tão temido. — Ela me inspecionou como se nunca tivesse me visto. — Ragnar, o Velho, teria orgulho de você. — Brida, como eu, fora criada na casa de Ragnar. Passamos a infância juntos, depois fomos amantes e agora éramos amigos. Ela era sábia, diferentemente de Ragnar, o Jovem, que era impulsivo e cabeça quente, mas sensato o bastante para confiar na sabedoria de Brida. O único arrependimento dela era não ter filhos, mas o próprio Ragnar havia gerado bastardos suficientes.

Uma dessas bastardas estava ajudando a servir o festim, e ele segurou o cotovelo da garota.

— Você é minha? — perguntou ele.

— Sua, senhor?

— Você é minha filha?

— Ah, sim, senhor! — respondeu ela, feliz.

— Pensei que fosse — disse ele, e lhe deu um tapa no traseiro. — Eu faço filhas bonitas, Uhtred!

— Faz mesmo.

— E ótimos filhos! — Ele sorriu feliz, depois soltou um arroto enorme.

— Ele não vê o perigo — disse-me Brida. Só ela não sorria no salão, mas a vida sempre fora um negócio sério para Brida.

— O que está dizendo a Uhtred? — perguntou Ragnar.

— Que sua cevada teve doença este ano — respondeu ela.

— Então compramos cevada em Eoferwic — disse ele descuidadamente, e se virou de novo para Skade.

— Que perigo? — perguntei.

Brida baixou a voz de novo.

— Alfredo tornou Wessex poderoso.

— Tornou sim.

— E é ambicioso.

— Ele não tem muito tempo de vida, portanto sua ambição não importa.

— Então ele é ambicioso pelo filho — reagiu ela, impaciente. — Ele quer estender o domínio saxão para o norte.

— É verdade.

— E isso nos ameaça — disse ela com ferocidade. — Como é que ele se declara? Rei dos *angelcynn*? — Eu assenti e ela pôs a mão ansiosa em meu braço. — A Nortúmbria tem gente mais do que suficiente falando inglês. Alfredo quer que os padres e eruditos dele governem aqui.

— É verdade — repeti.

— Por isso devem ser impedidos — disse ela simplesmente. Em seguida me encarou, o olhar saltando entre meus olhos. — Ele não mandou você para espionar?

— Não.

— Não — concordou ela. Em seguida brincou com um pedaço de pão, o olhar percorrendo os longos bancos de guerreiros que rugiam. — É simples, Uhtred — disse com frieza. — Se não destruirmos Wessex, Wessex vai nos destruir.

— Demoraria anos para os saxões ocidentais chegarem à Nortúmbria — afirmei sem dar importância.

— Isso torna esse resultado melhor? — perguntou Brida com amargura. — E não, não vai demorar anos. A Mércia está dividida e fraca, e Wessex vai engoli-la nos próximos anos. Depois eles vão marchar sobre a Ânglia Oriental, e depois disso os três reinos vão se virar contra nós. E aonde os saxões ocidentais vão, Uhtred — agora sua voz estava muito mais amarga —, eles destroem nossos deuses. Trazem seu próprio deus com suas regras, sua raiva e seu medo. — Como eu, Brida fora criada como cristã, mas tinha virado pagã. — Temos de impedi-los antes que eles comecem, o que significa atacar primeiro. E atacar logo.

— Logo?

— Haesten planeja invadir a Mércia. — Ela baixou a voz até quase um sussurro. — Isso vai atrair as forças de Alfredo para o norte do Temes. O que deveríamos fazer é pegar uma frota e desembarcar no litoral sul de Wessex. — Sua mão apertou meu braço. — E no ano que vem não haverá Uhtred de Bebbanburg para proteger as terras de Alfredo.

— Vocês dois ainda estão falando de cevada? — rugiu Ragnar. — Como vai minha irmã? Ainda casada com aquele padre velho e aleijado?

— Ele a faz feliz — respondi.

— Pobre Thyra — disse Ragnar, e pensei em como era o destino, em como suas tramas são estranhas. Thyra, irmã de Ragnar, havia se casado com Beocca, um casamento tão improvável quanto inimaginável, no entanto ela encontrara a pura felicidade. E o meu fio da vida? Naquela noite senti como se todo o meu mundo tivesse virado de cabeça para baixo. Durante tantos anos meu dever de juramento fora proteger Wessex, e eu tinha cumprido esse dever, em nenhum lugar tão bem quanto em Fearnhamme. Agora, de repente, estava ouvindo os sonhos de Brida para destruir Wessex. Os Lothbrok haviam tentado fazer isso e fracassado, Guthrum chegara perto, antes da derrota, e Harald havia encontrado o desastre. Agora Brida tentaria convencer Ragnar a conquistar o reino de Alfredo? Olhei para meu amigo que cantava alto e batia na mesa com um chifre cheio de cerveja, no ritmo da música.

— Para conquistar Wessex — disse eu a Brida — você vai precisar de 5 mil homens e 5 mil cavalos, e mais uma coisa: disciplina.

— Os dinamarqueses lutam melhor do que os saxões — disse ela, sem dar importância.

— Mas os dinamarqueses só lutam quando querem — respondi asperamente. Os exércitos dinamarqueses eram coalizões de conveniência, com *jarls* comandando suas tripulações para um homem ambicioso, mas se dissolvendo assim que um saque mais fácil se oferecia. Eram como matilhas de lobos que atacavam um rebanho, mas se afastavam se um número suficiente de cães defendesse as ovelhas. Os dinamarqueses e noruegueses viviam atentos a notícias de algum território que oferecesse saques fáceis, e um boato sobre algum mosteiro sem defesas poderia levar uma vintena de navios a uma viagem de rapina, mas durante minha vida eu vira como os dinamarqueses eram repelidos com facilidade. Reis haviam construído *burhs* por toda a cristandade e os dinamarqueses não tinham apetite para cercos longos. Esperavam um saque fácil ou então queriam se estabelecer em terras ricas. No entanto os dias de conquista fácil, de enfrentar cidades indefesas e bandos de guerreiros mal treinados ficaram para trás havia muito tempo. Se Ragnar ou algum outro nórdico quisesse tomar Wessex, deveria comandar um exército de homens disciplinados, preparados para uma guerra de cerco. Olhei para meu amigo, perdido no júbilo da festa e da cerveja, e não pude imaginá-lo com paciência para derrotar as defesas organizadas de Alfredo.

— Mas você poderia — disse Brida muito baixinho.

— Está lendo meus pensamentos?

Ela se inclinou mais para perto de mim, com a voz que era um sussurro.

— O cristianismo é uma doença que se espalha como uma peste. Precisamos impedi-los.

— Se os deuses quiserem que ele seja impedido — sugeri — farão isso sozinhos.

— Nossos deuses preferem festejar. Eles vivem, Uhtred. Eles vivem, riem e aproveitam, e o que o deus deles faz? Ele remói, é vingativo, mal-humorado, e trama. É um deus sombrio e solitário, Uhtred, e nossos deuses o ignoram. Eles estão errados.

Esbocei um sorriso. Brida, única entre todos os homens e mulheres que eu conhecia, não veria nada estranho em censurar os deuses por suas falhas e até mesmo em tentar fazer o trabalho deles. Mas estava certa, pensei: o deus cristão era sombrio e ameaçador. Não tinha apetite por festejar, por risos no castelo, por cerveja e hidromel. Estabelecia regras e exigia disciplina, mas regras e disciplina eram exatamente do que precisávamos se quiséssemos derrotá-lo.

— Ajude-me — disse Brida.

Olhei dois malabaristas jogando tochas para o ar enfumaçado. Jorros de gargalhadas ecoavam no grande salão, e senti um ódio súbito contra a matilha de padres de Alfredo, vestidos de preto, contra toda a tribo de homens da Igreja que negavam a vida e cuja única alegria era desaprovar a alegria.

— Preciso de homens — disse a Brida.

— Ragnar tem homens.

— Preciso de homens meus — insisti. — Tenho 43. Preciso de um número pelo menos dez vezes maior.

— Se os homens souberem que você está comandando um exército contra Wessex, vão segui-lo.

— Não sem ouro — disse eu, olhando para Skade, que estava me observando cheia de suspeitas, curiosa com os segredos que Brida sussurrava no meu ouvido. — Ouro e prata.

Precisava de mais do que isso. Precisava saber se os sonhos de Brida, de derrotar Wessex, eram conhecidos fora de Dunholm. Brida disse que não havia contado a ninguém, além de Ragnar, mas Ragnar era famoso por ter a língua solta. Bastava lhe dar um chifre de cerveja e ele compartilhava cada segredo conhecido, e se Ragnar tivesse contado a apenas um homem, Alfredo saberia logo sobre essa ambição, motivo pelo qual fiquei satisfeito quando Offa, suas mulheres e seus cães chegaram a Dunholm.

Offa era saxão, um mércio que já fora padre. Era alto, magro, com um rosto lúgubre que sugeria ter visto todas as extravagâncias oferecidas pelo mundo. Agora estava velho e grisalho, mas ainda viajava por toda a Britânia com suas duas mulheres briguentas e sua trupe de terriers artistas. Mostrava os cães em feiras e festas, onde os bichos andavam nas patas traseiras, dançavam juntos, pulavam através de argolas e um até montava num pequeno pônei enquanto os outros carregavam baldes de couro para recolher moedas dos espectadores. Não era a diversão mais espetacular, mas as crianças adoravam os terriers e Ragnar, claro, ficava fascinado com eles.

Offa havia deixado o sacerdócio, angariando assim a inimizade dos bispos, mas tinha a proteção de todos os governantes da Britânia porque seu verdadeiro meio de vida não eram os terriers, e sim sua extraordinária capacidade de fornecer informações. Falava com todo mundo, tirava conclusões e vendia o que deduzia. Alfredo usara-o durante anos. Os cães davam a Offa a possibilidade de entrar em quase todos os salões nobres da Britânia, e Offa escutava as fofocas e levava o que ouvia de governante a governante, entregando seus fatos moeda a moeda.

— Você deve estar rico — disse eu a Offa no dia em que ele chegou.

— O senhor gosta de brincar — respondeu ele. Offa sentou-se a uma mesa do lado de fora do salão de Ragnar, com os oito cães sentados obedientemente em semicírculo atrás de seu banco. Uma serviçal havia lhe trazido cerveja e pão. Ragnar ficara deliciado com a chegada inesperada de Offa, antecipando os risos que sempre acompanhavam a apresentação dos cães.

— Onde você guarda tanto dinheiro? — perguntei.

— O senhor quer mesmo que eu responda? — Offa respondia a perguntas, mas suas respostas sempre tinham de ser pagas.

— É tarde para você estar viajando para o norte.

— No entanto, até agora o inverno está surpreendentemente ameno. E negócios me trouxeram ao norte, senhor, seus negócios. — Ele segurou uma grande bolsa de couro e tirou um pergaminho lacrado e dobrado, e o empurrou por cima da mesa. — Isto é para o senhor.

Peguei a carta. O lacre era um bocado de cera sem selo gravado, e parecia não ter sido mexido.

— O que diz a carta? — perguntei a Offa.

— Está sugerindo que eu a li? — reagiu ele, ofendido.

— Claro que leu. Portanto me economize o trabalho.

Ele deu o esboço de um sorriso.

— Suspeito que o senhor vai considerá-la pouco importante. Quem a escreveu foi o seu amigo, o padre Beocca. Diz que seus filhos estão em segurança na casa da senhora Æthelflæd e que Alfredo ainda está com raiva do senhor, mas que não ordenará sua morte se o senhor retornar ao sul como, lembra ele, seu juramento exige. O padre Beocca termina dizendo que reza por sua alma diariamente e exige que o senhor retorne aos deveres jurados.

— Exige?

— Com grande seriedade, senhor — disse Offa com outro esboço de sorriso.

— Nada mais?

— Nada, senhor.

— Então posso queimar a carta?

— Seria um desperdício de pergaminho, senhor. Minhas mulheres podem raspar a pele e usá-la de novo.

Empurrei a carta de volta para ele.

— Deixe que elas raspem. O que aconteceu em Torneie?

Offa considerou a pergunta durante alguns instantes, depois decidiu que a resposta seria de conhecimento público em pouco tempo, por isso poderia me contar sem exigir pagamento.

— O rei Alfredo ordenou um ataque à ilha ocupada pelo *jarl* Harald, senhor. O senhor Steapa deveria levar homens rio acima em barcos enquanto o senhor Æthelred e o *ætheling* Eduardo atacavam pelo braço mais raso do rio. Os dois ataques fracassaram.

— Por quê?

— Harald, senhor, havia posto estacas afiadas no leito do rio, e os navios saxões ocidentais bateram nessas estacas e a maioria jamais chegou à ilha. O ataque do senhor Æthelred simplesmente se atolou. Eles chapinharam na lama e os guerreiros de Harald atiraram flechas e lanças, e nenhum saxão chegou sequer à paliçada de espinhos. Foi um massacre, senhor.

— Massacre?

— Os dinamarqueses fizeram uma investida e trucidaram muitos dos homens do senhor Æthelred no rio.

— Deixe-me alegre e conte que o senhor Æthelred foi morto.

— Ele vive, senhor.

— E Steapa?

— Vive também, senhor.

— E o que acontecerá agora?

— Bom, isso é uma pergunta — disse Offa em voz distante. Esperou até eu ter posto uma moeda sobre a mesa. — Há discussões entre os conselheiros do rei, senhor — disse ele, enfiando a prata na bolsa. — Mas o conselho cauteloso do bispo Asser vai prevalecer, tenho certeza.

— E qual é esse conselho?

— Ah, pagar prata a Harald, claro.

— Suborná-lo para ir embora? — perguntei chocado. Por que alguém teria de subornar um bando fugitivo de dinamarqueses derrotados para deixar seu território?

— A prata costuma alcançar o que o aço não consegue — respondeu Offa.

— Dez homens e um menino poderiam capturar Torneie — disse eu, com raiva.

— Se o senhor os comandasse, talvez. Mas o senhor está aqui.

— Estou mesmo.

Custou-me mais prata descobrir o que Brida já havia me contado: que Haesten, em segurança na alta fortaleza de Beamfleot, planejava atacar a Mércia.

— Você contou isso a Alfredo? — perguntei a Offa.

— Contei, mas seus outros espiões me contradizem, e ele acredita que estou errado.

— Você erra?

— Raramente, senhor.

— Haesten é forte o bastante para tomar a Mércia?

— No momento, não. Muitas tripulações de Harald que fugiram de sua vitória em Fearnhamme se juntaram a ele, mas não duvido de que ele precise de mais homens.

— Ele vai procurá-los na Nortúmbria?

— É uma possibilidade, eu acho — disse Offa, e essa resposta me disse o que eu queria saber: que até mesmo Offa, com sua incrível habilidade de farejar segredos, ignorava a ambição de Brida, de que Ragnar comandasse um exército contra Wessex. Se Offa soubesse dessa ambição, teria dado a entender que os dinamarqueses da Nortúmbria podiam ter coisas melhores a fazer do que atacar a Mércia, mas ele havia passado pela minha pergunta sem perceber qualquer possibilidade de tomar minha prata. — Mas navios continuam se juntando ao *jarl* Haesten — continuou Offa — e talvez ele esteja forte o bastante na primavera. Tenho certeza de que ele vai procurar sua ajuda também, senhor.

— É o que imagino.

Offa esticou suas pernas compridas e finas por baixo da mesa. Um dos terriers ganiu, ele estalou os dedos e o cão ficou imediatamente em silêncio.

— O *jarl* Haesten — disse ele com cautela — vai lhe oferecer ouro para se juntar a ele.

Sorri.

— Você não veio aqui como mensageiro, Offa. Se Alfredo quisesse me mandar uma carta, teria modos mais baratos de fazer isso, sem satisfazer sua cobiça. — Offa pareceu ofendido com a palavra cobiça, mas não protestou. — E foi Alfredo que ordenou que o padre Beocca escrevesse, não foi? — Offa assentiu ligeiramente. — Então Alfredo mandou você para descobrir o que vou fazer.

— Há curiosidade sobre isso em Wessex — disse ele em tom distante.

Pus duas moedas de prata na mesa.

— Então me conte.

— Contar o quê, senhor? — perguntou ele, olhando as moedas.

— Conte o que vou fazer.

Ele sorriu por ser pago por uma resposta que eu certamente já conhecia.

— É generoso, senhor — disse enquanto seus dedos compridos se fechavam sobre as moedas. — Alfredo acredita que o senhor vai atacar seu tio.

— Posso fazer isso.

— Mas, para tanto, o senhor precisa de homens, e os homens precisam de prata.

— Eu tenho prata.

— Não o bastante, senhor — disse Offa, confiante.

— Então talvez eu me junte a Haesten?

— Jamais. O senhor o despreza.

— Então onde vou arranjar a prata?

— Com Skirnir, é claro — disse Offa, os olhos fixos nos meus.

Tentei não trair nada.

— Skirnir é um dos homens que pagam a você?

— Não suporto viajar em navios, senhor, por isso os evito. Jamais me encontrei com Skirnir.

— Então Skirnir não sabe o que planejo?

— Pelo que eu soube, senhor, Skirnir acredita que todo homem planeja roubá-lo. Assim, estando preparado para todos, ele está preparado para o senhor.

Balancei a cabeça.

— Ele está preparado para ladrões, Offa, não para um comandante guerreiro.

O mércio apenas levantou uma sobrancelha, sinal de que mais prata era necessária. Pus uma moeda na mesa e olhei-a desaparecer naquela bolsa espaçosa.

— Ele estará preparado para o senhor porque seu tio irá alertá-lo.

— Porque você vai contar ao meu tio?

— Se ele me pagar, sim.

— Eu deveria matá-lo agora, Offa.

— Sim, senhor, deveria. Mas não matará. — Ele sorriu.

Então Skirnir saberia que eu estava indo, e Skirnir tinha navios e homens, mas o destino é inexorável. Eu iria à Frísia.

Oito

Tentei convencer Ragnar a ir comigo à Frísia, mas ele descartou, rindo.

— Acha que vou querer molhar a bunda nessa época do ano? — Era um dia frio, o campo estava encharcado com dois dias de chuva forte que chegara violentamente do mar. A chuva havia parado, mas a terra estava pesada, as cores do inverno eram escuras e o ar, úmido.

Cavalgávamos pelas colinas. Trinta dos meus homens e quarenta de Ragnar. Todos usávamos cotas de malha e elmos e todos estávamos armados. Os escudos iam pendurados ao lado do corpo ou às costas e tínhamos espadas longas embainhadas à cintura.

— Vou no inverno — expliquei —, porque Skirnir só vai me esperar na primavera.

— É o que você espera. Mas talvez ele tenha ouvido dizer que você é um idiota?

— Então venha, e vamos lutar juntos de novo.

Ele sorriu mas não me encarou.

— Vou lhe dar Rollo — disse, citando um dos seus melhores lutadores — e quem se oferecer para ir com ele. Lembra-se de Rollo?

— Claro.

— Tenho deveres — disse ele vagamente. — Preciso ficar aqui. — Não era a covardia que o fazia recusar meu convite. Ninguém jamais poderia acusar Ragnar de falta de coragem. Em vez disso, penso eu, era preguiça. Ele estava feliz e não precisava perturbar essa felicidade. Parou o cavalo na crista de uma colina e indicou a ampla faixa de litoral abaixo de nós. — Lá está — disse ele — o reino inglês.

— O quê? — perguntei indignado. Eu estava olhando a terra escurecida pela chuva com seus pequenos morros e campos menores ainda, e seus familiares muros de pedra.

— É como todo mundo chama — disse Ragnar. — O reino inglês.

— Não é um reino — respondi azedamente.

— É como chamam — insistiu ele com paciência. — O seu tio fez um bom trabalho. — Emiti um som de vômito que fez Ragnar rir. — Pense só, todo o norte é dinamarquês, a não ser a terra de Bebbanburg.

— Porque nenhum de vocês pôde tomar a fortaleza — retruquei.

— Ela provavelmente não pode ser tomada. Meu pai sempre disse que era difícil demais.

— Eu vou tomá-la.

Descemos o morro. As árvores perdiam as últimas folhas ao vento do mar. Os pastos estavam escuros, a palha das cabanas, quase pretas, e o cheiro forte da podridão do ano era denso nas nossas narinas. Parei junto a um sítio que estava deserto porque as pessoas tinham-nos visto chegando e fugiram para a floresta, e olhei dentro do depósito de grãos para ver se a colheita havia sido boa.

— Ele está ficando mais rico — falei sobre o meu tio. — Por que vocês não arrasam as terras dele?

— Fazemos isso quando estamos entediados — disse Ragnar. — E então ele arrasa as nossas.

— Por que não capturam simplesmente as terras dele e o deixam passar fome na fortaleza?

— Já tentaram fazer isso. Ele luta ou paga para eles irem embora.

Meu tio, que chamava a si mesmo de Ælfric da Bernícia, supostamente mantinha mais de cem guerreiros domésticos em sua fortaleza e podia levantar um número quatro vezes maior nos povoados espalhados por sua área de domínio. Na verdade, era um pequeno reino. Ao norte, a fronteira corria ao longo do Tuede, para além do qual ficava a terra dos escoceses, que viviam atacando para roubar gado e o produto das colheitas. Ao sul das terras de Bebbanburg ficava o Tinan, onde agora estava o *Seolferwulf*, e a oeste havia colinas, e toda a terra para além das colinas e ao sul do Tinan estava em mãos dinamarquesas. Ragnar governava ao sul do rio.

— Às vezes nós atacamos as terras do seu tio — disse ele —, mas se pegamos vinte vacas ele volta e pega vinte das nossas. E quando os escoceses causam encrenca? — Ele deu de ombros, deixando o pensamento inacabado.

— Os escoceses são sempre encrenqueiros — disse eu.

— Os guerreiros dele são úteis quando eles atacam — admitiu Ragnar.

Assim Ælfric da Bernícia podia ser um bom vizinho, cooperando com os dinamarqueses para repelir e punir os escoceses, e em troca só pedia para ser deixado em paz. Era assim que Bebbanburg sobrevivera como um enclave cristão num território de dinamarqueses. Ælfric era o irmão mais novo do meu pai, e sempre fora o mais inteligente da família. Se eu não o odiasse tanto, poderia tê-lo admirado. De uma coisa ele sabia muito bem: sua sobrevivência dependia da grande fortaleza em que eu havia nascido e que, durante toda a vida, considerei meu lar. Já houvera um reino de verdade governado a partir de Bebbanburg. Meus ancestrais tinham sido reis da Bernícia, dominando áreas que penetravam fundo no que os escoceses chamam, descaradamente, de suas terras, e até o sul em direção a Eoferwic, mas a Bernícia fora engolida pela Nortúmbria, e a Nortúmbria havia caído sob o jugo dos dinamarqueses. No entanto a velha fortaleza continuava de pé, e, ao redor, ficavam os restos daquele antigo reino inglês.

— Você já se encontrou com Ælfric? — perguntei a Ragnar.

— Muitas vezes.

— Não o matou por mim?

— Nós nos encontramos sob trégua.

— Fale-me sobre ele.

— Velho, grisalho, astuto, atento.

— Os filhos dele?

— Jovens, cautelosos, astutos, atentos.

— Ouvi dizer que Ælfric estava doente.

Ragnar deu de ombros.

— Ele está com quase cinquenta anos, que homem vive tanto assim e não fica doente? Mas ele se recupera.

O filho mais velho do meu tio chama-se Uhtred. O nome era uma afronta. Durante gerações o filho mais velho em nossa família recebeu o nome de

Uhtred, e, se esse herdeiro morre, o próximo filho assume o nome, como aconteceu comigo. Ao dar o nome de Uhtred ao filho mais velho, meu tio estava proclamando que seus herdeiros seriam os governantes de Bebbanburg, e seu maior inimigo não eram os dinamarqueses, nem mesmo os escoceses, e sim eu. Ælfric tentou me matar, e enquanto vivesse continuaria tentando. Ele havia posto minha cabeça a prêmio, mas eu era um homem difícil de matar, e fazia anos desde que algum guerreiro ousara a tentativa. Agora eu cavalgava em sua direção, com meu cavalo emprestado pisando alto em meio à sujeira da trilha de gado que seguíamos morro abaixo. Eu sentia o cheiro do mar e, apesar de as ondas ainda não serem visíveis, o céu a leste tinha a aparência vazia de ar acima da água.

— Ele sabe que estamos indo? — perguntei a Ragnar.

— Sabe. Nunca para de vigiar.

Cavaleiros deviam ter corrido até Bebbanburg para falar sobre dinamarqueses atravessando os morros. Agora mesmo eu sabia que éramos vigiados. Meu tio não saberia que eu estava entre os cavaleiros. Suas sentinelas informariam sobre o estandarte de Ragnar, com a asa de águia, mas eu não estava com minha bandeira desfraldada. Ainda não.

Tínhamos nossos próprios batedores cavalgando à frente e nos flancos. Durante muitos anos esta fora a minha vida. Sempre que algum inquieto dinamarquês da Ânglia Oriental pensava em roubar umas ovelhas ou uma vaca em algum pasto perto de Lundene, partíamos em vingança. Mas este era um terreno muito diferente. Perto de Lundene o solo era plano, ao passo que aqui os morros baixos escondiam boa parte da paisagem, de modo que os batedores ficavam perto de nós. Não viam nada que os alarmasse, e finalmente pararam numa crista coberta de árvores, onde nos juntamos a eles.

E abaixo de mim estava meu lar.

A fortaleza era vasta. Ficava entre nós e o mar em seu grande calombo de rocha, ligado à terra por uma fina faixa de terreno arenoso. Ao norte e ao sul ficavam as altas dunas, mas a fortaleza partia o litoral, com seu penhasco abrigando um lago largo e raso onde alguns barcos de pesca estavam atracados. O povoado havia crescido, eu vi, mas a fortaleza também. Quando eu era criança, atravessava-se a língua de terra arenosa até chegar a uma paliçada de madeira com um grande portão rodeado por uma plataforma de luta. Essa entrada, o Portão de Baixo, ainda estava lá, e se algum inimigo conseguisse passar lutando por aquele arco ainda teria de subir até um segundo portão, numa segunda paliçada construída na própria rocha, mas essa segunda paliçada havia sumido totalmente, e em seu lugar ficava um alto muro de pedras sem nenhum portão. De modo que a velha entrada principal, o Portão do Alto, havia sumido, e se algum atacante conseguisse passar pela paliçada externa para chegar à oficina de ferreiro e aos estábulos, teria de escalar a nova muralha de pedra. Era grossa, alta e equipada com sua própria plataforma de luta de modo que flechas, lanças, água fervente, pedras e qualquer outra coisa que os defensores encontrassem choveriam sobre a força de ataque.

Antes o velho portão ficava na extremidade sul da fortaleza, mas meu tio fizera um caminho ao longo da praia, do lado do mar de Bebbanburg, e agora os visitantes precisavam seguir o caminho até um novo portão na extremidade norte da fortaleza. Ele começava na área cercada externa, de modo que, até mesmo para chegar a ele, a velha paliçada e seu Portão de Baixo precisavam ser tomados. Em seguida os invasores precisariam avançar ao longo do novo caminho sob as fortificações voltadas para o mar, incomodados por projéteis, e então, de algum modo, lutar através do novo portão que também era protegido por uma fortificação de pedra. Mesmo que de algum modo os atacantes conseguissem passar por esse novo portão, uma segunda muralha esperava com mais defensores, e os atacantes precisariam capturar a fortificação interna antes de romperem o coração de Bebbanburg, onde dois grandes castelos e uma igreja coroavam o penhasco. Fiapos de fumaça pairavam acima dos telhados da fortaleza.

Xinguei baixinho.

— O que está pensando? — perguntou Ragnar.

Eu estava pensando que Bebbanburg era inexpugnável.

— Estou imaginando quem é dono de Smoka, agora.

— Smoka?

— O melhor cavalo que já tive.

Ragnar deu um risinho e assentiu para a fortaleza.

— É uma coisa bruta, não é? — disse ele.

— Chegar com navios na extremidade norte — sugeri. Se os navios chegarem à terra onde o novo portão foi construído, os atacantes não teriam necessidade de passar pelo Portão de Baixo.

— A praia lá é estreita — alertou Ragnar, mas eu provavelmente conhecia as águas ao redor de Bebbanburg melhor do que ele — e você não pode levar navios para dentro do porto — acrescentou, apontando para onde os barcos de pesca estavam fundeados. — Barcos pequenos, sim, mas qualquer coisa maior do que uma tina de tomar banho? Talvez na maré alta da primavera, mas só por cerca de uma hora, e aquele canal é horrível quando a maré e o vento estão correndo. Ondas crescem lá. Você teria sorte se chegasse inteiro.

E mesmo que eu pudesse desembarcar uma dúzia de tripulações junto ao portão novo, o que impediria os defensores de mandar uma força pelo caminho novo para encurralar os atacantes? Isso só aconteceria se meu tio recebesse o alerta de um ataque e pudesse juntar homens suficientes para dispensar uma força capaz de fazer esse contra-ataque. De modo que a resposta, pensei, seria um ataque surpresa. Mas um ataque surpresa seria difícil. As sentinelas veriam os navios se aproximando e chamariam a guarnição às armas, e as tripulações atacantes teriam de desembarcar no meio das ondas, depois carregar escadas e armas por cem passos pelas rochas até onde o novo muro de pedra formava a barreira. Nesse ponto dificilmente ainda seria um ataque surpresa, e os defensores teriam tempo suficiente para se juntar perto do portão novo. Então dois ataques? Significava iniciar um cerco formal, usando trezentos ou quatrocentos homens para isolar a tira de terra que levava ao Portão de Baixo. Isso impediria que reforços chegassem à guarnição, e os sitiantes poderiam atacar o Portão de Baixo enquanto os navios se aproximavam do novo. Essa tática dividiria os defensores, mas eu precisaria pelo menos de um número igual de homens para atacar o portão novo, o que significava que estava querendo mil homens, digamos que vinte tripulações, e eles trariam esposas, serviçais, escravos e filhos, de modo que eu estaria alimentando pelo menos 3 mil.

— Isso tem de ser feito — falei baixinho.

— Ninguém jamais capturou Bebbanburg.

— Ida capturou.

— Ida?

— Meu ancestral. Ida, o Portador da Chama. Um dos primeiros saxões da Britânia.

— Que tipo de forte ele capturou?

Dei de ombros.

— Provavelmente um pequeno.

— Talvez nada além de uma cerca de espinhos guardada por selvagens seminus — disse Ragnar. — O melhor modo de capturar esse lugar é deixar os desgraçados morrerem de fome.

Era uma possibilidade. Um exército pequeno poderia isolar a chegada por terra e navios poderiam patrulhar as águas para impedir que qualquer suprimento chegasse ao meu tio, mas o mau tempo impeliria esses navios para longe, deixando uma oportunidade para pequenas embarcações locais chegarem à fortaleza. Demoraria pelo menos seis meses para obrigar Bebbanburg a se render por causa da fome. Seis meses alimentando um exército e convencendo dinamarqueses inquietos a ficar e lutar. Olhei para as ilhas Farnea, onde o mar espumava branco nas rochas. Gyta, minha madrasta, costumava me contar histórias sobre como são Cuthbert pregava às focas e aos papagaios do mar naquelas pedras. Ele havia morado nas ilhas como ermitão, comendo cracas e folhas de samambaias, coçando os piolhos, e por isso as ilhas eram sagradas para os cristãos, mas tinham pouca utilidade prática. Eu não poderia abrigar ali uma frota para fazer o bloqueio, porque as ilhotas espalhadas não ofereciam abrigo, nem Lindisfarena, que ficava ao norte. Essa ilha era muito maior. Eu podia ver os restos do mosteiro de lá, mas o lugar não oferecia um porto decente.

Ainda estava olhando para Lindisfarena, lembrando-me de como Ragnar, o Velho, havia trucidado os monges de lá. Eu era criança, e naquele mesmo dia ele tinha deixado que eu matasse Weland, um homem que meu tio mandara para me assassinar, e eu o retalhei com minha espada, cortando, fazendo-o sangrar até a morte, retorcendo-se em agonia. Olhei para a ilha, lembrando-me da morte de inimigos, quando Ragnar tocou meu cotovelo.

— Eles estão curiosos conosco — disse.

Cavaleiros vinham do Portão de Baixo. Contei-os, achando que seriam uns setenta, o que sugeriu que meu tio não estava procurando briga. Um homem com cem guerreiros domésticos não vai querer perder dez em alguma escaramuça sem sentido, por isso estava se igualando à nossa força, apenas com homens suficientes para impedir que qualquer lado atacasse o outro. Olhei os cavaleiros subindo o morro em nossa direção. Todos usavam malha e elmos, com escudos e armas, mas pararam a uns cem passos de distância, todos menos três, que continuaram cavalgando, mas ostensivamente deixaram de lado as espadas e os escudos antes de se separar dos companheiros. Não traziam nenhum estandarte.

— Eles querem falar — disse Ragnar.

— Aquele é meu tio?

— É.

Os três homens haviam parado os cavalos entre os dois bandos armados.

— Eu poderia matar o desgraçado agora — falei.

— E o filho dele herdaria a terra — respondeu Ragnar — e todo mundo ficaria sabendo que você matou um homem desarmado que oferecera trégua.

— Desgraçado — falei sobre Ælfric. Desafivelei minhas duas espadas e entreguei-as a Finan, depois esporeei meu cavalo emprestado. Ragnar foi comigo. Eu havia esperado que meu tio estivesse acompanhado pelos dois filhos e, se fosse assim, talvez eu ficasse tentado a matar os três, mas em vez disso seus companheiros eram dois guerreiros de aparência dura, sem dúvida seus melhores homens.

Os três esperaram perto da carcaça podre de uma ovelha. Presumo que um lobo tenha matado o animal, depois foi expulso por cães e o cadáver ficou ali, cheio de vermes, rasgado por corvos e coberto de moscas zumbindo. O vento soprou o fedor em nossa direção, provavelmente o motivo pelo qual Ælfric havia escolhido parar ali.

Meu tio parecia distinto. Era magro, de rosto estreito, com nariz alto e adunco e olhos escuros, cautelosos. O cabelo, o pouco que aparecia sob a aba do elmo, era branco. Olhou-me calmamente, sem demonstrar medo enquanto eu parava perto.

— Presumo que você seja Uhtred — cumprimentou ele.

— Uhtred de Bebbanburg — disse eu.

— Então devo lhe dar os parabéns.

— Por quê?

— Pela vitória sobre Harald. Essa notícia causou muito júbilo entre os bons cristãos.

— Então você não sentiu júbilo? — retruquei.

— *Jarl* Ragnar. — Ælfric ignorou meu pequeno insulto e assentiu sério para meu companheiro. — O senhor me honra com essa visita, mas deveria ter avisado sobre a vinda. Eu teria lhe preparado um festim.

— Só estamos exercitando os cavalos — disse Ragnar, alegre.

— Muito longe de casa — observou Ælfric.

— Não da minha — disse eu.

Os olhos escuros pararam pensativos, olhando-me.

— Você é sempre bem-vindo, Uhtred — disse meu tio. — Quando quiser voltar para casa, simplesmente venha. Acredite, ficarei feliz em vê-lo.

— Eu irei — prometi.

Houve silêncio por um momento. Meu cavalo bateu uma pata coberta de lama. As duas fileiras de guerreiros com cotas de malha nos observavam. Eu podia ouvir as gaivotas no litoral distante. Era o som da minha infância, interminável, como o mar.

— Quando era criança — disse meu tio rompendo o silêncio — você era desobediente, cabeça-dura e tolo. Parece que não mudou.

— Pergunte a Alfredo de Wessex — respondi. — Ele não seria rei sem minha cabeça-dura tola.

— Alfredo sabia como usá-lo. Você era o cachorro dele. Ele o alimentava e o prendia na guia. Mas, como um idiota, você escapou da coleira dele. Quem vai alimentá-lo agora?

— Eu — disse Ragnar, animado.

— Mas o senhor — disse Ælfric respeitosamente — não tem homens suficientes para vê-los morrer contra minhas muralhas. Uhtred terá de encontrar seus próprios homens.

— Há muitos dinamarqueses na Nortúmbria — declarou.

— E os dinamarqueses querem ouro. Você realmente acha que há ouro suficiente dentro de minhas muralhas para atrair os dinamarqueses da Nortúmbria a Bebbanburg? — Ele esboçou um sorriso. — Você terá de encontrar seu próprio ouro, Uhtred. — Ele parou, esperando que eu dissesse alguma coisa, mas fiquei quieto. Um corvo, afastado da carcaça da ovelha pela nossa presença, protestou em uma árvore nua. — Acha que sua *aglæcwif* vai levá-lo ao ouro?

Uma *aglæcwif* era uma mulher maligna, uma feiticeira, e ele estava falando de Skade.

— Não tenho nenhuma *aglæcwif* — respondi.

— Ela o tenta com as riquezas do marido — disse Ælfric.

— Tenta?

— O que mais? — perguntou ele. — Mas Skirnir sabe que ela faz isso.

— Porque você contou a ele?

Meu tio assentiu.

— Achei justo lhe mandar notícias da esposa. Uma cortesia para um vizinho do outro lado do mar. Skirnir, sem dúvida, vai recebê-lo na primavera como eu vou recebê-lo, Uhtred, caso você decida vir para casa. — Ele enfatizou a última palavra, revirando-a na língua, depois puxou as rédeas. — Não tenho mais nada a dizer. — Ele cumprimentou Ragnar com a cabeça, depois seus homens fizeram o mesmo, e os três se viraram.

— Eu vou matá-lo — gritei atrás dele — e vou matar seus filhos que cagam repolho.

Ele apenas acenou com negligência e continuou cavalgando.

Lembro-me de ter pensado que ele vencera o encontro. Ælfric tinha vindo de sua fortaleza e havia me tratado como criança. Agora cavalgava para aquele lindo lugar junto ao oceano, onde eu não podia alcançá-lo. Não me mexi.

— E agora? — perguntou Ragnar.

— Vou enforcá-lo com os intestinos do filho e mijar no cadáver.

— E como vai fazer isso?

— Preciso de ouro.

— Skirnir?

— Onde mais?

Ragnar virou seu cavalo.

— Há prata na Escócia e na Irlanda — disse ele.

— E hordas de selvagens para proteger os dois.

— Então Wessex? — sugeriu ele.

Eu não havia movido meu cavalo, e Ragnar foi obrigado a se virar de volta para mim.

— Wessex? — ecoei.

— Dizem que as igrejas de Alfredo são ricas.

— Ah, são. São tão ricas que podem se dar ao luxo de mandar prata para o papa. Elas pingam prata. Há ouro nos altares. Há dinheiro em Wessex, amigo, dinheiro demais.

Ragnar chamou seus homens e dois deles avançaram com nossas espadas. Afivelamos os cintos e não nos sentimos mais nus. Os dois homens se afastaram com seus cavalos, deixando-nos sozinhos de novo. O vento do mar trazia o cheiro de casa para diminuir o fedor da carcaça.

— Então você vai atacar no ano que vem? — perguntei ao meu amigo.

Ele pensou um momento, depois deu de ombros.

— Brida acha que fiquei gordo e feliz.

— Ficou mesmo.

Ele sorriu brevemente.

— Por que lutamos? — perguntou.

— Porque nascemos — respondi com selvageria.

— Para encontrar um local que chamemos de lar — sugeriu Ragnar. — Um lugar onde não precisemos lutar mais.

— Dunholm?

— É uma fortaleza tão segura quanto Bebbanburg, e eu a adoro.

— E Brida quer que você a deixe?

Ele assentiu.

— Ela está certa — admitiu tristonho. — Se não fizermos nada, Wessex vai se espalhar como uma peste. Haverá padres em toda parte.

Nós buscamos o futuro. Olhamos sua névoa e esperamos ver algum marco que leve o destino a fazer sentido. Durante toda a vida tentei entender o passado porque ele era muito glorioso, e vemos restos dessa glória por toda a Britânia. Vemos os grandes palácios de mármore que os romanos fizeram, viajamos por estradas que eles abriram e atravessamos pontes que eles construíram, e tudo isso está sumindo. O mármore racha com o gelo do inverno e as paredes desmoronam. Alfredo e as pessoas como ele acreditavam estar trazendo a civilização a um mundo maligno e decadente, mas tudo o que ele fez foi estabelecer regras. Regras demais, porém as leis eram apenas uma expressão de esperança, porque a realidade eram os *burhs*, as muralhas, as lanças nas fortificações, o brilho de elmos ao alvorecer, o medo de cavaleiros com cota de malha, as pancadas dos cascos e os gritos das vítimas. Alfredo sentia orgulho de suas escolas, seus mosteiros e suas igrejas ricas de prata, mas essas coisas eram protegidas por lâminas. E o que era Wessex, comparado a Roma?

É difícil ordenar os pensamentos, mas sinto, sempre senti, que deslizamos da luz para a escuridão, da glória ao caos, e talvez isso seja bom. Meus deuses nos dizem que o mundo terminará no caos, assim talvez estejamos vivendo os últimos dias e talvez até eu viva o suficiente para ver as montanhas racharem, o mar ferver e os céus queimarem enquanto os grandes deuses lutam. E diante dessa grande perdição, Alfredo construía escolas. Seus padres corriam de um lado para o outro como camundongos na palha podre, impondo suas regras como se a mera obediência pudesse impedir o fim. Não matarás, pregavam eles, depois gritavam para que nós, guerreiros, trucidássemos os pagãos. Não roubarás, pregavam, e forjavam documentos para roubar terras dos homens. Não cometerás adultério, pregavam, e fornicavam com as mulheres de outros homens como lebres enlouquecidas na primavera.

Não faz sentido. O passado é uma esteira de navio riscada num mar cinzento, mas o futuro não tem marco.

— O que você está pensando? — perguntou Ragnar, achando divertido.

— Que Brida tem razão.

— Eu devo ir a Wessex?

Assenti com a cabeça mas sabia que ele não queria ir aonde tantos haviam fracassado. Toda a minha vida, até aquele momento, fora passada, de um modo ou de outro, atacando ou defendendo Wessex. Por que Wessex? O que era Wessex para mim? Era o bastião de uma religião sombria na Britânia, um local de regras, um local saxão, e eu cultuava os deuses mais antigos, os deuses que os próprios saxões haviam cultuado antes que os missionários viessem de Roma e lhes espalhassem suas novas tolices. No entanto eu havia lutado por Wessex. Repetidamente os dinamarqueses tentaram capturar Wessex e repetidamente Uhtred de Bebbanburg ajudara os saxões ocidentais. Eu havia matado Ubba Lothbrokson junto ao mar, havia gritado na parede de escudos que partiu o grande exército de Guthrum e tinha destruído Harald. Muitos dinamarqueses haviam tentado e muitos haviam fracassado porque o destino me fizera lutar pelo lado dos padres.

— Você quer ser rei de Wessex? — perguntei a Ragnar.

Ele riu.

— Não! E você?

— Quero ser senhor de Bebbanburg.

— E eu quero ser senhor de Dunholm. — Ele fez uma pausa. — Mas...

— Mas se não os impedirmos — terminei por ele — eles virão para cá.

— Vale a pena lutar por isso — disse Ragnar, relutante — ou então nossos filhos serão cristãos.

Fiz uma careta, pensando em meus filhos na casa de Æthelflæd. Deviam estar aprendendo sobre o cristianismo. Talvez, agora, já tivessem sido batizados, e esse pensamento me provocou uma onda de raiva e culpa. Será que deveria ter ficado em Lundene e aceitado humildemente o destino que Alfredo queria para mim? Mas Alfredo já havia me humilhado uma vez, obrigando-me a me arrastar de joelhos até um dos seus altares malditos, e eu não faria isso de novo.

— Vamos a Wessex — disse eu. — Tornaremos você rei e eu o defenderei como defendi Alfredo.

— Ano que vem — respondeu Ragnar.

— Mas não vou nu — continuei asperamente. — Preciso de ouro, preciso de homens.

— Você pode liderar meus homens — sugeriu Ragnar.

— Eles fizeram juramento a você. Quero os meus. Preciso de ouro.

Ele assentiu. Entendia o que eu estava dizendo. Um homem é julgado pelos seus feitos, por sua reputação, pelo número de homens que lhe fizeram juramento. Eu era considerado um comandante guerreiro, mas enquanto liderasse apenas um punhado de homens, pessoas como meu tio poderiam se dar ao luxo de me insultar. Eu precisava de homens. Precisava de ouro.

— Então você vai fazer mesmo uma viagem de inverno até a Frísia? — perguntou Ragnar.

— Por que outro motivo os deuses me mandaram Skade? — retruquei, e naquele momento foi como se a névoa tivesse limpado e eu pudesse finalmente enxergar o caminho adiante. O destino havia me mandado Skade, ela iria me levar a Skirnir e o ouro dele permitiria que eu juntasse um exército que lutaria comigo até os *burhs* de Wessex, então eu pegaria a prata do deus cristão e iria empregá-la para forjar o exército que capturaria Bebbanburg.

Estava tudo claro demais. Até parecia fácil.

Viramos os cavalos e partimos para Dunholm.

A proa do *Seolferwulf* bateu numa onda e a água explodiu em lascas brancas que chicotearam o convés como projéteis de gelo. O mar verde se agitava por cima da proa e se derramava frio no casco.

— Tirem a água! — gritei, e os homens que não estavam trabalhando freneticamente com os remos jogavam água por cima da borda enquanto nossa proa com a cabeça de lobo empinava para o céu. — Remem! — berrei, e os remos morderam a água e o *Seolferwulf* caiu num espaço entre ondas com um estrondo que fez as tábuas tremerem. Adoro o mar.

Meus 43 homens estavam a bordo, mas eu não havia permitido que nenhuma de suas mulheres e nenhum filho nos acompanhasse, e Skade só estava a bordo porque conhecia Zegge, a ilha arenosa onde Skirnir guardava seu tesouro. Além disso eu levava 34 homens de Ragnar, todos voluntários, e juntos navegamos para o leste, para os dentes de um vento de inverno. Não era uma estação para se estar no mar. Era no inverno que os navios eram tirados da água e os homens ficavam em castelos aquecidos pelo fogo, mas Skirnir me esperaria na primavera, por isso me arrisquei a essa viagem no inverno.

— O vento está aumentando! — gritou Finan para mim.

— Ele faz isso! — gritei de volta, e fui recompensado com um olhar de escárnio. Finan nunca ficava tão feliz quanto eu no mar. Durante meses tínhamos compartilhado um banco de remadores e ele havia suportado o desconforto, mas nunca se divertia com a ameaça do mar.

— Não deveríamos dar meia-volta e fugir? — perguntou ele.

— Neste ventinho? Nunca! — gritei por cima do uivo do vento, depois me encolhi quando um tapa de água fria bateu no meu rosto. — Remem, seus desgraçados! — gritei. — Se quiserem viver, remem!

Remamos e vivemos, chegando ao litoral da Frísia numa manhã de ar frio, ventos moribundos e mar carrancudo. O tempo melhor havia livrado os navios dos portos locais e eu acompanhei um deles pelos canais intricados que levavam ao mar interior, um trecho de água rasa que fica entre as ilhas e o continente. O navio que seguíamos tinha oito remadores e uma carga escondida sob uma grande manta de couro, o que sugeria que levavam sal, farinha ou alguma outra mercadoria que precisava ser protegida da chuva. O timoneiro estava aterrorizado com nossa proximidade. Via um navio com cabeça de lobo apinhado de guerreiros e temia que estivesse para ser atacado, mas gritei dizendo que só precisávamos de orientação pelos canais. A maré estava subindo, por isso, mesmo que encalhássemos, estaríamos razoavelmente seguros, mas o cargueiro nos levou em segurança para a água mais funda, e foi ali que pela primeira vez encontramos o domínio de Skirnir.

Um navio, muito menor do que o *Seolferwulf*, estava esperando 800 metros depois do lugar onde o canal se esvaziava no mar interior. Supus que teria uma tripulação de cerca de vinte homens e evidentemente vigiava os canais, pronto para atacar qualquer embarcação, mas a visão do *Seolferwulf* o tornou cauteloso. Achei que normalmente ele teria interceptado o cargueiro que chegava, mas, em vez disso, ficou imóvel, vigiando-nos. O timoneiro do cargueiro apontou para o barco que esperava.

— Preciso pagar a ele, senhor.

— Skirnir? — perguntei.

— É um dos navios dele, senhor.

— Então pague! — disse eu. Falava em inglês porque a língua do povo Frísio é muito próxima da nossa.

— Ele vai me perguntar sobre o senhor — gritou o homem de volta, e eu entendi seu terror. O navio que esperava estaria curioso a nosso respeito e exigiria respostas do comandante do cargueiro. E se não tivesse explicações satisfatórias os homens poderiam torturá-lo para obtê-las.

— Diga que somos dinamarqueses indo para casa — respondi. — Meu nome é Lief Thorrson, e se ele quiser dinheiro deve vir me pedir.

— Ele não vai pedir, senhor — disse o homem. — Um rato não exige jantar a um lobo.

Sorri daquilo.

— Pode dizer ao rato que não queremos fazer mal, só estamos indo para casa, e simplesmente seguimos você pelo canal, nada mais. — Joguei-lhe uma moeda, certificando-me de que tivesse a legenda *Christiano Religio*, o que significava que viera da Frankia. Não queria revelar que tínhamos vindo da Britânia.

Olhei o cargueiro remar até a embarcação de Skirnir. Skade estivera no pequeno espaço sob a plataforma do leme, mas agora se juntou a mim.

— É o *Corvo do mar* — disse ela, apontando para o navio de Skirnir. — O comandante chama-se Haakon. É primo do meu marido.

— Ele vai reconhecer você?

— É claro.

— Então não deixe que ele a veja.

Ela se eriçou diante dessa ordem direta, mas não discutiu.

— Ele não virá para perto de nós — disse ela.

— Não?

— Skirnir deixa os barcos de guerreiros em paz, a não ser que ele esteja em número maior, de cinco para um.

Olhei para o *Corvo do mar*.

— Você disse que ele tem 16 navios como aquele?

— Há dois anos ele tinha 16 mais ou menos desse tamanho e dois barcos maiores.

— Isso foi há dois anos — respondi sério. Havíamos chegado ao covil de Skirnir, onde estaríamos em número tremendamente inferior, mas eu achava que mesmo assim ele se mostraria cauteloso conosco. Ficaria sabendo que havia um navio viking em suas águas e temeria que um ataque contra nós pudesse trazer outros vikings para se vingar. Será que passaria por sua mente que Uhtred de Bebbanburg poderia ter se arriscado a uma viagem no inverno? Mesmo que isso não acontecesse, ele certamente estaria curioso com relação a Lief Thorrson e não relaxaria até que essa curiosidade fosse satisfeita.

Ordenei que a cabeça de lobo fosse tirada da proa, depois virei o *Seolferwulf* em direção ao litoral do continente. O *Corvo do mar* não fez qualquer menção de nos interceptar, mas começou a nos seguir, se bem que, quando contive os remos, como se esperasse que ele pudesse nos alcançar, o outro barco se desviou para longe. Continuamos remando e ele sumiu de vista atrás de nós.

Eu queria um lugar para me esconder, mas havia movimento demais de barcos para que isso fosse possível. Aonde quer que buscássemos abrigo, alguma embarcação local iria nos ver e a informação seria passada de barco em barco até chegar a Skirnir. Se fôssemos de fato um navio dinamarquês de passagem, indo passar em casa as noites escuras de inverno, ele esperaria que saíssemos de suas águas em dois ou três dias, por isso, quanto mais demorássemos, maiores seriam as suspeitas. E aqui, nas traiçoeiras águas rasas do mar Interior, éramos o rato e Skirnir, o lobo.

Remamos para norte e leste durante todo o dia. Seguíamos lentamente. Skirnir ouviria dizer que fazíamos o que ele havia previsto, estávamos apenas de passagem, e ele esperaria que procurássemos abrigo para a noite. Encontramos esse abrigo num riacho no litoral do continente, mas o emaranhado de pântano, areia e pequenas baías não merecia ser chamado de litoral. Era um lugar de aves aquáticas, juncos e choupanas. Havia um pequeno povoado na margem sul do riacho, meramente uma dúzia de cabanas e uma pequena igreja de madeira. Tratava-se de uma comunidade de pescadores e as pessoas olhavam nervosas o *Seolferwulf*, temendo que pudéssemos chegar em terra para roubar o pouco que possuíam. Em vez disso compramos enguias e arenques com eles, pagando com prata da Frankia, e levamos um barril de cerveja de Dunholm para o povoado.

Levei seis homens comigo, deixando o resto no *Seolferwulf*. Todos os homens que levei eram dinamarqueses de Ragnar e alardeamos um bem-sucedido cruzeiro de verão nas terras longínquas, ao sul.

— Nosso navio tem a barriga cheia de ouro e prata — grasnei, e os aldeões simplesmente nos encararam, tentando imaginar a vida de homens que navegavam para roubar tesouros em litorais distantes. Deixei a conversa solta pela cerveja se voltar para Skirnir, mas fiquei sabendo de pouca coisa. Ele tinha homens, navios, família e governava o mar Interior. Evidentemente não era idiota. Deixava navios de guerreiros como o *Seolferwulf* passarem sem ser molestados, mas qualquer outra embarcação precisava pagar para usar os canais seguros dentro das ilhas, onde ele tinha seu covil. Se um comandante não pudesse pagar, ele tomava sua carga, seu navio e provavelmente sua vida.

— Por isso todos pagam — disse um homem, mal-humorado.

— A quem Skirnir paga? — perguntei.

— Senhor? — perguntou ele, sem entender.

— Quem permite que ele fique aqui? — perguntei, mas eles não sabiam a resposta. — Deve haver um senhor nesta terra — expliquei, indicando a escuridão para além da fogueira, mas se havia um senhor que permitisse a Skirnir governar o mar, esses aldeões não sabiam nada sobre ele. Nem mesmo o padre do povoado, um sujeito tão peludo e coberto de sujeira como seus paroquianos, sabia se existia um senhor dos pântanos. — Então o que Skirnir quer de vocês? — perguntei a ele.

— Nós lhe damos comida, senhor — respondeu o padre.

— E homens — acrescentou um dos aldeões.

— Homens?

— Os rapazes vão para ele, senhor. Servem nos navios dele.

— Eles vão de boa vontade?

— Ele paga com prata — disse um aldeão, relutante.

— Ele leva garotas também — disse o padre.

— Então ele paga seus homens com prata e mulheres?

— Sim, senhor.

Eles não sabiam quantos navios Skirnir possuía, mas o padre tinha certeza de que apenas dois eram do tamanho do *Seolferwulf*. Ouvimos as mesmas coisas na noite seguinte quando paramos num povoado em outro rio naquele litoral sem árvores. Tínhamos remado o dia inteiro, com o continente à direita e as ilhas a norte e oeste. Skade havia apontado para Zegge, mas, da distância em que estávamos, o lugar parecia pouco diferente de qualquer outra ilha. Muitas tinham montes, os *terpen*, mas estávamos tão longe que não podíamos ver detalhes. Às vezes apenas a forma escura e tremeluzente de um *terpen* à beira do mar traía a existência de uma ilha logo além do horizonte.

— E o que vamos fazer? — perguntou Finan naquela noite.

— Não sei — admiti.

Ele riu. A água batia no casco do *Seolferwulf*. Dormimos a bordo e a maior parte da tripulação já havia se enrolado em capas e se acomodado entre os bancos enquanto Skade, Finan, Osferth e Rollo, o líder dos homens de Ragnar, conversavam comigo na plataforma do leme.

— Skirnir tem cerca de quatrocentos homens — disse eu.

— Talvez 450 — corrigiu Skade.

— Então cada um de nós mata seis homens — disse Rollo. Ele era um sujeito fácil de lidar, como Ragnar, com um rosto redondo e inocente, mas isso era enganador porque, mesmo sendo jovem, já ganhara a reputação de lutador formidável. Era chamado de Rollo, o Cabeludo, não só porque usava o cabelo louro comprido até a cintura, mas porque havia trançado o cabelo cortado de seus inimigos mortos para fazer um grosso cinturão de espada.

— Eu gostaria que os saxões usassem cabelos mais compridos — havia resmungado comigo enquanto atravessávamos o oceano.

— Se usassem — eu havia retrucado — você teria dez cinturões.

— Já tenho sete — dissera ele, e riu.

— Quantos homens ficam em Zegge? — perguntei agora a Skade.

— Não mais que cem.

Osferth cuspiu uma espinha de peixe.

— Está pensando em atacar Zegge diretamente, senhor?

— Não vai dar certo — respondi. — Não vamos achar o caminho através dos baixios. — Uma coisa que eu ficara sabendo com os aldeões era que Zegge era rodeada por águas rasas, que os canais mudavam com a areia e a maré e que nenhuma passagem era marcada.

— E então? — perguntou Osferth.

Uma estrela caiu. Fez uma risca de luz na escuridão e desapareceu, e com sua queda a resposta me veio. Eu estivera pensando que iria atacar os navios de Skirnir um a um, destruindo os pequenos e com isso enfraquecendo-o, mas dentro de um ou dois dias ele perceberia o que estava acontecendo e usaria seus navios maiores para nos destruir. Não havia um modo seguro de atacar Skirnir. Ele encontrara um refúgio perfeito nas ilhas e eu precisaria de dez navios como o *Seolferwulf* para desafiá-lo naquele lugar.

Por isso tinha de atraí-lo para fora de seu refúgio perfeito. Sorri.

— Você vai me trair — anunciei a Osferth.

— Vou?

— Quem é seu pai?

— O senhor sabe quem é meu pai — disse ele, ressentido. Osferth jamais gostava de ser lembrado que era o bastardo de Alfredo.

— Seu pai está velho — disse eu — e o herdeiro escolhido por ele mal foi desmamado, e você é um guerreiro. Você quer ouro.

— Quero?

— Você quer ouro para juntar homens, porque quer ser rei de Wessex.

Osferth fungou.

— Não quero — disse ele.

— Agora quer, porque você é o filho bastardo de um rei e tem reputação de guerreiro. E amanhã vai me trair.

Contei-lhe como.

Nenhuma coisa grandiosa é feita sem risco, mas há ocasiões em que olho para aqueles dias e fico espantado com o risco que corremos na Frísia. Mal comparando, foi como atrair Harald para Fearnhamme, porque de novo dividi minhas forças e de novo arrisquei tudo com a suposição de que meu inimigo faria exatamente o que eu desejava. E de novo a isca foi Skade.

Ela era linda demais. Era uma beldade sinuosa e morena. Olhá-la era desejá-la, conhecê-la era desconfiar dela, mas a desconfiança era sempre dominada por aquela beleza extraordinária. Seu rosto tinha malares altos, pele lisa, olhos grandes e boca carnuda. O cabelo preto era lustroso, o rosto lânguido. Claro que muitas garotas são lindas, mas a vida é dura para as mulheres. O parto devasta seu corpo como tempestades, e o trabalho interminável de socar grãos e fiar exige um preço alto dessa beleza inicial. No entanto, mesmo tendo vivido mais de vinte anos, Skade mantivera sua beleza viçosa. Ela também sabia, e isso lhe importava, porque a transportara da casa pobre de um viúvo para as mesas elevadas de salões com altas traves de teto e hidromel. Ela gostava de dizer que fora vendida a Skirnir, mas na verdade ela o havia recebido bem, depois ficara desapontada com ele porque, apesar de todo o tesouro que Skirnir juntara, ele não tinha ambições para além das ilhas frísias. Havia encontrado um terreno farto para a pirataria e, para Skirnir, não fazia sentido navegar até longe para procurar um lugar mais farto. Assim Skade conhecera Harald, que lhe prometera Wessex, e agora havia me conhecido.

— Ela está usando você — dissera-me Brida em Dunholm.

— Eu estou usando-a — respondi.

— Há uma dúzia de prostitutas aqui que seriam bem mais baratas — retrucara Brida cheia de escárnio.

Assim Skade estava me usando, mas para quê? Estava exigindo metade do tesouro do marido, mas o que faria com ele? Quando perguntei, ela deu de ombros, como se a pergunta não fosse importante, mas naquela noite, bem tarde, antes da falsa traição de Osferth, ela falou comigo. Por que eu queria o dinheiro do marido dela?

— Você sabe.

— Para retomar sua fortaleza?

— É.

Ela ficou quieta por um tempo. A água fazia seu barulho baixo ao longo do casco do *Seolferwulf*. Eu podia ouvir os roncos dos meus homens, os pés das sentinelas na proa e acima de nossa cabeça na plataforma do leme.

— E depois? — perguntou ela.

— Serei o senhor de Bebbanburg.

— Assim como Skirnir é senhor de Zegge?

— Houve um tempo em que o senhor de Bebbanburg governava até longe, no norte, e até o Humbre, no sul.

— Eles governavam a Nortúmbria?

— É.

Eu estava enfeitiçado por ela. Meus ancestrais jamais haviam governado a Nortúmbria, meramente a parte norte daquele reino, quando era dividido entre dois tronos, mas eu estava colocando tributos imaginários aos pés dela. Estendia a perspectiva de ser rainha, porque era isso que Skade queria. Ela queria governar, e para isso precisava de um homem que pudesse comandar guerreiros, e por enquanto acreditava que eu era esse homem.

— Guthred governa a Nortúmbria agora? — perguntou ela.

— E está louco. E doente.

— E quando ele morrer?

— Outro homem será rei.

Ela deslizou a coxa comprida ao longo da minha, passou a mão pelo meu peito e beijou meu ombro.

— Quem? — perguntou.

— Quem for mais forte.

Ela me beijou de novo, depois ficou parada, sonhando. E eu sonhei com Bebbanburg, com seus salões varridos pelo vento, seus pequenos campos e seu povo duro, austero. E pensei no risco que deveríamos correr ao amanhecer.

Mais cedo, naquela noite, sob a cobertura da escuridão, tínhamos enchido um pequeno barco com cotas de malha, armas, elmos e meu baú com reforço de ferro. Tínhamos levado essa carga preciosa para o lado norte do riacho, que era desabitado, e a escondemos no meio de juncos. Dois homens ficaram para guardá-la, e suas ordens eram para ficar escondidos.

De manhã, enquanto os pescadores vadeavam até seus barcos amarrados, começamos a discussão. Gritamos, berramos insultos, e então, enquanto os aldeões paravam suas tarefas para olhar o *Seolferwulf*, começamos a lutar. Espadas se chocaram, houve o som oco de aço em madeira de escudo, gritos de homens feridos, embora ninguém tenha se machucado de verdade. Alguns dos meus homens estavam rindo do fingimento, mas da margem do riacho tudo aquilo pareceria real, e lentamente uma parte da tripulação foi impelida para a popa do *Seolferwulf*, onde começou a pular para a segurança. Eu fui um deles. Não usava cota de malha e a única arma que tinha era Ferrão de Vespa, e segurei-a firme enquanto saltava. Skade pulou comigo. Nosso navio estava ancorado no lado sul do riacho, longe da água mais funda no centro do canal, e nenhum de nós precisou nadar. Agitei-me por um instante, depois meus pés encontraram o fundo lamacento, agarrei Skade e a arrastei para o povoado. Os homens que permaneceram no *Seolferwulf* zombaram de nós e Osferth atirou uma lança que chegou perigosamente perto de mim.

— Morra! — gritou Osferth.

— E leve sua puta junto! — acrescentou Finan. Outra lança bateu no riacho espirrando água, e eu peguei-a enquanto lutávamos subindo a praia inclinada.

Éramos 32, pouco menos de metade da tripulação, enquanto o resto havia ficado a bordo do *Seolferwulf*. Chegamos em terra encharcados, nenhum usando cota de malha e alguns até mesmo sem arma. Os aldeões nos olhavam boquiabertos. Os pescadores haviam parado para olhar a luta, mas agora alguns iam para o mar, não antes que eu me certificasse de que tivessem dado uma boa olhada em Skade. Ela usava uma fina veste de linho que se grudou molhada em seu corpo trêmulo, e tinha ouro no pescoço e nos pulsos. Os aldeões podiam não tê-la reconhecido, mas iriam se lembrar dela.

Dois barcos de pesca ainda estavam presos às amarras e eu vadeei até um e subi a bordo. Na praia, meu pequeno bando se reunia em volta de uma fogueira de defumar arenques, para se secar. Eu estava com Rollo e dez de seus homens; o restante eram meus guerreiros.

Olhamos os homens de Osferth levantarem a âncora de pedra, depois levarem o *Seolferwulf* para fora do riacho. O navio tinha dez remos de cada lado e seguia lentamente. Senti um momento de alarme quando ele virou para nordeste e seu casco claro foi oculto pelas dunas. Um navio é uma espécie de fortaleza, e eu o havia abandonado. Toquei o martelo de Tor num pedido silencioso para que os deuses nos protegessem.

Eu estava certo de que Skirnir ficaria sabendo da briga. Ficaria sabendo que o *Seolferwulf* tinha apenas metade da tripulação e ouviria falar da jovem alta, de cabelos negros e cheia de ouro. Saberia que tínhamos sido abandonados sem cotas de malha e sem armas. Assim eu havia lançado a isca. Tinha jogado a carne crua e agora esperava que o lobo entrasse na armadilha.

Usamos o barco de pesca para atravessar o riacho e fizemos na praia uma fogueira com madeira trazida pelo mar. Ficamos ali o dia todo, como homens que não tivessem um plano. Começou a chover no fim da manhã, e depois de um tempo a chuva ficou mais forte, despencando de um céu baixo e cinza. Colocamos mais lenha no fogo, cujas chamas lutavam contra o aguaceiro que nos escondia enquanto trazíamos de volta as armas e as malhas que tínhamos escondido na noite anterior. Agora eu tinha 34 homens e mandei dois para explorar a parte mais alta do riacho. Os dois haviam sido criados às margens do Temes, onde ele se alarga indo para o mar, e o litoral de lá não é muito diferente de onde estávamos abandonados. Os dois sabiam nadar, ambos estavam à vontade nos pântanos, eu lhes disse o que queria e eles partiram. Voltaram no fim da tarde, no momento em que a chuva começava a ficar mais fraca.

No início da noite, quando os barcos de pesca retornaram com a maré montante, levei seis homens para o outro lado do riacho e usei um punhado de lascas de prata para comprar peixe. Todos tínhamos espadas e os aldeões nos trataram com respeito cauteloso.

— O que fica naquela direção? — perguntei a eles, apontando o riacho acima.

Eles sabiam que havia um mosteiro no interior, mas era distante, e só três dos homens já tinham visto aquele lugar.

— É um dia inteiro de viagem — disseram com espanto reverente.

— Bom, eu não posso ir para o mar — disse eu — ou Skirnir vai nos pegar.

Eles não disseram nada. A simples menção a Skirnir era de dar medo.

— Ouvi dizer que ele é um homem rico — observei.

Um dos velhos fez o sinal da cruz. Eu tinha visto ídolos de madeira no povoado, mas o povo também sabia sobre o cristianismo, e seu gesto rápido me disse que eu o havia amedrontado.

— O tesouro dele, senhor — disse-me o homem em voz baixa —, fica num grande monte, guardado por um dragão enorme.

— Um dragão?

— Um dragão de fogo, senhor, com asas pretas para sombrear a Lua. — Ele fez o sinal da cruz outra vez; então, para ter certeza, tirou um amuleto de martelo de baixo da camisa imunda e beijou-o.

Levamos a comida de volta para o nosso lado do riacho e então, com o resto da maré montante, remamos o barco de pesca para o interior. Ele estava apinhado e seguia baixo, na água. Os aldeões olharam até desaparecermos, e continuamos remando, deslizando entre leitos de juncos e bancos de areia até chegarmos ao lugar que meus dois batedores haviam escolhido. Eles tinham feito bem. O lugar era exatamente o que eu esperava: uma ilha de dunas isoladas num emaranhado de água, acessível apenas em dois lugares.

Encalhamos o barco e acendemos outra fogueira. O dia estava terminando. As nuvens escuras haviam sido sopradas para o oeste, de modo que o mar de Skirnir estava em sombras profundas, ao passo que a leste a terra reluzia sob o sol agonizante. Eu podia ver a fumaça de três povoados e, longe no horizonte, alguns morros baixos onde o emaranhado de pântanos e areia terminava e a terra mais alta começava. Presumi que o mosteiro ficasse naqueles morros, mas era longe demais para ser visto. Então o sol deslizou para baixo das nuvens de chuva e tudo ficou em sombras, mas um chamado de Rollo me fez virar e ver navios se aproximando do litoral no resto de luz do dia. Dois navios grandes vieram primeiro. Vinham da direção das ilhas, e então apareceu um terceiro navio, mais claro do que os dois primeiros e navegando muito mais lentamente porque tinha menos remadores.

O *Seolferwulf* era o último dos três navios, ao passo que o par mais escuro pertencia a Skirnir.

O lobo viera pegar sua cadela.

Nove

Eu dissera a Finan para se fingir de louco, coisa que ele sabia fazer bem. Não louco como se fosse tocado pela lua, mas perigosamente louco, como se uma palavra errada pudesse lançá-lo numa fúria assassina. Finan — se você não o conhecesse bem — era de dar medo. Era pequeno e musculoso, com a força retesada numa estrutura magra, ao passo que o rosto era todo ossos e cicatrizes. Olhar para Finan era ver um homem que havia suportado batalhas, escravidão e dificuldades enormes, um homem que poderia não ter nada a perder, e eu contava com isso para que Skirnir tratasse a tripulação do *Seolferwulf* com cautela. Havia muito pouco para impedir que Skirnir tomasse o *Seolferwulf* e trucidasse seus homens, a não ser a possibilidade de perder seus próprios homens durante a captura. Certo, ele não perderia muitos, mas até mesmo vinte ou trinta baixas iriam feri-lo. Além disso, Osferth e Finan lhe traziam um presente e, pelo que Skirnir sabia, eles estavam prontos para ajudar a entregar o presente. Eu não duvidava de que Skirnir quisesse tomar o *Seolferwulf*, mas achava que ele esperaria até obter Skade e minha morte antes de fazer essa tentativa. Por isso disse a Finan para amedrontá-lo.

Assim que deixaram o riacho, Osferth e Finan levaram o *Seolferwulf* litoral acima e, como se não soubessem o que fazer, remaram até o centro do mar Interior e ali deixaram o navio à deriva nas ondas pequenas.

— Vimos os barcos de pesca disputando corrida na água — disse-me Finan mais tarde — e soube que estavam indo para Zegge.

Skirnir, claro, ouvira falar da luta no riacho e que agora o navio viking estava balançando sem objetivo, e a curiosidade o fez mandar um dos seus maiores navios para investigar, mas não foi pessoalmente. Seu irmão mais novo falou com Osferth e Finan e ouviu como eles haviam se amotinado contra Uhtred de Bebbanburg e também soube que Uhtred estava com Skade, e que agora Uhtred, Skade e um pequeno grupo de homens se encontravam perdidos no emaranhado de ilhas e riachos.

— Deixei o irmão subir a bordo — disse-me Finan mais tarde — e mostrei o monte de cotas de malha e armas. Disse que eram todas nossas.

— Então ele pensou que estávamos desarmados?

— Eu disse que você tinha uma espada pequena, mas só uma bem pequena. — Grageld, o irmão de Skirnir, não contou as malhas amontoadas, nem mesmo o monte de espadas, lanças e machados. Se tivesse feito isso poderia suspeitar das mentiras de Finan, porque só havia cotas de malha e armas suficientes para equipar a pequena tripulação de Finan. Em vez disso simplesmente acreditou no que o irlandês lhe disse. — Então — prosseguiu Finan — nós tecemos nossa história.

Essa história começou com verdade. Finan contou a Grageld que tínhamos navegado às ilhas frísias numa tentativa de roubar Skirnir, mas então ele enfeitou a verdade com fantasia.

— Eu disse que ficamos sabendo que o ouro era bem guardado demais, por isso insistimos que você vendesse Skade de volta ao marido. Mas o senhor não concordou. Confessei que todos nós odiávamos a cadela, e ele disse que estávamos certos em odiá-la.

— Grageld não gostava dela?

— Nenhum deles gostava dela, senhor, mas Skirnir era fascinado por ela. O irmão achava que ela havia lançado um feitiço sobre Skirnir.

Finan me contou sua história no salão de Skirnir, e me lembro de ter olhado para Skade à luz do grande fogo que ardia na lareira central. Ela era uma *aglæcwif*, pensei, uma bruxa. Anos atrás o padre Beocca me contou uma história dos tempos antigos, dos dias distantes em que os homens construíam com mármore lustroso, os dias antes de o mundo ficar escuro e sujo. Pela primeira vez não era uma história sobre Deus ou seus profetas, mas sobre uma rainha que fugiu do marido porque se apaixonou por outro homem. O marido levou uma grande frota de navios para pegá-la de volta e no fim uma cidade inteira foi queimada e todos os seus homens foram mortos, tudo por causa daquela *aglæcwif* morta havia muito tempo. Os poetas dizem que lutamos pela glória, pelo ouro, pela reputação e por nossos lares, mas na minha vida lutei com igual frequência por uma mulher. Elas têm poder. Frequentemente ouvi Ælswith, a azeda mulher de Alfredo, ressentida porque Wessex jamais concedia o título de rainha, reclamar que este era um mundo de homens. Pode ser, mas as mulheres têm poder sobre os homens. É por mulheres que as grandes frotas cruzam os mares salgados, e é por mulheres que os orgulhosos castelos queimam, e é por mulheres que os guerreiros são enterrados.

— Bom, claro que Grageld queria que nós fôssemos até Skirnir — disse Finan —, mas nos recusamos. Ele perguntou o que queríamos, e dissemos que tínhamos vindo pela recompensa, porque queríamos fazer Osferth rei e para isso precisávamos de prata.

— Ele acreditou?

— Você precisa de motivo para querer prata? — perguntou Finan, e deu de ombros. — Ele acreditou em nós, senhor, e Osferth foi convincente.

— Quando contei a história — interveio Osferth, maroto — eu mesmo acreditei.

Ri daquilo.

— Quer ser rei, Osferth?

Ele sorriu, e quando sorriu ficou tão parecido com o pai que foi impressionante.

— Não, senhor — disse gentilmente.

— E não tenho certeza de que Grageld soubesse quem Alfredo era — continuou Finan. — Ele conhecia o nome e conhecia as moedas de Alfredo, claro, mas parecia achar que Wessex ficava muito mais longe. Por isso eu disse que era um país onde a prata crescia nas árvores de freixo, que o rei de lá estava velho e cansado e que Osferth seria o novo rei e seria amigo de Skirnir.

— Ele acreditou em tudo isso?

— Deve ter acreditado! O irmão quis que fôssemos até Zegge, mas eu disse que não. Não iria levar o *Seolferwulf* através daqueles canais, senhor, para que ele ficasse preso lá dentro, por isso esperamos do lado de fora e Skirnir veio no segundo navio. Eles colocaram as duas embarcações dos dois lados de nós e eu pude ver que estavam pensando em nos capturar.

O que eu havia temido. Imaginei o *Seolferwulf* com sua tripulação encolhida flanqueado pelos dois navios longos de Skirnir apinhados de homens.

— Mas tínhamos pensado nisso — disse Finan, animado — e tínhamos pendurado a âncora de pedra na verga da vela. — Nossas âncoras de pedra são enormes rodas do tamanho de pedras de moinho, com um buraco escavado no centro, e Finan havia içado a âncora do *Seolferwulf* usando a verga da vela como suporte, e a mensagem daquela pedra ali era bastante clara. Se algum navio de Skirnir atacasse, a pedra seria balançada contra aquele navio, a corda que a prendia seria cortada por um machado e a pedra cairia despedaçando o casco do navio atacante. Skirnir ganharia um navio e perderia outro, e assim, sensatamente, ele afastou seus navios e fingiu que nem havia pensado em capturar o *Seolferwulf*.

— A âncora foi uma boa ideia — disse eu.

— Ah, foi Osferth quem pensou nisso, senhor — admitiu Finan —, e estávamos com a coisa preparada antes mesmo de eles virem para perto de nós.

— E Skirnir acreditou na sua história?

— Ele quis acreditar, senhor, por isso acreditou! Ele queria Skade, senhor. Não via nada além de Skade. Dava para perceber isso nos olhos dele.

— E então vocês navegaram para capturá-la.

— Isso mesmo, senhor — disse Finan com um sorriso.

Os três navios chegaram ao riacho enquanto o dia e a maré se esvaíam. Eu sabia que Skirnir só viria quando a maré da manhã tivesse tornado mais funda a água do riacho, mas mesmo assim pus sentinelas. Nada as incomodou. Dormimos, mas pareceu que não tínhamos dormido. Lembro-me de ficar deitado desperto, pensando que nunca dormiria, mas mesmo assim os sonhos vieram. Vi Gisela sorrindo, depois tive um sonho que me acordou, com homens com escudos e lanças voando de suas mãos. Fiquei deitado um momento na areia, olhando as estrelas, depois me levantei, espreguiçando-me para afastar o enrijecimento dos braços e pernas.

— Quantos homens ele tem, senhor? — perguntou Cerdic. Ele estava reanimando o fogo, e a madeira trazida pelo mar queimava com intensidade. Cerdic não carecia de coragem, mas à noite fora assombrado pela lembrança daqueles grandes navios chegando ao litoral.

— Ele tem duas tripulações — respondi. Vi que eu fora o último a acordar, e agora os homens se aproximaram da fogueira para me ouvir. — Duas tripulações, por isso tem pelo menos cem homens, talvez 150.

— Jesus — disse Cerdic baixinho, tocando a cruz que usava.

— Mas eles são piratas — disse Rollo, alto.

— Conte a eles — ordenei, satisfeito porque o homem de Ragnar entendia o que enfrentaríamos.

Rollo se levantou à luz das chamas.

— Os homens de Skirnir são como cães selvagens — disse ele — e caçam o que é fraco, jamais o que é forte. Não lutam em terra e não conhecem a parede de escudos. Nós conhecemos.

— Ele se chama de Lobo do Mar — disse eu —, mas Rollo está certo. Ele é um cão, não um lobo. Nós somos os lobos! Enfrentamos os melhores guerreiros da Dinamarca e da Britânia e mandamos todos para a sepultura! Somos homens da parede de escudos, e antes que o sol suba até o ponto máximo Skirnir estará na sepultura!

Não que víssemos qualquer sol, porque o dia se nublou com o alvorecer cinzento. As nuvens corriam rápidas e baixas na direção do mar, amortalhando os pântanos. A água subia com a maré, inundando as margens da terra onde havíamos nos refugiado. Subi ao topo da duna de onde olhei os três navios subindo lentamente o riacho. Skirnir estava navegando a maré montante, remando até que seu navio com cabeça de monstro encalhasse, depois esperando que mais água o carregasse mais algumas remadas adiante. Seus dois navios vinham à frente e o *Seolferwulf* os seguia, e ri daquilo. Skirnir, confiante em seu número de homens e cego pela perspectiva de recuperar Skade, não pensou sequer por um momento que tinha inimigos atrás dele.

E o que Skirnir via? Estava na proa do navio da frente e só viu cinco homens parados na duna, e nenhum dos cinco usava cota de malha. Pensou que viera capturar um bando de fugitivos enlameados, por isso sentia-se confiante e, à medida que ele se aproximava, chamei Skade para ficar perto de mim.

— Se ele capturasse você, o que faria? — perguntei.

— Iria me humilhar, me envergonhar e depois me matar.

— E isso vale prata para ele? — perguntei, pensando na recompensa que Skirnir oferecera pela devolução de Skade.

— O orgulho é caro.

— Por que ele não manteria você simplesmente como escrava?

— Por causa desse orgulho. Uma vez ele mandou matar uma escrava porque ela o traiu. Ele a deu primeiro aos seus homens, deixou que desfrutassem dela, depois amarrou-a a uma estaca e esfolou-a viva. Fez com que a mãe dela ouvisse os gritos enquanto ela morria.

Lembrei-me de Edwulf, esfolado vivo em sua igreja, mas não falei nada enquanto olhava o navio de Skirnir chegar mais perto ainda. O riacho ficou estreito demais para permitir que suas fileiras de remos mergulhassem na água, de modo que agora o navio era empurrado com os cabos dos remos. A maré subia lentamente. À medida que se aproximava do ponto mais alto iria subir mais depressa, e então Skirnir saberia que tinha ficado sem água, mas o riacho, apesar de estreito, estava mostrando que possuía profundidade mais do que suficiente para os navios.

— É hora de nos vestirmos — disse eu.

Fui até o outro lado da duna, agora escondido de Skirnir, e Oswi, meu serviçal, me ajudou a vestir a malha. O forro de couro fedia nas narinas quando passei-a pela cabeça, mas era bom ter aquele peso familiar nos ombros. Oswi pôs o cinturão das espadas na minha cintura e o afivelou.

— Fique atrás de mim — disse eu.

— Sim, senhor.

— Se tudo der errado, garoto — disse eu —, corra como uma lebre. Vá para o interior, encontre o mosteiro e peça abrigo.

— Sim, senhor.

— Mas não vai dar errado.

— Sei que não vai, senhor — disse ele intrepidamente. Tinha 11 anos, era um órfão que fora encontrado procurando algo para comer na lama sob o terraço da minha casa em Lundene. Um dos meus homens o acusou de roubo e o trouxe para que eu ordenasse um açoitamento, mas gostei do fogo nos olhos do menino, por isso tornei-o meu serviçal e agora estava ensinando o uso da espada. Um dia, como meu serviçal anterior, Sihtric, Oswi se tornaria um guerreiro.

Fui até a beira da duna e vi que o navio de Skirnir estava passando por nossa embarcação encalhada e abandonada. Ele estava suficientemente perto para gritar insultos, e berrava para Skade, agora sozinha no topo da duna. Chamava-a de prostituta, de cagalhão do diabo e prometia que ela iria gritar a caminho do inferno.

— É hora de nos mostrarmos — disse eu a Rollo, em seguida peguei meu escudo de tília que tinha a cabeça de lobo de Bebbanburg pintada ao redor da bossa de ferro.

Rollo carregava um machado de guerra e beijou a lâmina larga.

— Logo vou dar comida a você, querida — prometeu ao machado.

— Eles estão perto! — gritou Skade de cima da duna.

A ilha que havíamos escolhido tinha a forma de lua crescente, com a duna formando a barriga alta da lua. Os chifres do crescente tocavam o riacho, e aninhada em sua barriga ficava uma área pantanosa. Assim a duna podia ser abordada a partir de cada chifre, ao passo que o pântano, com cerca de cem passos de largura e cinquenta passos no ponto mais fundo, era um obstáculo. Homens poderiam atravessar aquele pântano, mas seria um trabalho vagaroso. O chifre mais perto do mar era o mais largo dos dois, um caminho natural que levava à ilha arenosa, mas dez homens poderiam barrá-lo com facilidade, e eu comandava vinte, deixando o resto sob o comando de Rollo. A tarefa deles era proteger o chifre mais distante, mas eles não deveriam se mostrar até que Skirnir mandasse homens usar aquele segundo caminho.

E o que Skirnir viu? Viu uma parede de escudos. Viu homens com elmos e malha, homens com armas brilhantes, homens que não eram os fugitivos desesperados que ele imaginara, e sim guerreiros vestidos para a batalha, e deve ter sabido que Finan e Osferth lhe haviam mentido, mas deve ter pensado que era uma mentira pequena, uma mentira sobre armas e malha, e suas esperanças desesperadas de recuperar Skade ainda o convenciam a acreditar na mentira maior. Talvez pensasse que eles simplesmente haviam se enganado. E continuava confiante, porque éramos muito poucos e ele tinha tantos, mas a visão de uma parede de escudos o fez hesitar.

Quando aparecemos, o timoneiro de Skirnir estava virando o nariz do navio que vinha na frente para a margem, e Skirnir levantou imediatamente a mão para parar os homens que empurravam o barco com os remos longos. Skirnir havia pensado que teria pouca coisa a fazer naquela manhã nublada, simplesmente partir para a terra e capturar um pequeno grupo de homens desanimados, mas nossos escudos, nossas armas e a parede bem fechada o fizeram reconsiderar. Vi-o se virar e gritar para os homens que empurravam o navio. Apontou riacho acima e ficou óbvio que queria que o navio fosse levado até o chifre mais distante, para poder nos cercar. Mas então, para minha surpresa, ele saltou da proa. Ele e 15 homens saltaram no riacho e vadearam para a terra enquanto o navio continuava sendo empurrado. Skirnir e seu pequeno grupo estavam agora a uns cinquenta passos, mas seriam rapidamente reforçados pela tripulação de seu segundo navio, que se aproximava depressa. Fiquei onde estava.

Skirnir não olhou para trás, para ver o *Seolferwulf*, e ficaria alarmado se olhasse? Era o último dos três navios e sua proa estava cheia de homens com malha e elmos. Pude ver o escudo preto de Finan.

— Uhtred? — gritou Skirnir.

— Eu sou Uhtred.

— Dê-me a prostituta! — gritou ele. Era um homem pesado, com rosto chato como um linguado, olhos pequenos e barba preta e comprida que cobria parcialmente a cota de malha. — Entregue-me e eu vou embora! Você pode continuar com sua vida miserável. Só me dê a prostituta!

— Eu não acabei com ela! — gritei. Olhei à esquerda e vi que o navio de Skirnir havia quase chegado ao segundo caminho. Aquela tripulação começaria a desembarcar a qualquer momento. Enquanto isso seu segundo navio tinha encalhado logo atrás de Skirnir e a tripulação pulava pelo costado. Não havia espaço suficiente na pequena praia para mais de trinta deles, por isso o resto, talvez outros trinta homens, esperou no navio. O *Seolferwulf* se esgueirou mais perto.

— Oswi? — falei baixinho.

— Senhor?

— Chame Rollo agora.

Senti a exultação da vitória. Eu tinha setenta homens, incluindo os que estavam no *Seolferwulf*, e Skirnir havia feito o que eu queria — tinha dividido suas forças. Sessenta ou setenta de seus homens estavam nos encarando no primeiro caminho, alguns ainda a bordo do navio, enquanto os outros haviam ido para o outro local de desembarque. Ainda que pudessem nos atacar por trás assim que estivessem em terra, até lá eu esperava ser o dono da ilha. Ouvi o *Seolferwulf* bater com a proa no barco encalhado, então dei a ordem:

— Avante!

Fomos como guerreiros, confiantes e disciplinados. Poderíamos ter feito uma carga como em Fearnhamme, mas eu queria que o medo provocasse sua podridão maligna nos homens de Skirnir, por isso seguimos lentamente, os escudos de nossa primeira fila se sobrepondo, enquanto os homens de trás batiam as espadas contra seus escudos no ritmo dos nossos passos.

— Matem a ralé! — gritei, e meus homens repetiram o grito:

— Matem a ralé, matem a ralé!

Fomos passo a passo, lentos e inexoráveis, e as lâminas entre nossos escudos prometiam a morte.

Tínhamos a largura de apenas oito homens, mas, à medida que o caminho se alargava, Rollo trouxe seus homens para a nossa direita. A maioria da primeira fila carregava lanças, e eu tinha Bafo de Serpente. Não era a melhor espada para o trabalho apertado da luta na parede de escudos, mas eu achava que os homens de Skirnir não aguentariam muito tempo porque não estavam acostumados àquele tipo de combate. Sua habilidade era o ataque rápido a um barco quase indefeso, a matança louca de homens amedrontados, mas agora encaravam guerreiros de espada e lança, e atrás deles estava Finan. E então Finan atacou.

Deixou apenas dois meninos no *Seolferwulf*. A maré continuava subindo, por isso a corrente mantinha o *Seolferwulf* encostado no segundo navio de Skirnir, que tinha um crânio espetado na proa. Finan levou homens por cima da proa do navio, passando entre os bancos dos remadores, e eles estavam soltando um grito agudo de matança, e talvez por um momento, apenas por um momento, Skirnir tenha acreditado que eles vinham ajudá-lo. Mas então Finan começou o massacre.

E nós atacamos nesse mesmo instante.

— Agora! — gritei, e minha parede de escudos saltou à frente, lanças procurando inimigos, lâminas se cravando em carne, e enfiei Bafo de Serpente por baixo de um escudo frísio, torci sua lâmina comprida na barriga mole do sujeito.

— Matem! — berrei, e Finan ecoou o grito.

Pontas de lanças se enterravam em carne frísia. Homens largavam os compridos cabos de freixo das lanças e desembainhavam espadas ou pegavam machados com os homens de trás. Os homens de Skirnir não haviam debandado porque não podiam debandar. Estavam confinados num espaço pequeno e meu ataque os empurrou para trás, contra a proa de seu navio escuro, ao passo que o ataque de Finan contra o navio impeliu o resto da tripulação para a plataforma da proa. Nós empurramos, sem lhes dar espaço para lutar, e fizemos o trabalho feio da luta com escudos. Cerdic estava à minha direita e usou a lâmina do machado como um gancho para puxar para baixo a borda do escudo do homem à sua frente. Assim que o escudo baixou eu cravei Bafo-de-serpente na garganta do inimigo, e Cerdic mandou a lâmina do machado contra o rosto do sujeito, esmagando-o, depois estendeu a arma para puxar outro escudo para baixo. Rollo estava gritando em dinamarquês. Tinha largado o escudo e segurava o machado com as duas mãos enquanto cantava um hino a Tor. Rorik, um dos dinamarqueses que me servia, estava de joelhos atrás de mim, usando uma lança para rasgar as pernas dos piratas frísios, e quando eles caíam nós os matávamos.

Foi uma chacina num espaço pequeno. Tínhamos dedicado horas, dias, semanas e meses treinando esse tipo de luta. Não importa com que frequência um homem fique numa parede de escudos, ele só viverá se tiver ensaiado, exercitado e praticado, e os homens de Skirnir jamais haviam treinado como nós. Eram marinheiros, e alguns nem tinham escudos porque uma grande roda de madeira com bossa de ferro é uma coisa desajeitada para se carregar numa luta a bordo de um navio onde o chão é incerto e os bancos de remadores são obstáculos. Não tinham treino e eram mal equipados, por isso nós os matamos. Estavam aterrorizados. Não viam nossos rostos. A maioria dos nossos elmos tem placas sobre as bochechas, de modo que os inimigos viam homens de metal, mascarados de metal, vestidos de metal, e o aço de nossas armas se cravava neles, e seguíamos implacavelmente adiante, guerreiros cobertos de metal atrás de escudos sobrepostos, lâminas sem remorso até que, naquela manhã cinzenta, o sangue se espalhou brilhante no riacho com a maré salgada.

Finan teve o serviço mais difícil, mas Finan era um guerreiro de renome que sentia júbilo na luta dura, e liderou seus homens pelo barco escuro, gritando enquanto matava. Cantava a canção da espada, entusiasmado e alimentando sua lâmina. E Rollo, com os tornozelos no riacho, o machado girando em golpes assassinos, bloqueava a fuga do inimigo. Os frísios, transportados da confiança para um medo que soltava as tripas, começaram a largar as armas. Ajoelhavam-se, gritavam por misericórdia, e eu gritei para minha fileira de trás se virar e se preparar para os homens que haviam levado o navio de Skirnir mais acima, no riacho, para vir pela nossa retaguarda.

Esses homens apareceram junto à duna bem a tempo de ver que a luta havia terminado. Alguns, sensatamente, haviam pulado pelo outro lado do navio e lutavam para se afastar no pântano, mas a maior parte das forças de Skirnir estava morta ou aprisionada. Um desses prisioneiros era o próprio Skirnir, que foi encurralado contra a lateral encalhada de seu segundo navio, com uma ponta de lança encostada na barba. Cerdic pressionava a lança apenas o suficiente para manter o grandalhão imóvel.

— Devo matá-lo, senhor?

— Ainda não — disse eu, distraído. Estava olhando os inimigos recém-chegados. — Rollo? Mantenha-os a distância.

Rollo formou uma parede de escudos com seus homens. Gritou para os frísios inseguros, convidando-os a vir e sentir o gosto de sangue que já estava nas espadas, mas eles não se mexeram.

Um homem gritou. Era um frísio deitado na borda da areia e suas pernas se sacudiam na água rasa tingida de sangue. Fora ferido, e agora Skade estava ao seu lado, cravando uma adaga lentamente num olho, atravessando o cérebro.

— Pare com isso — gritei. O homem estava miando numa voz aguda, de dar pena, com a gosma do olho furado se derramando pela bochecha rendada de sangue.

Ela se virou para me olhar, e havia em seu rosto a selvageria de uma fera acuada.

— Eu os odeio — disse ela, e apertou a adaga de novo, de modo que o homem gritou e perdeu o controle das entranhas.

— Sihtric! — rosnei, e Sihtric foi até o homem e cravou a espada na garganta dele para acabar com o sofrimento.

— Quero matar todos eles — sibilou Skade para mim. Ela estava estremecendo. — E ele! — Ela apontou para Skirnir. — Especialmente ele!

— Ela está louca — disse Finan baixinho. Ele havia pulado para a praia ao meu lado, e agora enfiou a espada na água para lavar o sangue. — Jesus Cristo — disse. — Ela está louca como uma cadela no cio.

Meus homens olhavam Skade com terror. Uma coisa é matar em batalha, mas um inimigo também é um guerreiro, e na derrota ele merece respeito. Eu matei com frequência, e a matança pode continuar muito depois de a luta terminar, mas é o desejo de sangue e o medo da batalha que causam frenesi nos homens que suportam a parede de escudos, e quando o desejo morre, a misericórdia ocupa seu lugar.

— Você não vai deixá-los viver! — disse Skade, cuspindo.

— Cerdic — falei, sem me virar para olhá-lo —, seja rápido.

Ouvi, mas não vi, Skirnir morrer. O golpe de lança foi dado com tanta força que rasgou a garganta e depois se cravou nas tábuas do navio.

— Eu queria matá-lo! — berrou Skade.

Ignorei-a. Em vez disso passei por Rollo para me aproximar dos frísios que não haviam sido derrotados. Aqueles homens eram a tripulação do próprio Skirnir, talvez sessenta no total, que me olharam chegar em silêncio. Eu havia baixado o escudo de modo que eles pudessem ver o sangue espalhado na cota de malha, na máscara do elmo e o que coagulava na lâmina de Bafo de Serpente. Meu elmo era encimado por um lobo de prata, o cinto tinha placas de ouro e meus braceletes brilhavam através do sangue. Eles viram um comandante guerreiro e eu me aproximei dez passos, para mostrar que não tinha medo de piratas.

— Sou Uhtred de Bebbanburg — disse eu — e lhes dou uma escolha. Vocês podem viver ou morrer.

Rollo, atrás de mim, havia começado a música dos escudos. Seus homens batiam com as lâminas contra a madeira de tília, no ritmo sombrio da promessa de morte.

— Somos dinamarqueses — gritei aos frísios — e somos saxões, e todos somos guerreiros que amam lutar. Em nossos salões, à noite, cantamos histórias dos homens que matamos, das mulheres que tornamos viúvas e das crianças que tornamos órfãs. Então façam sua escolha! Ou me deem uma nova canção ou baixem as armas.

Eles baixaram as armas. Fiz com que tirassem as cotas de malha — os que possuíam — ou então as túnicas de couro. Peguei as botas, os cintos, as armaduras e as armas, e empilhamos esse saque no *Seolferwulf*, e então queimamos os dois navios longos de Skirnir. Eles queimaram bem, com grandes colunas de chamas subindo pelos mastros sob a fumaça que subiu para as nuvens baixas.

Skirnir tinha vindo com 131 homens. Tínhamos matado 23, enquanto outros 16 estavam muito feridos. Um dos homens de Rollo havia perdido um olho para um golpe de lança, e Ælric, um saxão a meu serviço, estava agonizando. Ele havia lutado junto de Finan e tinha tropeçado num banco de remador, quando levou um golpe de machado nas costas. Ajoelhei-me perto dele na areia, segurei sua mão com firmeza em volta do punho da espada e prometi que daria ouro à sua viúva e criaria seus filhos como se fossem meus. Ele ouviu, mas não pôde falar de volta, e segurei sua mão até que o barulho chacoalhou em sua garganta e seu corpo estremeceu enquanto a alma ia para a longa escuridão. Levamos seu cadáver conosco e o sepultamos no mar. Ele era cristão, e Osferth fez uma oração junto ao morto antes de o lançarmos para a eternidade. Levamos outro cadáver, o de Skirnir, que despimos e penduramos em nossa proa com a cabeça de lobo, para mostrar que havíamos conquistado.

Empurramos o *Seolferwulf* de volta pelo riacho, com a ajuda dos cabos dos remos, na maré vazante. Quando o riacho se alargou, demos a volta e remamos, rebocando o pequeno barco de pesca que abandonei junto ao povoado. Depois fomos para o mar e o *Seolferwulf* estremeceu com as primeiras ondas pequenas. As nuvens cinzentas que haviam coberto o local da matança estavam finalmente se esgarçando, deixando um sol aguado bater sobre o mar revolto.

— Você não deveria ter deixado que eles vivessem — disse Skade.

— Os homens de Skirnir? — perguntei. — Por que matá-los? Eles foram derrotados.

— Todos deveriam ter sido mortos — disse ela em tom de vingança, depois virou um olhar de fúria completa para mim. — Você deixou dois irmãos dele vivos! Eles deveriam estar mortos!

— Deixei que eles vivessem. — Sem Skirnir e seus navios grandes eles eram inofensivos, mas Skade não via a coisa assim.

— Covarde! — disse ela com ódio.

Encarei-a.

— Cuidado, mulher — falei, e ela ficou num silêncio carrancudo.

Tínhamos trazido apenas um prisioneiro, o comandante do navio de Skirnir. Era um velho, com mais de 40 anos, e os anos forçando a vista no mar que refletia o sol tinham tornado seus olhos meras fendas enrugadas num rosto escurecido pelo sal e pelo clima. Ele seria nosso guia.

— Se meu navio ao menos tocar um banco de areia — avisei — deixarei Skade matá-lo como quiser.

O *Seolferwulf* não tocou em nenhum banco de areia enquanto remávamos até Zegge. O canal era intricado, e marcos destinados a enganar tinham sido plantados para atrair os invasores aos baixios, mas o puro terror do prisioneiro com relação a Skade o tornou cauteloso. Chegamos no início da noite, tateando o caminho gentilmente e guiados pelo cadáver pendurado na proa. Os borrifos do mar haviam lavado a carcaça de Skirnir, e as gaivotas, sentindo seu cheiro, gritavam e giravam numa frustração faminta em volta da proa.

Homens e mulheres nos olhavam passar pelo canal torto que serpenteava entre duas das ilhas interiores, e então deslizamos através da água abrigada que refletia o sol poente num ouro trêmulo. As pessoas que olhavam eram os seguidores de Skirnir, mas esses homens não tinham viajado com seu senhor ao alvorecer, e agora viam nossos orgulhosos escudos, que havíamos pendurado na borda do *Seolferwulf*, e viam o cadáver pendurado na corda, e nenhum quis nos desafiar.

Havia menos pessoas em Zegge do que nas ilhas externas, porque era de Zegge que as duas tripulações derrotadas haviam partido e onde vivia a maior parte dos mortos, feridos ou abandonados. Uma multidão de mulheres foi ao píer de madeira cinzenta se projetando por baixo do monte que sustentava o castelo de Skirnir. As mulheres viram nosso barco se aproximar, então algumas reconheceram o corpo que era nosso troféu e todas fugiram, arrastando os filhos pelas mãos. Oito homens, vestidos com cota de malha e trazendo armas, vieram do castelo, mas quando viram minha tripulação desembarcando largaram as armas ostensivamente. Sabiam agora que seu senhor estava morto, e nenhum deles tinha vontade de lutar pela reputação.

E assim, no crepúsculo daquele dia, chegamos ao castelo no morro de Zegge. Olhei para aquele volume escuro e pensei no dragão dormindo sobre seu monte de prata e ouro. O grande castelo com teto alto tinha enormes chifres de madeira nas empenas, chifres que se elevavam para o céu escuro onde as primeiras estrelas furavam o anoitecer.

Deixei 15 homens guardando o navio, depois subi o morro, vendo que ele era feito com grandes toras de madeira plantadas num longo retângulo preenchido com areia, e sobre essa primeira camada outro retângulo menor fora construído, e então um terceiro, e no topo uma última camada onde havia uma paliçada, mas ela não oferecia desafio agora, já que seu pesado portão de madeira estava totalmente aberto. Não restava ânimo de luta nos homens de Skirnir. Seu senhor estava morto.

A porta do castelo era emoldurada por um par de enormes ossos curvos que tinham vindo de algum monstro marinho. Passei sob eles com uma espada desembainhada, Rollo e Finan me flanqueando. Um fogo ardia na lareira central, cuspindo como um gato, o que é comum com a madeira salgada trazida pelo mar. Skade veio atrás de nós e os serviçais que esperavam tremeram ao vê-la. O administrador de Skirnir, um homem gorducho, fez uma reverência profunda para mim.

— Onde está o tesouro? — perguntei asperamente.

O administrador estava apavorado demais para responder e Skade o empurrou de lado.

— Lanternas! — gritou para os serviçais, e pequenas lâmpadas de junco foram trazidas, nessa luz precária ela me guiou até uma porta nos fundos do salão, que se abria para uma pequena câmara quadrada onde estavam montes de peles de foca.

— Ele dormia aqui — disse ela.

— Em cima do dragão?

— Ele era o dragão — respondeu ela com escárnio. — Era um porco e um dragão. — Então Skade se ajoelhou e empurrou de lado as peles fétidas. Mandei o gorducho administrador de Skirnir ajudá-la. Finan me olhou, com uma sobrancelha erguida em expectativa, e não pude resistir a um sorriso.

Para tomar Bebbanburg eu precisava de homens. Para invadir aquela grande muralha de pedra e matar os guerreiros de meu tio eu precisava de homens, e para comprar homens precisava de ouro. Precisava de prata. Precisava de um tesouro guardado por um dragão para realizar aquele antigo sonho, por isso sorri quando Skade e o administrador puxaram de lado a alta pilha de peles que cobria o esconderijo.

E então, à luz das luzes enfumaçadas, revelou-se a porta.

Era um alçapão de madeira escura e pesada, onde havia uma argola de ferro. Lembro-me do padre Beocca, anos antes, me contando que havia visitado um mosteiro em Sumorsæte e que o abade lhe mostrara, com reverência, um frasco de cristal em que era guardado leite dos seios da Virgem Maria.

— Eu tremi, Uhtred — dissera Beocca, sério. — Tremi como uma folha ao vento. Não ousei segurar o frasco, com medo de deixá-lo cair! Eu tremi!

Não creio que eu tenha tremido naquele momento, mas senti o mesmo espanto reverente, o mesmo sentimento de estar perto de algo inexplicável. Meu futuro estava embaixo daquele alçapão. Minhas esperanças, o futuro dos meus filhos, meus sonhos de liberdade sob um céu do norte, tudo isso estava perto demais.

— Abram — ordenei, rouco. — Abram.

Rollo e o administrador seguraram a argola. O alçapão estava preso, entalado na moldura, e eles precisaram fazer força para movê-lo. Então, abruptamente, a porta pesada se soltou e os dois homens cambalearam arrastando-a de lado.

Avancei e olhei para baixo.

E comecei a rir.

Não havia dragão. Nunca vi nenhum dragão, mas me garantiram que eles existem e ouvi falar de homens descreverem essas feras medonhas com seus malévolos olhos escarlate bocas que lançam chamas, pescoços que procuram e asas que estalam, do tamanho de velas de navios. São as feras dos pesadelos, e ainda que eu tenha viajado até o norte distante, até onde o gelo branqueia o céu com seus reflexos, nunca fui tão longe, no norte, para chegar às terras geladas onde dizem que os dragões ficam empoleirados.

Não havia dragão no buraco de Skirnir, mas havia um esqueleto e alguns ratos. Os ratos olharam para cima, espantados, os olhos minúsculos piscando por causa das chamas de nossas luzes insuficientes, depois correram para rachaduras entre as tábuas de olmo que forravam o buraco. Dois ratos estavam dentro das costelas de um homem morto e foram os últimos a ir embora, primeiro se retorcendo entre os ossos e depois enfiando-se depressa em seu esconderijo.

E à medida que meus olhos se ajustavam à escuridão vi as moedas e as lascas de prata. Ouvi-as primeiro, tilintando sob os pés dos ratos, depois as vi, com um brilho fraco, derramando-se dos sacos de couro que as continham. Os sacos podres tinham sido roídos pelos ratos.

— O que é esse cadáver? — perguntei.

— Um homem que tentou roubar o tesouro do senhor Skirnir — respondeu o administrador num sussurro.

— Foi deixado aqui para morrer?

— Sim, senhor. Primeiro foi cegado, depois os tendões foram cortados, e ele foi posto no buraco para morrer lentamente.

Skade sorriu.

— Tragam tudo para fora — ordenei a Finan, depois empurrei o administrador para o castelo. — Você vai nos alimentar esta noite — ordenei. — Todos nós.

Voltei para o castelo. Tinha apenas uma mesa, de modo que a maioria dos homens teria comido no chão forrado de juncos. Agora estava escuro; a única luz vinha da grande fogueira alimentada por troncos que meus homens arrancaram da paliçada. Sentei-me à mesa e fiquei olhando o tesouro de Skirnir ser posto diante de mim. Eu havia rido quando o buraco foi aberto, e esse riso fora de escárnio porque, à luz débil, o tesouro parecera muito pobre. O que eu havia esperado? Um monte brilhante de ouro, cravejado de pedras preciosas?

O riso era azedo porque o tesouro de Skirnir era realmente pobre. Ele havia alardeado sua riqueza, mas a verdade estava escondida por trás desse alarde e por baixo das peles fedorentas que serviam de cama. Ele não era pobre, é verdade, mas seu tesouro era exatamente o que eu deveria ter esperado de um homem que fazia pouco além de roubar lascas de prata de pequenos mercadores.

Meus homens olhavam para a mesa. Era importante que vissem o que haviam conseguido para saber que eu não os havia enganado quando dividisse o tesouro. Viram principalmente prata, mas havia duas peças de ouro, colares finos feitos de fios torcidos, e pus um deles na pilha destinada a Rollo e seus homens, e mantive o outro para meus seguidores. E havia moedas, principalmente prata da Frankia, mas havia alguns xelins saxões e um punhado daquelas moedas misteriosas com escritos sinuosos que ninguém sabia ler e que, segundo boatos, vinham de algum grande império no Oriente. Havia quatro lingotes de prata, mas a maior parte do tesouro era de lascas de prata. Os nórdicos não têm moedas, a não ser as que eles roubam, por isso pagam suas mercadorias, quando pagam, com lascas de prata. Um viking rouba um bracelete de prata e, quando precisa comprar alguma coisa, quebra o bracelete em lascas que um mercador pesa na balança. O administrador nos trouxe uma balança e nós pesamos a prata e as moedas. Havia pouco mais de 14 quilos.

Não era de se desprezar. Todos iríamos para casa mais ricos, no entanto minha parte do tesouro mal daria para uma tripulação de homens para lutar durante uma estação. Olhei o tesouro dividido, as últimas lascas de prata ainda repousando no prato da balança, e soube que aquilo não me traria Bebbanburg. Não me daria um exército. Não compraria a realização de meus sonhos. Senti o ânimo afundar e pensei no riso de Ælfric. Logo meu tio ficaria sabendo que eu tinha viajado, capturado e me desapontado, e foi enquanto estava pensando no prazer dele que Skade optou por falar.

— Você disse que me daria a metade — exigiu ela.

Meu punho se chocou contra a mesa com tanta força que as pequenas pilhas de prata estremeceram.

— Eu não disse isso — rosnei.

— Você disse...

Apontei para ela, silenciando-a.

— Quer entrar no buraco? — perguntei. — Quer viver com os ratos no depósito de prata?

Meus homens sorriram. Desde que tinham vindo à Frísia haviam aprendido a odiar Skade, e nesse momento ela começou a me odiar. Eu tinha começado a odiá-la antes, quando vi a crueldade por baixo de sua beleza. Ela era como uma espada assombrada por um espírito de cobiça, como uma lâmina de beleza brilhante, mas com o coração escuro como sangue. Mais tarde, naquela noite, ela exigiu sua parte de novo e eu lembrei-a de que, mesmo ela tendo pedido metade do tesouro de seu marido, eu jamais prometera isso.

— E não pense em me amaldiçoar de novo — disse eu — porque, se fizer isso, mulher, vou vendê-la como escrava, mas não antes de desfigurá-la. Quer ficar com o rosto marcado? Quer que eu a deixe feia? Então guarde suas maldições para você.

Não sei onde ela dormiu naquela noite, nem me importei.

Partimos de Zegge ao alvorecer. Queimei os seis navios menores que Skirnir havia deixado no porto, mas não queimei o castelo. O vento e as marés cuidariam dele. As ilhas vêm e vão, os canais mudam de ano para ano e a areia se move para fazer novas ilhas. As pessoas vivem nessas ilhas durante alguns anos, depois as marés dissolvem a terra de novo. Quando vi as ilhas de novo, muitos anos depois, Zegge desaparecera como se nunca tivesse existido.

Fomos para casa e tivemos tempo bom durante a travessia. O sol brilhava no mar, o céu estava claro e o ar, frio. Só quando nos aproximamos do litoral da Britânia as nuvens chegaram e o vento aumentou. Demorei algum tempo até encontrar um marco conhecido, e então tivemos de remar com força contra um vento norte para encontrar a boca do Tinan. Estava quase escuro quando remamos o *Seolferwulf* para o rio sob o mosteiro arruinado. Encalhamos o navio e no dia seguinte fomos para Dunholm.

Eu não sabia, mas nunca mais veria o *Seolferwulf*.

Era um navio nobre.

Terceira Parte

O limiar da batalha

DEZ

O auge do inverno chegou, e com ele uma febre. Tenho sorte, raramente adoeço, mas uma semana depois de chegarmos a Dunholm comecei a tremer, depois a suar, depois parecia que um urso estava gadanhando o interior do meu crânio. Brida fez uma cama para mim numa casinha onde um fogo ficava aceso dia e noite. Aquele inverno foi frio, mas houve momentos em que pensei que meu corpo estava pegando fogo, e houve ocasiões em que eu tremia como se estivesse numa cama de gelo, ainda que o fogo rugisse no fogão de pedra com tanta ferocidade que chamuscava as traves do teto. Eu não conseguia comer. Enfraqueci. Acordava à noite, às vezes pensava em Gisela e nos meus filhos perdidos, e chorava. Ragnar contou que eu falava delirando durante o sono, mas não me lembro dessa loucura, só de que estava convencido de que iria morrer, por isso fiz Brida amarrar minha mão ao punho de Ferrão de Vespa.

Brida me trouxe infusões de ervas com hidromel, punha colheradas de mel na minha boca e se certificava de que a casinha fosse vigiada contra a malevolência de Skade.

— Ela odeia você — disse-me uma noite fria quando o vento empurrava a palha do teto e fazia barriga na cortina de couro que servia de porta.

— Porque não lhe dei nenhuma prata?

— Por causa disso.

— Não havia tesouro, pelo menos não como ela descreveu.

— Mas ela nega que tenha amaldiçoado você.

— O que mais pode ter causado isso?

— Nós a amarramos a um poste e mostramos o chicote. Ela jurou que não havia amaldiçoado você.

— Ela juraria mesmo — afirmei com amargura.

— E continuou negando quando estava com as costas sangrando.

Olhei para Brida, que estava com os olhos sérios, o rosto sombreado pelo cabelo preto e revolto.

— Quem usou o chicote?

— Eu — respondeu ela calmamente —, e depois levei-a à pedra.

— À pedra?

Ela assentiu para o leste.

— Do outro lado do rio, Uhtred, há um morro, e no morro há uma pedra. Uma pedra grande, plantada de pé. Foi posta lá pelo povo antigo e tem poder. A pedra tem seios.

— Seios?

— Ela é moldada desse jeito — disse Brida, momentaneamente pondo as mãos em concha sobre os seios pequenos. — É alta, ainda mais alta do que você. Eu a levei à noite e acendi fogueiras aos deuses, e pus crânios num círculo, e disse a ela que iria invocar demônios para deixar sua pele amarela, o cabelo branco, o rosto enrugado, os peitos caídos e as costas corcundas. Ela chorou.

— Você poderia fazer tudo isso?

— Ela acreditou — disse Brida com um sorriso maroto — e jurou, pela própria vida, que não tinha amaldiçoado você. Falou a verdade, tenho certeza.

— Então é só uma febre?

— Mais do que uma febre, uma doença. Outros também tiveram. Dois homens morreram na semana passada.

Um padre vinha a cada semana e me sangrava. Era um saxão tristonho que pregava seu evangelho na cidadezinha que aparecera logo ao sul da fortaleza de Ragnar. Ragnar havia trazido prosperidade ao campo na região, e a cidade estava crescendo depressa, com o cheiro de madeira recém-serrada tão constante quanto o fedor de excrementos fluindo morro abaixo até o rio. Brida, é claro, havia sido contra a construção da igreja, mas Ragnar tinha permitido.

— Eles vão cultuar qualquer deus que queiram, independentemente do que eu possa desejar — dissera-me ele. — E os saxões daqui eram cristãos antes de eu chegar. Alguns voltaram aos deuses de verdade. O primeiro padre queria derrubar a pedra de Brida e me chamou de pagão maligno e desgraçado quando eu o impedi, por isso afoguei-o, mas este novo é muito mais educado.

— O novo padre também era considerado um curador hábil, se bem que Brida, que tinha seu próprio conhecimento de ervas, não o deixava prescrever nenhuma poção para mim. Ele só abria uma das veias do meu braço e olhava o sangue pulsar denso e lento para uma taça de chifre. Quando terminava, ele era instruído a derramar o sangue no fogo, depois lavar muito bem a taça, o que ele sempre fazia com uma carranca, porque esta era uma precaução pagã. Brida queria que o sangue fosse destruído para que ninguém o usasse para lançar um feitiço contra mim.

— Fico surpreso que Brida permita que você venha à fortaleza — disse eu ao padre um dia, enquanto meu sangue chiava e borbulhava na lenha acesa.

— Porque ela odeia os cristãos, senhor?

— É.

— Ela ficou doente há três invernos e o *jarl* Ragnar mandou me chamar quando todo o resto fracassou. Eu curei-a, ou então Deus Todo-Poderoso operou a cura através de mim. Desde então ela suporta minha presença.

Brida também suportava a presença de Skade. Ela a teria matado, se arranjasse uma desculpa, mas Skade garantiu a Ragnar que não queria fazer mal, e Ragnar, meu amigo, não tinha estômago para matar mulheres, em especial mulheres bonitas. Pôs Skade para trabalhar na cozinha do castelo.

— Ela trabalhou na minha cozinha em Lundene — contei a Brida.

— De onde deslizou para sua cama — disse Brida, mal-humorada —, mas não acho que isso tenha custado muito esforço da parte dela.

— Ela é linda.

— E você continua sendo o idiota de sempre. E agora outro idiota vai encontrá-la e ela vai causar problema de novo. Eu disse a Ragnar que ele deveria tê-la rasgado da virilha à goela, mas ele é tão idiota quanto você.

Eu estava de pé na época do Yule, mas não pude participar dos jogos que tanto deliciavam Ragnar. Houve corridas, testes de força e, seu divertimento favorito, as lutas. Ele próprio tomou parte, ganhando as seis primeiras disputas, depois perdendo para um gigantesco escravo saxão que foi recompensado com um punhado de prata. Na tarde da grande festa os cães da fortaleza tiveram permissão para atacar um touro, uma diversão que deixou Ragnar chorando de tanto rir. O touro, uma criatura selvagem e musculosa, correu pelo topo do morro, no meio das construções, atacando quando tinha chance e jogando longe os cães imprudentes numa ruína de tripas espalhadas, mas eventualmente perdeu sangue demais e os cães convergiram para cima.

— O que aconteceu com Nihtgenga? — perguntei a Brida enquanto o touro rugia desmoronando num frenesi de cães enlouquecidos.

— Morreu há muito, muito tempo.

— Era um bom cachorro.

— Era — disse ela, olhando os cães despedaçarem a barriga do touro que se sacudia. Skade estava do lado oposto da área da matança, mas evitou meu olhar.

A festa do Yule foi farta porque Ragnar, como seu pai, sempre havia adorado as comemorações de inverno. Um grande pinheiro fora cortado e arrastado até o castelo onde foi enfeitado com moedas de prata e joias. Skade estava em meio aos serviçais que trouxeram a carne de boi, de porco, de veado, toucinho, chouriço, pão e cerveja. Continuava evitando meu olhar. Os homens a notavam, como poderiam não notar? Um bêbado tentou puxá-la para o colo, mas Ragnar bateu na mesa com tanta força que o golpe fez balançar um chifre de vinho e o som bastou para convencer o homem a soltar Skade.

Havia harpistas e *skalds*. Os *skalds* cantavam versos em louvor a Ragnar e sua família, e Ragnar sorriu deliciado quando os feitos de seu pai foram descritos.

— Diga isso de novo — rugia quando algum feito importante era narrado. Ele conhecia muitos trechos e cantava junto, mas então espantou o *skald* batendo na mesa de novo. — O que você acabou de cantar? — perguntou.

— Que seu pai, senhor, serviu ao grande Ubba.

— E quem matou Ubba?

O *skald* franziu a testa.

— Um cão saxão, senhor.

— Este cão saxão — gritou Ragnar, levantando meu braço.

Foi enquanto os homens ainda estavam gargalhando que chegou o mensageiro. Veio do escuro e por um momento ninguém percebeu o alto dinamarquês que, por acaso, tinha acabado de vir de Eoferwic. Vestia malha porque havia bandoleiros nas estradas, e a bainha de sua armadura, as botas e a bainha da espada ricamente decorada estavam sujas de lama. Ele devia estar cansado, mas havia um sorriso largo em seu rosto.

Ragnar notou o homem primeiro.

— Grimbald! — gritou o nome, dando as boas-vindas. — Você deveria chegar antes da festa, e não depois! Mas não se preocupe, há comida e cerveja!

Grimbald fez uma reverência para Ragnar.

— Trago notícias, senhor.

— Notícias que não podiam esperar? — perguntou Ragnar, bem-humorado. O castelo havia silenciado porque os homens se perguntavam o que poderia ter trazido Grimbald com tanta pressa no meio da escuridão fria e molhada.

— Notícias que vão lhe agradar, senhor — respondeu Grimbald, ainda sorrindo.

— O preço das virgens baixou?

— Alfredo de Wessex, senhor — Grimbald fez uma pausa —, está morto.

Houve um momento de silêncio, depois o salão explodiu em gritos de comemoração. Homens batiam na mesa com as mãos e uivavam de prazer. Ragnar estava bêbado, mas teve consciência suficiente para levantar as mãos pedindo silêncio.

— Como sabe disso?

— A notícia foi levada a Eoferwic ontem.

— Por quem? — perguntei.

— Por um padre de Wessex, senhor — respondeu Grimbald. O alto mensageiro era um dos guerreiros domésticos do rei Guthred e, mesmo não me conhecendo, meu lugar de honra ao lado de Ragnar o convenceu a me chamar de senhor.

— Então o filhote dele é o novo rei? — perguntou Ragnar.

— É o que foi dito, senhor.

— O rei Edmundo? — perguntou Ragnar. — Vou demorar até me acostumar.

— Eduardo — disse eu.

— Edmundo ou Eduardo, quem se importa? Não terá muito tempo nesta vida — disse Ragnar, feliz. — Que tipo de garoto ele é? — perguntou a mim.

— Nervoso.

— Não é guerreiro?

— O pai também não era guerreiro, no entanto derrotou todos os dinamarqueses que tentaram tomar seu trono.

— Você fez isso por ele — disse Ragnar, animado, e deu um tapa nas minhas costas. De repente o castelo ficou cheio de conversas enquanto os homens vislumbravam um novo futuro. Havia empolgação demais, mas eu me lembro de ter olhado para uma das mesas e visto Osferth franzindo a testa em silêncio solitário. Então Ragnar se inclinou para perto de mim. — Você não parece feliz, Uhtred.

Como eu me sentia naquele momento? Não estava feliz. Eu nunca havia gostado de Alfredo. Ele era devoto demais, mal-humorado demais e sério demais. Seu prazer era a ordem. Queria reduzir o mundo todo a listas, organização e obediência. Adorava colecionar livros e escrever leis. Acreditava que, se todo homem, mulher e criança obedecesse à lei, teríamos um reino celestial na terra, mas esquecia os prazeres terrenos. Ele os conhecera na juventude, Osferth era prova disso, mas então tinha permitido que o deus cristão, pregado, o convencesse de que o prazer era pecado, e por isso tentou fazer leis que tornassem o pecado ilegal. Era o mesmo que tentar moldar a água na forma de uma bola.

Dito isso, eu não gostava de Alfredo, mas sempre tive consciência de que estava na presença de um homem extraordinário. Ele era sensato e não era idiota. Sua mente era rápida e aberta às ideias, desde que essas ideias não contradissessem suas convicções religiosas. Era um rei que não acreditava que o posto implicasse onisciência e, ao seu modo, era um homem humilde. Acima de tudo havia sido um homem bom, ainda que jamais relaxasse. Também acreditava no destino, uma coisa que todas as religiões parecem compartilhar, ainda que a diferença entre mim e Alfredo era sua convicção de que o destino era o progresso. Ele queria melhorar o mundo, ao passo que eu não acreditava e jamais acreditei que possamos melhorar o mundo, mas apenas sobreviver enquanto ele desliza para o caos.

— Eu respeitava Alfredo — respondi. Ainda não tinha certeza se acreditava na notícia. Os boatos voam como teias de aranha no verão, por isso chamei Grimbald mais para perto. — O que, exatamente, o padre lhe disse?

— Que Alfredo estava numa igreja em Wintanceaster, tombou durante os rituais e foi levado para a cama.

Isso parecia convincente.

— E o filho dele é rei agora?

— Foi o que o padre disse.

— Harald ainda está encurralado em Wessex? — perguntou Ragnar.

— Não, senhor — respondeu Grimbald. — Alfredo pagou com prata para ele ir embora.

Ragnar gritou pedindo silêncio e fez Grimbald repetir suas últimas palavras sobre Harald, e a notícia de que o *jarl* ferido recebera pagamento para deixar Torneie provocou novas comemorações no castelo. Os dinamarqueses adoram saber que os saxões pagaram prata para se livrar deles. Isso os encoraja a atacar as terras dos saxões com a esperança de subornos parecidos.

— Para onde Harald foi? — perguntou Ragnar, e vi Skade prestando atenção.

— Juntou-se a Haesten, senhor.

— Em Beamfleot? — perguntei, mas Grimbald não sabia.

A notícia da morte de Alfredo e do enriquecimento do ferido Harald deu mais felicidade à festa. Pela primeira vez não houve nenhuma briga enquanto o hidromel, a cerveja e o vinho tomavam conta das mesas. Todo homem no castelo, a não ser talvez um punhado dos meus seguidores saxões, via uma nova oportunidade de capturar e saquear os ricos campos, povoados e cidades de Wessex.

E estavam certos. Wessex se encontrava vulnerável, a não ser por uma coisa.

A notícia era um boato, afinal de contas.

Alfredo vivia.

No entanto, na época escura do ano, todo homem no norte da Britânia acreditava no boato, e ele deu energia a Brida.

— É um sinal dos deuses — declarou ela, e convenceu Ragnar a convocar os *jarls* do norte. A reunião foi marcada para o início da primavera, quando as chuvas de inverno terminariam e os vaus seriam transitáveis de novo. A perspectiva de guerra agitou Dunholm de seu torpor de inverno. Na cidade e na fortaleza os ferreiros foram postos para forjar lâminas de lanças e Ragnar avisou a cada comandante de navio que daria boas-vindas às tripulações na primavera. As notícias dessa generosidade acabariam chegando à Frísia e à distante Dinamarca, e homens famintos viriam à Nortúmbria, ainda que por enquanto Ragnar espalhasse o boato de que meramente levantava tropas para invadir as terras dos escoceses. Offa, o mércio com seus cães treinados, ouviu os boatos e foi para o norte apesar do tempo. Fingiu que sempre lutava em meio às chuvas frias da Nortúmbria nos dias mortos do ano, mas estava claro que queria saber dos planos de Ragnar. Ragnar, pela primeira vez, foi reticente e se recusou a deixar que Offa entrasse na alta fortaleza em sua rocha cercada pelo rio. Acho que Brida ameaçou-o com sua desaprovação, e ela sempre podia controlar Ragnar.

Fui me encontrar com Offa numa taverna abaixo da fortaleza. Levei Finan e Osferth e fingi que estava bêbado.

— Ouvi dizer que o senhor esteve doente — disse Offa — e fico feliz por ter se recuperado.

— Ouvi dizer que Alfredo de Wessex também esteve doente. Verdade? — perguntou Osferth.

Offa, como sempre, pensou na resposta, imaginando se iria entregar alguma informação que poderia ser vendida, depois percebeu que qualquer notícia que possuísse seria logo conhecida de qualquer modo. Além disso estava ali para arrancar informações de nós. — Ele caiu na igreja e os médicos tiveram certeza de que morreria. Ficou muito doente! Recebeu a extrema-unção duas vezes, que eu saiba, mas Deus foi misericordioso.

— Deus o ama — disse eu, engrolando as palavras e batendo na mesa para pedir mais cerveja.

— Não o bastante para lhe dar a recuperação completa — disse Offa, cuidadoso. — Ele continua fraco.

— Ele sempre foi fraco — retruquei. Isso era verdade com relação à saúde de Alfredo, ainda que não com relação à sua vontade, mas eu havia falado azedamente, como um insulto deliberado, e Offa me olhou, sem dúvida imaginando até que ponto eu estava mesmo bêbado.

Frequentemente zombei dos padres cristãos porque vivem nos dizendo que a prova de sua religião é a magia que Cristo realizava, mas eles afirmam que essa magia desapareceu com ele. Se um padre pudesse curar um aleijado ou fazer os cegos enxergarem, eu acreditaria no deus deles, mas, naquele momento, na taverna enfumaçada abaixo dos muros da alta fortaleza de Dunholm, ocorreu um milagre. Offa pagou a cerveja e pediu mais ainda.

Sempre pude beber mais do que a maioria dos homens, no entanto até eu pude sentir a sala girar como a fumaça que subia da lareira da taverna. Mas mantive a consciência. Joguei para Offa algumas fofocas sobre Skade, admiti meu desapontamento com o tesouro de Skirnir e depois reclamei com amargura que não tinha dinheiro nem homens suficientes. Essa última reclamação bêbada abriu a porta para Offa.

— E por que o senhor precisaria de homens? — perguntou ele.

— Todos precisamos de homens.

— Certo — interveio Finan.

— Mais homens — disse Osferth.

— Sempre mais homens — Finan também fingia estar mais bêbado do que na realidade.

— Ouvi dizer que os *jarls* do norte vão se reunir aqui. Verdade? — perguntou Offa com inocência. Estava desesperado para saber o que se planejava. Toda a Britânia sabia que os senhores da Nortúmbria haviam sido convidados a Dunholm, mas ninguém tinha certeza do motivo, e Offa poderia ficar rico com esse conhecimento.

— É por isso que quero homens! — falei a ele numa voz muito séria.

Offa me serviu mais cerveja. Notei que ele mal tocava em seu próprio chifre.

— Os *jarls* do norte têm homens suficientes — disse ele —, e ouvi dizer que o *jarl* Ragnar está oferecendo prata para tripulações.

Inclinei-me para a frente num tom de confidência.

— Como posso falar com eles de igual para igual se tudo o que eu comandar for uma tripulação? — Parei para arrotar. — E uma tripulação pequena, ainda por cima?

— O senhor tem reputação — disse ele, de algum modo conseguindo não se encolher para longe do meu bafo de cerveja.

— Preciso de homens — respondi. — Homens, homens, homens.

— Homens bons — disse Osferth.

— Dinamarqueses de lança e espada — acrescentou Finan, sonhador.

— Os *jarls* terão homens suficientes para esmagar os escoceses — sugeriu Offa, balançando as palavras como um anzol com isca.

— Os escoceses! — falei com escárnio. — Por que desperdiçar ao menos uma tripulação com os escoceses? — Finan tocou meu cotovelo, alertando, mas fingi não perceber seu gesto. — O que é a Escócia? — perguntei beligerante. — Homens selvagens num país nu, praticamente sem um pedaço de pano para cobrir o pau. O reino de Alba — cuspi o nome do maior reino da Escócia — não vale o produto de uma propriedade saxã decente. Eles não passam de desgraçados peludos com paus congelados. Quem quer isso?

— No entanto o *jarl* Ragnar iria conquistá-los? — perguntou Offa.

— Iria — respondeu Finan com firmeza.

— Ele acabaria com essa chateação — acrescentou Osferth, mas Offa ignorou os dois. Olhou para mim e eu o olhei de volta.

— Bebbanburg — falei cheio de confiança.

— Bebbanburg, senhor? — perguntou ele, inocente.

— Sou o senhor de Bebbanburg, não sou?

— É, senhor.

— Os escoceses! — falei com desprezo, depois deixei a cabeça cair nos braços como se estivesse com sono.

Dentro de um mês toda a Britânia saberia por que o *jarl* Ragnar estava procurando homens. Alfredo, deitado em seu leito de doente, soube, assim como Æthelred, senhor da Mércia. Provavelmente sabiam na Frankia, enquanto Offa, pelo que ouvi dizer, ficara suficientemente rico para comprar uma bela casa e um pasto em Liccelfeld e estava pensando em tomar uma jovem como esposa. O dinheiro para essas extravagâncias, claro, veio de meu tio, Ælfric, a quem Offa havia corrido assim que o tempo permitiu. A notícia que levou foi que o *jarl* Ragnar estava ajudando seu amigo, o senhor Uhtred, a recuperar Bebbanburg e que haveria uma guerra de verão na Nortúmbria.

E enquanto isso Ragnar mandava espiões a Wessex.

Poderia não ter sido má ideia juntar um exército para invadir os escoceses. Eles eram encrenca na época, são encrenca hoje e ouso dizer que ainda serão encrenca quando o mundo morrer. Enquanto aquele inverno terminava, um bando de escoceses atacou o norte das terras de Ragnar e matou pelo menos 15 homens. Roubaram gado, mulheres e crianças. Ragnar fez um ataque de retaliação e eu levei vinte de meus homens com os seus cem, mas foi uma missão frustrante. Nem tivemos certeza de quando atravessamos para as terras escocesas porque a fronteira era um negócio incerto, sempre se alterando com o poder dos senhores dos dois lados, mas depois de dois dias cavalgando chegamos a uma aldeia pobre e abandonada. O povo, alertado de nossa aproximação, havia fugido levando seus animais. As casas baixas tinham rústicas paredes de pedra encimadas por tetos de grama que quase tocavam o chão, ao passo que os montes de esterco eram mais altos do que as choupanas. Derrubamos os tetos quebrando os caibros e jogamos esterco de cavalo na pequena igreja de pedra rústica, mas havia poucos outros danos que poderíamos causar. Estávamos sendo vigiados por quatro cavaleiros num morro ao norte.

— Desgraçados — gritou Ragnar, mas eles estavam longe demais para ouvir.

Os escoceses, como nós, tinham batedores a cavalo, mas seus batedores nunca usavam malha pesada e em geral não carregavam arma além de uma lança. Montavam cavalos ágeis, rápidos, e, mesmo que pudéssemos persegui-los, nunca poderíamos alcançá-los.

— A quem será que eles servem? — perguntei.

— A Domnal, provavelmente, o rei de Alba. — Ele cuspiu a última palavra. Domnal governava a maior parte da terra ao norte da Nortúmbria. Toda aquela terra é chamada de Escócia porque foi conquistada principalmente pelos escotos, uma tribo selvagem da Irlanda, mas, como Inglaterra, o nome Escócia significava pouca coisa. Domnal governava o reino maior, porém havia outros, como Dalriada e Strathclota, e havia ilhas varridas por tempestades no litoral oeste, onde selvagens *jarls* noruegueses faziam seus próprios reinos insignificantes. Lidar com os escoceses, meu pai sempre dissera, era como tentar capar gatos selvagens com os dentes, mas por sorte os gatos selvagens passavam boa parte do tempo lutando uns contra os outros.

Assim que a aldeia estava arruinada nos afastamos para o terreno mais elevado, temendo que a presença dos quatro escoceses significasse a chegada de uma força maior, mas ninguém se aproximou. No dia seguinte fomos para oeste, procurando alguma coisa viva em que pudéssemos nos vingar, mas quatro dias cavalgando não produziu nada além de um bode doente e um bezerro manco. Os escoceses nunca nos abandonavam. Mesmo quando uma névoa densa envolveu os morros e a usamos para mudar de direção, eles nos encontraram assim que o nevoeiro se dissipou. Jamais chegavam perto, só olhavam.

Viramos para casa, seguindo a espinha dos grandes morros que dividem a Britânia. Ainda estava frio e havia neve nas fendas do terreno elevado. Tínhamos fracassado em retaliar o ataque escocês, mas nosso ânimo estava elevado porque era bom estar cavalgando em terreno aberto com espadas à cintura.

— Vou arrebentar esses desgraçados assim que acabarmos com Wessex — prometeu Ragnar, animado. — Vou lhes dar um ataque que eles não esquecerão.

— Você quer mesmo lutar contra Wessex? — perguntei. Nós dois estávamos sozinhos, cavalgando cem passos à frente dos nossos homens.

— Lutar contra Wessex? — Ele deu de ombros. — De verdade? Não. Estou feliz aqui.

— Então por que fazer isso?

— Porque Brida está certa. Se não tomarmos Wessex, Wessex vai nos tomar.

— Não no seu tempo de vida.

— Mas tenho filhos — disse ele. Todos os seus filhos eram bastardos, mas Ragnar não se importava com a legitimidade. Amava todos e queria que um deles mantivesse Dunholm depois de sua morte. — Não quero meus filhos baixando a cabeça para algum rei de Wessex. Quero que sejam livres.

— Então você vai se tornar rei de Wessex?

Ele deu uma grande gargalhada.

— Não quero isso! Quero ser *jarl* de Dunholm, amigo. Talvez você devesse ser rei de Wessex.

— Quero ser *jarl* de Bebbanburg.

— Vamos encontrar alguém que queira ser rei — disse ele com indiferença. — Talvez Sigurd ou Cnut. — Sigurd Thorrson e Cnut Ranulfson eram, depois do próprio Ragnar, os mais poderosos senhores da Nortúmbria e, a não ser que juntassem seus homens aos nossos, não teríamos chance de conquistar Wessex. — Tomaremos Wessex — disse Ragnar, confiante — e dividiremos seus tesouros. Você precisa de homens para tomar Bebbanburg? A prata nas igrejas de Wessex vai lhe comprar o suficiente para tomar uma dúzia de fortalezas como Bebbanburg.

— É verdade.

— Então fique feliz! O destino está sorrindo.

Estávamos seguindo a crista de um morro. Abaixo de nós, riachos brilhavam brancos em vales profundos. Eu podia enxergar por quilômetros, e em toda aquela vista ampla não havia sequer uma casa ou uma árvore. Isto era terra nua onde os homens arrancavam o meio de vida cuidando de ovelhas, mas nossa presença significava que os rebanhos tinham sido levados para longe. Os cavaleiros escoceses, com suas longas lanças, estavam no morro a leste de nós, ao passo que ao sul a crista terminava subitamente num morro comprido que caía íngreme para um vale de paredes profundas onde dois riachos se encontravam. E ali, onde os riachos borbulhavam sobre rochas em seu sombreado ponto de encontro, estavam 14 cavaleiros. Nenhum se movia. Esperavam onde os dois riachos viravam um, e estava óbvio que esperavam por nós, e era igualmente óbvio que seria uma armadilha. Os 14 homens eram a isca, e isso significava que devia haver outros por perto. Olhamos de volta para o lugar de onde tínhamos vindo, mas não havia inimigo visível na longa crista, nem nos morros mais próximos. Os quatro escoceses que haviam nos acompanhado feito sombras estavam instigando os cavalos descendo a encosta coberta de sarça para se juntar ao grupo maior.

Ragnar olhou os 14 homens.

— O que eles querem que a gente faça? — perguntou.

— Que a gente desça até lá?

— O que temos de fazer de qualquer modo — disse ele devagar —, e devem saber disso, então por que se incomodaram em nos atrair para lá? — Ele franziu a testa, depois olhou rapidamente os morros ao redor, mas nenhum inimigo aparecia nas encostas, ainda. — Eles são escoceses?

Finan havia se juntado a nós e tinha olhos como os de um falcão caçador.

— São escoceses — disse ele.

— Como você sabe? — perguntei.

— Há um sujeito segurando o símbolo de uma pomba, senhor.

— Uma pomba? — perguntou Ragnar parecendo enojado. Em sua visão, e também na minha, o símbolo de um homem devia ser guerreiro: uma águia ou um lobo.

— É o símbolo de Colum Cille, senhor — explicou Finan.

— Quem é ele?

— São Columba, senhor. Um santo irlandês. Ele veio à terra dos pictos e expulsou um grande monstro que vive num lago de lá. Os escoceses o reverenciam, senhor.

— Os santos são pessoas úteis — disse Ragnar, distraído. Olhou para trás de novo, ainda esperando ver algum inimigo aparecer na crista, porém o horizonte permaneceu vazio.

— Dois deles são prisioneiros — disse Finan, olhando os homens no vale — e um é só um garotinho.

— É uma armadilha? — perguntou Ragnar a ninguém, depois decidiu que só um idiota cederia o terreno mais elevado, e que portanto os 14 homens, que agora eram 18, pois os batedores haviam se juntado a eles, não estavam procurando luta. — Vamos descer — decidiu.

Dezoito de nós descemos a encosta íngreme. Quando chegamos ao terreno mais plano do leito do vale, dois escoceses cavalgaram ao nosso encontro e Ragnar, copiando seu exemplo, levantou a mão para conter seus homens, de modo que só ele e eu cavalgamos para encontrar os dois. Eram um homem e um garoto. O homem, que usava um gibão bordado com a pomba por baixo de uma comprida capa azul, era alguns anos mais novo do que eu. Cavalgava com as costas eretas e possuía uma bela corrente de ouro com uma grossa cruz de ouro pendurada no pescoço. Tinha um rosto bonito, raspado, com olhos azuis brilhantes. Não usava chapéu, e seu cabelo castanho era cortado curto, ao estilo saxão. O menino, montando um pequeno potro, teria apenas 5 ou 6 anos e usava as mesmas roupas do homem que presumi ser seu pai. Os dois pararam os cavalos a alguns passos de nós, e o homem, que usava uma espada com joias no punho, olhou de mim para Ragnar, e de volta para mim.

— Sou Constantino — disse ele —, filho de Aed, príncipe de Alba, e este é meu filho, Cellach mac Constantino, e também, apesar do tamanho, príncipe de Alba. — Ele falava dinamarquês, mas era óbvio que não tinha facilidades com a língua. Sorriu para o filho. É estranho como sabemos imediatamente se gostamos ou não das pessoas, e, mesmo ele sendo um escocês, gostei logo de Constantino. — Presumo que um de vocês seja o *jarl* Ragnar e o outro o *jarl* Uhtred, mas perdoem-me por não saber qual é qual.

— Sou Ragnar Ragnarson — disse Ragnar.

— Meus cumprimentos — respondeu Constantino em tom agradável. — Espero que tenham gostado das viagens pelo nosso país.

— Tanto que pretendo voltar — disse Ragnar —, só que da próxima vez trarei mais homens para compartilhar os prazeres.

Constantino riu disso, depois falou com o filho em sua língua, fazendo o garoto nos encarar com os olhos arregalados.

— Eu disse a ele que vocês dois são grandes guerreiros — explicou Constantino — e que um dia ele deve aprender a derrotar guerreiros assim.

— Constantino — disse eu. — Esse não é um nome escocês.

— Mas é meu — respondeu ele — e é uma lembrança de que devo imitar o grande imperador romano que converteu seu povo ao cristianismo.

— Então ele prestou um desserviço a eles — disse eu.

— Ele fez isso derrotando os pagãos. — Constantino sorriu, mas por baixo dessa expressão agradável havia uma sugestão de aço.

— Você é sobrinho do rei de Alba? — perguntou Ragnar.

— De Domnal, sim. Ele está velho, não viverá muito.

— E você será rei?

— Se Deus quiser, sim. — Ele falava em tom afável, mas tive a impressão de que a vontade de seu deus coincidiria com os desejos de Constantino.

Meu cavalo emprestado bufou e deu alguns passos de lado, nervoso. Acalmei-o. Nossos 16 homens não estavam muito atrás, todos com as mãos nos punhos das espadas, mas os escoceses não mostravam qualquer sinal de hostilidade. Olhei para os morros e não vi nenhum inimigo.

— Isso não é uma armadilha, senhor Uhtred — disse Constantino —, mas não pude resistir a essa chance de conhecê-lo. Seu tio mandou enviados a nós.

— Procurando ajuda? — perguntei com escárnio.

— Ele nos pagará mil xelins de prata se neste verão levarmos homens para atacar você.

— E por que vocês me atacariam?

— Porque vocês vão sitiar Bebbanburg.

Assenti.

— Então devo matar você, além de Ælfric?

— Isso certamente aumentaria a sua fama, mas eu proponho um acordo diferente.

— E qual é? — perguntou Ragnar.

— O seu tio não é o mais generoso dos homens. Mil xelins de prata seriam bem-vindos, claro, mas ainda parece um pagamento pequeno para uma guerra grande.

Então entendi por que Constantino havia se esforçado tanto para tornar esse encontro um segredo: se mandasse enviados a Dunholm, meu tio ficaria sabendo e suspeitaria de traição.

— E qual é o seu preço? — perguntei.

— Três mil xelins manterão os guerreiros de Alba seguros em casa durante todo o verão.

Nem de longe eu tinha essa quantia, mas Ragnar assentiu. Constantino obviamente acreditava que estávamos planejando um ataque a Bebbanburg, e é claro que não estávamos, mas Ragnar ainda temia uma invasão de sua terra por parte dos escoceses enquanto estivesse longe, em Wessex. Uma invasão dessas era sempre uma possibilidade porque Alfredo cuidava de manter os reis escoceses amigos como ameaça contra os dinamarqueses no norte da Inglaterra.

— Deixe-me sugerir — disse Ragnar cautelosamente — que eu lhe pague 3 mil xelins de prata e você prometa manter seus guerreiros fora de toda a Nortúmbria durante um ano inteiro.

Constantino pensou nisso. A sugestão de Ragnar não diferia muito do que o próprio Constantino havia proposto, mas a pequena diferença era importante. Constantino olhou para mim e eu vi a esperteza em sua mente. Ele entendeu que talvez Bebbanburg não fosse nossa ambição. Assentiu.

— Eu poderia aceitar isso — disse.

— E o rei Domnal? — perguntei. — Ele aceitará?

— Ele fará o que eu disser — respondeu Constantino cheio de confiança.

— Mas como saberemos que você cumprirá com a palavra? — perguntou Ragnar.

— Eu lhes trago um presente — disse Constantino, e fez um sinal para seus homens. Os dois prisioneiros receberam ordem de descer das selas e, com mãos amarradas, foram obrigados a atravessar o riacho e parar junto de Constantino. — Estes dois homens são irmãos — disse Constantino a Ragnar — e comandaram o ataque às suas terras. Vou devolver as mulheres e crianças que eles capturaram, mas por enquanto lhes dou esses dois.

Ragnar olhou os dois homens barbudos.

— Duas vidas como garantia? E quando eles estiverem mortos, o que o impedirá de faltar com a palavra?

— Eu lhes dou três vidas — disse Constantino. E tocou o ombro do filho. — Cellach é meu filho mais velho e me é querido. Dou-o a vocês como refém. Se um dos meus homens atravessar a Nortúmbria com uma espada vocês podem matar Cellach.

Lembrei-me da alegria de Haesten ao nos impingir um filho falso como refém, mas não havia dúvida de que Cellach fosse filho de Constantino. A semelhança era impressionante. Olhei o garoto e lamentei imediatamente que meu filho mais velho não tivesse sua postura ousada e seu olhar firme.

Ragnar pensou nisso por um momento, mas não viu desvantagem. Instigou seu cavalo e estendeu a mão, e Constantino apertou-a.

— Vou mandar a prata — prometeu Ragnar.

— E ela será trocada por Cellach — prometeu Constantino. — Você me permitirá mandar serviçais e um tutor com o garoto?

— Todos serão bem-vindos — respondeu Ragnar.

Constantino pareceu satisfeito.

— Acho que nosso negócio está concluído.

E estava mesmo. Os escoceses cavalgaram para longe. Despimos os dois prisioneiros e depois Ragnar matou ambos rapidamente com sua espada. Uma névoa fluía suave e silenciosa descendo os morros e estávamos com pressa de partir. Os dois homens foram decapitados e seus cadáveres deixados perto da junção dos riachos. Em seguida montamos e fomos para o sul.

Ragnar cavalgava com a promessa de que sua fronteira norte estaria pacífica enquanto ele lutava em Wessex. De fato era um bom acordo, mas me deixou incomodado. Eu gostara de Constantino, mas havia nele uma inteligência e uma ponderação prometendo que o sujeito seria um inimigo difícil e temível. Como ele havia arranjado o encontro secreto com Ragnar? Instigando o ataque que provocara a retaliação, claro; portanto Constantino havia traído os homens que tinham seguido suas ordens. Ele era inteligente e jovem. Eu teria de viver com Constantino por um longo tempo, e se na época soubesse o que sei agora, teria cortado a garganta dele e a de seu filho.

No entanto, pelo menos nos 12 meses seguintes, ele manteve a palavra.

A primavera veio tarde mas, quando finalmente chegou, a terra ficou verde rapidamente. Cordeiros nasceram, os dias ficaram longos e quentes e a mente dos homens se voltou para a guerra.

Os dois poderosos *jarls* da Nortúmbria, Sigurd Thorrson e Cnut Ranulfson, vieram juntos a Dunholm, e depois deles uma porção de senhores menos importantes, todos dinamarqueses, mas até mesmo o menor deles era capaz de comandar em batalha mais de cem guerreiros treinados. Vinham apenas com um punhado de guerreiros, serviçais e escravos, mas os amplos salões de Ragnar não foram suficientes, e alguns dos *jarls* inferiores foram acomodados na vila ao sul da fortaleza.

Houve festas e trocas de presentes e, durante o dia, conversas. Os *jarls* haviam chegado acreditando que juntávamos homens para um ataque a Bebbanburg, mas Ragnar os desiludiu no primeiro dia.

— E Alfredo ouvirá que planejamos atacar Wessex — alertou — porque alguns de vocês contarão a seus homens e eles contarão a outros, e essa notícia chegará a Alfredo em alguns dias.

— Então fiquem quietos — resmungou Sigurd Thorrson.

O *jarl* Sigurd era um homem alto e de aparência dura, com a barba trançada em duas cordas grandes que ele enrolava no pescoço grosso. Possuía terras que se estendiam desde o sul da Nortúmbria até o norte da Mércia e aprendera seu ofício lutando contra os guerreiros de Æthelred. Seu amigo, Cnut Ranulfson, era mais magro, mas tinha a mesma força musculosa de Finan. Cnut era considerado o melhor espadachim de toda a Britânia, e sua lâmina, juntamente com a horda de guerreiros domésticos que sua riqueza mantinha, havia lhe dado terras que faziam limite com as propriedades de Sigurd. Seu cabelo era branco como osso, mas ele tinha apenas 30 anos, e os olhos mais claros que já vi, o que, somado ao cabelo, lhe dava uma aparência espectral. Mas tinha um sorriso rápido e um estoque infinito de piadas.

— Já tive uma escrava saxã tão bonita quanto aquela — havia me dito quando nos conhecemos. Ele estava olhando para uma das escravas de Ragnar, que carregava pratos de madeira para o grande salão. — Mas morreu — disse ele, em tom sombrio. — Morreu de beber leite.

— O leite estava estragado?

— A vaca despencou em cima dela — disse Cnut, e explodiu numa gargalhada.

Cnut ficou sério quando Ragnar anunciou que queria comandar um ataque contra Wessex. Ragnar fez um bom discurso, explicando que o poder saxão ocidental estava crescendo e que as ambições deles eram capturar a Mércia, depois a Ânglia Oriental e finalmente invadir a Nortúmbria.

— O rei Alfredo — disse Ragnar — se declara rei dos *angelcynn*, e o inglês é falado em minha terra, assim como na de todos vocês. Se não fizermos nada, os ingleses vão nos tomar um a um.

— Alfredo está morrendo — objetou Cnut.

— Mas suas ambições permanecerão vivas — disse Ragnar. — Wessex sabe que sua melhor defesa é o ataque e tem um sonho de empurrar suas fronteiras até tocar a terra dos escoceses.

— Eu gostaria que os desgraçados conquistassem os escoceses — exclamou um homem, mal-humorado.

— Se não fizermos nada — disse Ragnar — um dia a Nortúmbria será governada por Wessex.

Houve uma discussão sobre o verdadeiro poder de Wessex. Fiquei em silêncio, mas sabia mais do que qualquer um ali. Deixei que falassem o quanto quisessem e, sob a orientação de Ragnar, todos finalmente entenderam que Wessex era um reino que havia se organizado para a guerra. Suas defesas eram os *burhs*, guarnecidos pelo *fyrd*, mas sua capacidade de ataque era o número crescente de guerreiros domésticos que podiam se juntar sob a bandeira do rei. Os dinamarqueses eram mais temidos, homem a homem, mas jamais haviam se organizado como Alfredo organizara Wessex. Cada *jarl* dinamarquês protegia sua própria terra e relutava em seguir as ordens de outro *jarl*. Era possível uni-los, como Harald havia feito, mas ao primeiro revés as tripulações se espalhariam para encontrar saques mais fáceis.

— Então — resmungou Sigurd, em dúvida — temos de capturar os *burhs*?

— Harald capturou um — observou Ragnar.

— Ouvi dizer que não estava totalmente construído — disse Sigurd, me olhando em busca de confirmação. Assenti com a cabeça.

— Se vocês quiserem Wessex — disse Ragnar — devemos tomar os *burhs*. — Ele forçou um sorriso confiante. — Navegaremos até sua costa sul, numa grande frota! Vamos capturar Exanceaster e depois marchar para Wintanceaster. Alfredo estará esperando um ataque vindo do norte, por isso atacaremos do sul.

— Os navios dele verão nossa frota — questionou Cnut — e os guerreiros dele estarão esperando por nós.

— Os guerreiros dele — interveio uma voz nova, dos fundos do salão — estarão lutando contra minhas tripulações. De modo que vocês só terão de lutar contra o *fyrd* de Alfredo. — O homem que falara estava de pé junto à porta aberta do salão, e o sol estava tão forte que nenhum de nós podia vê-lo direito. — Vou atacar a Mércia — disse o homem em voz alta e confiante — e as forças de Alfredo marcharão para defendê-la, e, sem elas, Wessex estará própria ao saque de vocês. — O homem avançou alguns passos, seguido por uma dúzia de guerreiros com cotas de malha. — Saudações, *jarl* Ragnar — disse ele —, e a todos vocês — fez um gesto expansivo para o salão ao redor —, saudações!

Era Haesten. Ele não fora convidado para o conselho, no entanto estava ali, sorrindo e brilhando com correntes de ouro. Era um dia ameno, no entanto ele optara por usar uma capa de pele de lontra forrada com rara seda amarela para mostrar sua riqueza. Houve um momento de embaraço depois de sua chegada, como se ninguém tivesse certeza se deveria tratá-lo como amigo ou intruso, mas então Ragnar se pôs de pé e abraçou o recém-chegado.

Não descreverei o tédio dos dois dias seguintes. Os homens reunidos em Dunholm eram capazes de juntar o maior exército dinamarquês já visto na Britânia, no entanto ainda estavam apreensivos porque todos sabiam que Wessex havia derrotado todos os ataques. Agora Ragnar precisava convencê-los de que as circunstâncias tinham mudado. Alfredo estava doente e não poderia se comportar como um líder jovem e enérgico, seu filho era inexperiente e — ele me lisonjeou — Uhtred de Bebbanburg havia abandonado Wessex. Assim, finalmente concordou-se que Wessex estava vulnerável, mas quem seria o rei? Eu havia esperado que essa discussão durasse para sempre, mas Sigurd e Cnut tinham discutido isso em particular e concordaram que Sigurd governaria Wessex e Cnut tomaria o trono da Nortúmbria quando o doente, louco e triste Guthred morresse. Ragnar não tinha ambição de viver no sul, nem eu, e ainda que sem dúvida Haesten esperasse que lhe oferecessem a coroa de Wessex, aceitou que seria nomeado rei da Mércia.

A chegada de Haesten havia tornado mais viável a ideia de atacar Wessex. Ninguém confiava realmente nele, mas poucos duvidavam de que ele realmente planejava atacar a Mércia. Na verdade ele queria que nossas tropas se juntassem às deles, e de fato isso faria sentido porque, unidos, formaríamos um exército poderoso, mas ninguém poderia jamais concordar com relação a quem comandaria esse exército. E assim foi decidido que Haesten comandaria pelo menos 2 mil homens indo em direção ao oeste, partindo de sua fortaleza em Beamfleot, e, assim que as tropas dos saxões ocidentais marchassem para enfrentá-lo, a frota da Nortúmbria atacaria o litoral sul. Cada homem presente jurou manter os planos em segredo, mas eu duvidava de que esse juramento solene valesse um fio de barba. Alfredo ficaria sabendo logo.

— Então serei rei da Mércia — disse-me Haesten na última noite, quando de novo o salão estava iluminado pelo fogo e cheio de festa.

— Só se você segurar os saxões ocidentais por tempo suficiente — alertei. Ele balançou a mão como se essa fosse uma tarefa trivial. — Capture um *burh* na Mércia e obrigue-os a sitiar você.

Ele mordeu uma coxa de ganso e a gordura escorreu pela barba.

— Quem vai comandá-los?

— Eduardo, provavelmente, mas será aconselhado por Æthelred e Steapa.

— Eles não são você, amigo — disse Haesten, cutucando meu antebraço com o osso de ganso.

— Meus filhos estão na Mércia. Certifique-se de que eles permaneçam vivos.

Haesten ouviu a seriedade na minha voz.

— Prometo — disse ele, sério. — Juro pela minha vida. Seus filhos estarão a salvo. — Ele tocou meu braço como que para me tranquilizar, depois apontou o osso de ganso para Cellach. — Quem é aquela criança?

— Um refém da Escócia.

Cellach havia chegado uma semana antes com um pequeno séquito. Tinha dois guerreiros para protegê-lo, duas serviçais para vesti-lo e alimentá-lo e um padre corcunda para educá-lo. Eu gostava dele. Era um garotinho forte que havia aceitado o exílio com coragem. Já fizera amigos entre as crianças da fortaleza e vivia escapando das aulas do corcunda para correr feito louco pelas fortificações ou descer desabalado a encosta íngreme das rochas de Dunholm.

— Então não teremos encrenca com os escoceses? — perguntou Haesten.

— O garoto morre se eles ao menos mijarem para o outro lado da fronteira.

Haesten riu.

— Então eu serei rei da Mércia: Sigurd, de Wessex; e Cnut, da Nortúmbria. Mas e você?

Servi-lhe hidromel e parei um momento para olhar um homem fazer malabarismo com tochas acesas.

— Vou tomar a prata de Wessex e reivindicar Bebbanburg.

— Não quer ser rei de algum lugar? — perguntou ele, incrédulo.

— Quero Bebbanburg. É tudo o que sempre quis. Vou levar meus filhos para lá, criá-los lá e nunca mais irei embora.

Haesten não disse nada. Não creio que tenha sequer me escutado. Estava olhando cheio de espanto, encarando Skade. Ela usava um maltrapilho vestido de serviçal, mas mesmo assim sua beleza brilhava como um farol na escuridão. Acho que naquele momento eu poderia ter roubado as correntes de ouro do pescoço de Haesten e ele nem perceberia. Só ficou observando, e Skade, sentindo seu olhar, virou-se. Os dois se encararam.

— Bebbanburg — falei de novo — é tudo o que eu sempre quis.

— É — respondeu ele, distraído —, ouvi. — Ele continuava olhando Skade. Não existia mais ninguém para os dois no castelo barulhento. Brida, sentada mais adiante, à mesa elevada, tinha visto os olhares fixos dos dois e se virou para mim, levantando uma sobrancelha. Dei de ombros.

Naquela noite Brida estava feliz. Havia arranjado o futuro da Britânia, ainda que sua influência tivesse sido estabelecida através de Ragnar. No entanto era sua ambição que o havia esporeado, e essa ambição era destruir Wessex e, como consequência, o poder dos padres que espalhavam seu evangelho de modo tão insidioso. Dentro de um ano, todos acreditávamos, o único rei cristão na Inglaterra seria Eohric da Ânglia Oriental, e ele trocaria de devoção ao ver como o vento havia mudado. De fato, não haveria Inglaterra, apenas Daneland. Tudo parecia muito simples, muito fácil, muito direto, e, naquela noite de harpa e risos, cerveja e camaradagem, nenhum de nós podia prever o fracasso. A Mércia estava fraca, Wessex era vulnerável e nós éramos os dinamarqueses, os temidos guerreiros do norte.

Então, no dia seguinte, o padre Pyrlig chegou a Dunholm.

Onze

Naquela noite veio uma tempestade. Atacou súbita do norte, e seus primeiros sinais foram um sopro feroz de vento que estremeceu passando pela fortaleza. Em instantes, nuvens esconderam as estrelas e raios sacudiram o céu. A tempestade me acordou na casa onde eu havia suado e congelado durante a doença, e ouvi as primeiras gotas pesadas de chuva caírem gordas e duras na palha do teto. Depois, pareceu que um rio estava se esvaziando na fortaleza de Dunholm. O céu borbulhava e o barulho da chuva era mais forte do que qualquer trovão. Saí da cama, enrolei um cobertor de peles de ovelha nos ombros nus e fui para a porta onde empurrei de lado a cortina de couro. A garota na minha cama gemeu e eu disse para ela se juntar a mim. Era uma escrava saxã. Levantei o cobertor para envolvê-la e ela ficou apertada contra mim, olhos arregalados ao clarão dos raios, observando a escuridão que rugia. Ela disse alguma coisa, mas não sei o que foi porque o vento e a chuva abafaram as palavras.

A tempestade chegou depressa e partiu da mesma forma. Olhei os raios viajando para o sul e ouvi a chuva diminuir, depois pareceu que a noite prendia o fôlego no silêncio que se seguiu aos trovões. A chuva parou, mas continuava pingando água dos beirais, e um pouco escorreu através da palha indo sibilar nos restos do fogo. Joguei madeira nova nas brasas, acrescentei acendalha e deixei as chamas saltarem. A cortina de couro ainda estava aberta e vi a luz das fogueiras aumentar em outras casas e nos dois grandes salões. Foi uma noite inquieta em Dunholm. A garota se deitou de novo, envolvendo-se em peles, e seus olhos brilhantes do fogo ficaram atentos quando desembainhei

Bafo de Serpente e deslizei a lâmina devagar através das chamas recém-avivadas. Fiz isso duas vezes, banhando lentamente cada lado da lâmina comprida, depois limpando o aço com uma pele de ovelha.

— Por que faz isso, senhor? — perguntou ela.

— Não sei — respondi, e não sabia mesmo, apenas que Bafo de Serpente, como todas as espadas, tinha nascido nas chamas, e às vezes eu gostava de banhá-la no fogo para preservar qualquer feitiçaria que tivesse sido posta nela no momento da criação. Beijei com reverência o aço quente e enfiei-o de volta na bainha. — Não podemos ter certeza de nada — disse eu —, a não ser das nossas armas e da morte.

— Podemos ter certeza de Deus, senhor — insistiu ela em voz baixa.

Eu sorri, mas não disse nada. Imaginei se meus deuses se importavam conosco. Talvez essa fosse a vantagem do deus cristão: de algum modo ele convencia seus seguidores de que se importava, de que os vigiava e protegia, no entanto eu não via as crianças cristãs morrendo com menos frequência do que as pagãs, ou que os cristãos fossem poupados da doença, das enchentes e do fogo. No entanto os cristãos viviam declarando o amor de seu deus.

Passos soaram molhados lá fora. Alguém estava correndo para a minha cabana e, ainda que eu estivesse em segurança na fortaleza de Ragnar, instintivamente estendi a mão para Bafo de Serpente, e ainda segurava o punho da espada quando um homem corpulento entrou pela porta aberta.

— Meu Jesus — disse ele. — Está frio lá fora.

Soltei a espada enquanto o padre Pyrlig se agachava perto do fogo.

— Não conseguiu dormir? — perguntei.

— Ora, quem, em nome de Deus, poderia dormir durante uma tempestade dessas? Precisaria ser surdo, cego, bêbado e idiota para dormir debaixo disso. Bom dia, senhor. — Ele riu para mim. — Está nu como um recém-nascido. — Ele virou a cabeça e sorriu para a escrava. — Deus a abençoe, criança.

Ela ficou nervosa com o recém-chegado e me olhou ansiosa.

— Ele é um bom homem — garanti. — E é padre. — O padre Pyrlig vestia calção e gibão, sem qualquer sinal de vestes sacerdotais. Tinha chegado no fim da tarde anterior, com uma recepção gélida da parte de Brida, mas encantando Ragnar com suas exageradas histórias de batalha. Quando Ragnar foi para a cama ele já estava bêbado, por isso tive muito pouca chance de conversar com meu velho amigo.

Peguei uma capa num gancho e amarrei no pescoço. A lã estava úmida.

— Seu deus ama você? — perguntei a Pyrlig.

Ele riu disso.

— Meu Deus, que pergunta, senhor! Bom, ele me mantém a quilômetros de minha mulher, por isso me ama, e que bênção maior um homem pode pedir? Enche minha barriga e me mantém entretido! Eu lhe contei sobre a escrava que morreu de beber leite?

— A vaca despencou em cima dela — respondi sem emoção.

— É um sujeito engraçado, aquele tal de Cnut — disse Pyrlig. — Vou lamentar quando você matá-lo.

— Eu vou matá-lo? — perguntei. A garota olhou para mim.

— Provavelmente terá de matar.

— Não o escute — disse à garota. — Ele está delirando.

— Sou galês, querida — explicou ele, depois se virou de novo para mim —, e pode me dizer, senhor, por que um bom galês deveria estar fazendo negócios com os saxões?

— Porque você é um *earsling* intrometido, e deus sabe de que bunda você caiu, mas aqui está.

— Deus usa instrumentos estranhos para seus propósitos maravilhosos — disse Pyrlig. — Por que não se veste e vem olhar o amanhecer comigo?

O padre Pyrlig, como o bispo Asser, era um galês que encontrou emprego a serviço de Alfredo, mas me contou que não tinha vindo de Wessex para Dunholm, e sim da Mércia.

— Estive em Wintanceaster pela última vez no Natal — contou ele. — E, meu Deus, o pobre Alfredo está doente! Parece um cadáver requentado, e não muito bem requentado.

— O que você estava fazendo na Mércia?

— Farejando o lugar — disse ele misteriosamente, depois, de modo também misterioso, acrescentou: — É aquela mulher dele.

— Mulher de quem?

— Ælswith. Meu Deus, por que Alfredo se casou com ela? Ela deveria dar um pouco de manteiga e creme para o sujeito, fazer com que ele comesse um pouco de carne boa.

O padre Pyrlig havia comido sua cota de manteiga e creme. Era barrigudo, tinha ombros largos e vivia sempre alegre. Seu cabelo era um emaranhado; o riso, contagiante; e sua religião era carregada com leveza, ainda que jamais de modo superficial. Parou comigo acima do portão sul de Dunholm e eu lhe contei como Ragnar e eu havíamos capturado aquela fortaleza. Antes de virar padre, Pyrlig fora um guerreiro, e apreciou a história de como eu havia me esgueirado para dentro de Dunholm através de uma abertura para água no lado oeste, e de como havíamos sobrevivido o bastante para abrir o portão sobre o qual estávamos agora, e como Ragnar havia comandado seus guerreiros dinamarqueses, carregando tochas, passando pelo portão e entrando na fortaleza onde derrotamos e matamos os homens de Kjartan.

— Ah — disse ele quando a história terminou. — Eu deveria estar aqui. Parece que foi uma luta única!

— Então, o que o traz, agora?

Ele riu para mim.

— Um homem não pode simplesmente visitar um velho amigo?

— Alfredo mandou você — falei azedamente.

— Eu lhe disse; vim da Mércia, não de Wessex. — Ele se apoiou no topo da paliçada. — Você se lembra da noite anterior à captura de Lundene?

— Lembro que você me disse que naquela noite estava vestido para rezar. Você usava cota de malha e carregava duas espadas.

— Que hora melhor para rezar do que antes de uma batalha? E aquela foi outra luta única, amigo.

— Foi.

— E antes dela o senhor fez um juramento.

Minha raiva subiu tão depressa quanto o rio fora engolido pela tempestade súbita.

— Danem-se Alfredo e seus juramentos. Que ele vá para o seu inferno. Eu dei ao desgraçado os melhores anos da minha vida! Ele nem estaria sentado no trono de Wessex se eu não lutasse por ele! Harald Cabelo de Sangue seria rei agora, e Alfredo estaria apodrecendo no túmulo, mas ele me agradece? De vez em quando ele me dava um tapinha na cabeça como se eu fosse um cachorro desgraçado, mas em seguida deixa aquele monge com cabeça de bosta insultar Gisela e espera que eu me arraste até ele pedindo perdão depois que matei o desgraçado. É — falei virando-me para olhar o rosto largo de Pyrlig. — Eu fiz um juramento. Então deixe-me dizer que estou violando-o. Ele está violado. Os deuses podem me castigar por isso e, por mim, que Alfredo apodreça nas profundezas do inferno.

— Duvido que seria ele a ir para o inferno — disse Pyrlig em tom ameno.

— Você acha que quero estar no seu céu? Com todos aqueles padres, monges e freiras ressequidas? Prefiro me arriscar ao inferno. Não, padre, não vou manter meu juramento a Alfredo. Você pode voltar e dizer a ele que não tenho juramento para com ele, nem aliança, nem dever, nem lealdade, nada! Ele é um desgraçado sarnento, ingrato e rancoroso que peida repolho!

— O senhor o conhece melhor do que eu — disse Pyrlig em tom leve.

— Pode pegar o juramento dele e cagar em cima — rosnei. — Volte a Wessex e lhe dê essa resposta. — Um grito fez com que eu me virasse, mas era apenas um serviçal gritando com um cavalo que protestava. Um dos senhores estava partindo e evidentemente dando início aos planos cedo. Um grupo de guerreiros, com elmos e malhas, já estava montado, e dois cavalos esperavam com selas vazias. Dois homens de Ragnar correram ao portão abaixo de nós e ouvi a barra sendo levantada.

— Alfredo não me mandou — disse Pyrlig.

— Quer dizer que isso é ideia sua? Vir me lembrar do meu juramento? Não preciso ser lembrado.

— Violar um juramento é...

— Eu sei! — gritei.

— No entanto homens violam juramentos o tempo todo — continuou Pyrlig calmamente, olhando para o sul, para onde a primeira luz cinza do alvorecer tocava a crista dos morros. — Talvez por isso a gente cerque os juramentos com lei dura e costume rígido, pois sabemos que eles serão violados. Acho que Alfredo sabe que você não retornará. Ele está triste com isso. Se Wessex for atacado, ele não terá sua espada mais afiada, mas mesmo assim não me mandou. Ele acha que Wessex está melhor sem você. Ele quer um reino ligado a Deus, e você era um espinho nessa ambição.

— Ele pode precisar de alguns espinhos se os dinamarqueses retornarem a Wessex — rosnei.

— Ele confia em Deus, senhor Uhtred. Confia em Deus.

Ri daquilo. Que o deus cristão defendesse Wessex contra os dinamarqueses da Nortúmbria quando eles invadissem o litoral no verão!

— Se Alfredo não me quer de volta, por que você está desperdiçando o meu tempo?

— Por causa do juramento que o senhor fez na véspera da batalha de Lundene, e foi a pessoa a quem o senhor fez aquela promessa que pediu que eu viesse aqui.

Olhei-o e pensei ter ouvido a gargalhada das Nornas. As três fiandeiras. As Nornas que teciam nosso destino.

— Não — respondi, mas sem raiva ou força.

— Ela me mandou.

— Não — repeti.

— Ela quer sua ajuda.

— Não! — protestei.

— E pediu que eu o lembrasse que uma vez jurou servi-la.

Fechei os olhos. Era verdade, tudo verdade. Será que eu havia me esquecido desse juramento feito na noite anterior ao ataque a Lundene? Eu não havia esquecido, mas também não pensara que esse juramento fosse me prender.

— Não — repeti, dessa vez um mero sussurro de negação.

— Todos somos pecadores, senhor — disse Pyrlig gentilmente —, mas até a Igreja reconhece que alguns pecados são piores do que outros. O juramento que o senhor fez a Alfredo era uma obrigação, e deveria ter sido recompensado com gratidão, terra e prata. É errado o senhor violar esse juramento e não posso aprovar isso, mas entendo que Alfredo foi descuidado no dever para com o senhor. Mas o juramento que o senhor fez à senhora foi feito com amor, e esse o senhor não pode violar sem destruir sua alma.

— Amor? — Fiz a pergunta parecer um desafio.

— O senhor amava Gisela, eu sei, e não violou os juramentos que lhe fez, mas o senhor ama a senhora que me mandou. Sempre amou. Vejo isso em seu rosto e no dela. O senhor é cego a isso, mas esse amor ofusca o resto de nós.

— Não.

— Ela está com problemas — disse Pyrlig.

— Problemas? — perguntei em voz opaca.

— O marido dela está doente da cabeça.

— Está louco?

— Não que dê para notar.

Abaixo de mim as dobradiças guincharam quando as duas grandes bandas do portão foram puxadas para fora. Ragnar, com as pernas nuas sob uma capa larga, estava gritando a despedida aos cavaleiros que passavam abaixo de nós, pelo Portão do Alto de Dunholm, os cascos batendo nas pedras da estrada que descia até a cidade. Um dos cavaleiros se virou e vi que era Haesten, levantando a mão para me saudar. Levantei a mão de volta, depois congelei, pois o cavaleiro perto dele também se virou na sela. Ela sorriu, mas com selvageria. Era Skade. Devia ter visto a perplexidade no meu rosto porque gargalhou, depois bateu os calcanhares de modo que seu cavalo correu livre e rápido morro abaixo.

— Problema — falei, olhando-a —, mais problema do que você imagina.

— Porque Haesten vai atacar a Mércia? — perguntou Pyrlig.

Não confirmei, mas duvidei de que Haesten fosse manter suas intenções em segredo.

— Porque aquela mulher está com ele.

— As mulheres trouxeram o pecado a este mundo — disse Pyrlig — e, por Deus, elas o mantêm borbulhando. Mas não posso imaginar um mundo sem elas, e você?

— Ela quer que eu vá até ela?

— Quer — respondeu Pyrlig — e me mandou buscá-lo. Também pediu que eu lhe dissesse outra coisa. Que se você não puder cumprir com o juramento, ela o libera.

— Então não preciso ir.

— Não.

— Mas fiz o juramento.

— Fez.

A Æthelflæd. Eu havia escapado de Alfredo e sentia apenas alívio pela liberdade encontrada, mas agora sua filha me convocava. E Pyrlig estava certo. Alguns juramentos são feitos com amor, e esses não podemos violar.

Durante todo o inverno eu havia me sentido como um timoneiro em meio ao nevoeiro, levado pela maré a lugar nenhum, soprado pelo vento a nenhum porto, perdido, mas agora era como se a névoa sumisse. O destino havia me mostrado o marco que eu procurava, e se não era o marco que eu desejava, mesmo assim dava direção ao meu navio.

Eu havia mesmo jurado a Æthelflæd. Praticamente toda promessa que eu fizera ao seu pai me fora arrancada, às vezes à força, mas o mesmo acontecera com o juramento que fiz a Æthelflæd. A promessa de servi-la fora o preço para ela me dar ajuda no ataque desesperado a Lundene, e me lembrei de ter ficado ressentido com esse preço, mas mesmo assim precisei me ajoelhar e lhe fazer o voto.

Eu conhecia Æthelflæd desde que ela era criança, a única dos filhos de Alfredo que possuía travessura, vida e risos, e eu vira essas qualidades serem azedadas pelo casamento com meu primo. E nos meses e anos depois do juramento eu passara a amá-la, não como amava Gisela, que era amiga de Æthelflæd, mas como uma garota luminosa cuja luz estava sendo apagada pela crueldade dos homens. E eu servira a ela. Tinha-a protegido. E agora ela pedia que eu a protegesse de novo, e o pedido me encheu de indecisão. Ocupei-me nos dias seguintes com atividades, caçando e treinando com armas, e Finan, que costumava treinar luta de espada comigo, recuou um dia e perguntou se eu estava tentando matá-lo.

— Desculpe — falei.

— É o padre galês, não é? — perguntou ele.

— É o destino.

— E para onde o destino vai nos levar, senhor?

— Para o sul, para o sul. — E odiei a palavra. Eu era do norte, a Nortúmbria era meu lugar, no entanto as fiandeiras estavam me levando para o sul.

— Para Alfredo? — perguntou Finan, incrédulo.

— Não, para Æthelflæd. — E quando falei seu nome soube que não poderia adiar mais.

Assim, uma semana depois da partida de Haesten, fui até Ragnar e menti para ele, porque não queria que ele visse minha traição.

— Vou proteger meus filhos — declarei.

Ele tentou me tranquilizar.

— Haesten certamente não vai matá-los.

— Mas Skade vai.

Ele pensou nisso, depois assentiu.

— É verdade.

— Ou vai vendê-los como escravos — afirmei desanimado. — Ela me odeia.

— Então você deve ir.

Assim, parti de Dunholm e meus homens foram comigo, porque eram jurados em espada, e suas famílias também foram, e por causa disso Ragnar soube que eu estava partindo de vez. Olhou meus homens carregando os cavalos de carga com malha e armas, e me olhou, magoado e perplexo.

— Você vai para Wessex? — perguntou.

— Não — prometi, e falei com sinceridade.

Brida sabia.

— Então vai para onde? — perguntou com raiva.

— Para os meus filhos.

— Você vai trazê-los de volta para cá? — perguntou Ragnar, ansioso.

Evitei responder sua pergunta.

— Há uma amiga que cuida dos meus filhos, e ela está com problemas.

Brida cortou minhas evasivas.

— A filha de Alfredo? — perguntou com escárnio.

— É.

— Que odeia os dinamarqueses — disse Brida.

— Ela pediu minha ajuda — expliquei para Ragnar. — E não posso recusar.

— As mulheres enfraquecem você — rosnou Brida para mim. — E sua promessa de navegar com Ragnar?

— Não fiz essa promessa — respondi rispidamente.

— Nós precisamos de você! — implorou Ragnar.

— De mim e de minha meia tripulação?

— Se você não ajudar a destruir Wessex — disse Brida —, não participará da partilha da riqueza de Wessex. E sem isso, Uhtred, você não tem esperanças de conseguir Bebbanburg.

— Estou indo encontrar meus filhos — afirmei obstinado, e Ragnar e Brida souberam que, na melhor das hipóteses, isso era meia verdade.

— Você sempre foi saxão antes de ser dinamarquês — disse Brida com desprezo. — Quer ser dinamarquês, mas não tem coragem.

— Talvez você esteja certa — admiti.

— Deveríamos matar você agora — disse ela, e falava sério.

Ragnar pôs a mão no braço de Brida para silenciá-la, depois me abraçou.

— Você é meu irmão. — Ele me manteve apertado por um instante. Ragnar sabia, e eu sabia, que eu ia voltar aos saxões, que estaríamos para sempre em lados opostos, e tudo o que eu podia fazer era prometer que jamais lutaria contra ele.

— E você revelará nossos planos a Alfredo? — perguntou Brida. Ragnar podia ficar em paz com minha partida, mas Brida não perdoava.

— Eu odeio Alfredo — respondi — e desejo alegria a vocês na derrubada do reino dele.

Pronto, escrevi, e isso me dói porque a lembrança daquela partida é muito sofrida. Brida me odiou naquele momento, Ragnar ficou triste e eu fui covarde. Escondi-me por trás do destino dos meus filhos e traí minha amizade. Durante todo o inverno Ragnar havia me abrigado e alimentado meus homens, e agora eu o abandonava. Ele fora feliz comigo ao seu lado e estava infeliz com a perspectiva de lutar contra Wessex, mas tinha pensado que travaríamos essa guerra juntos. Agora eu o deixava. Ele me permitiu deixá-lo. Brida teria realmente me matado naquele dia, mas Ragnar me perdoou. Era um dia claro de primavera. Foi o dia em que minha vida mudou. *Wyrd bið ful ãræd.*

Assim cavalgamos para o sul e durante muito tempo não pude falar. O padre Pyrlig percebeu meu humor e não disse nada até que finalmente rompi o silêncio taciturno.

— Você disse que meu primo está doente da cabeça? — perguntei.

— Sim e não — respondeu ele.

— Obrigado por esclarecer.

Ele sorriu. Cavalgava ao meu lado, olhos estreitados por causa do sol.

— Ele não está louco como o pobre Guthred — disse depois de um tempo. — Não tem visões, não fala com anjos nem mastiga os juncos. Está com raiva porque não é rei. Æthelred sabe que, quando morrer, a Mércia cairá nas mãos de Wessex. É o que Alfredo quer, e o que Alfredo quer ele geralmente consegue.

— Então por que Æthelflæd mandou me chamar?

— Seu primo odeia a esposa — disse Pyrlig, a voz tão baixa que não chegava até Finan e Sihtric, que vinham logo atrás. Um cão espantou ovelhas do nosso caminho, obedecendo ao assobio agudo de um pastor num morro distante. Pyrlig suspirou. — Toda vez que vê Æthelflæd, Æthelred sente as correntes que Alfredo pendurou nele. Ele quer ser rei e não pode ser porque Alfredo não permitirá.

— Porque Alfredo quer ser rei da Mércia?

— Alfredo quer ser rei da Inglaterra e, se não puder alardear esse título, gostaria que seu filho usasse essa coroa. De modo que não pode haver outro rei saxão. Um rei é ungido por Deus, um rei é sagrado, portanto não deve haver outro rei ungido para obstruir o caminho.

— E Æthelred se ressente disso.

— É, e castigaria a esposa.

— Como?

— Divorciando-se dela.

— Alfredo não admitiria — disse eu, descartando a ideia.

— Alfredo é um homem doente. Pode morrer a qualquer momento.

— Divorciar-se dela — disse eu. — O que significa... — Fiz uma pausa. Æthelflæd, claro, tinha me falado antes sobre as ambições do marido, mas eu ainda achava pouco possível. — Não, ele não faria isso.

— Ele tentou, quando todos achamos que Alfredo estava agonizando. Æthelflæd soube do que estava acontecendo e se refugiou num convento em Lecelad.

— Na fronteira com Wessex?

Pyrlig assentiu.

— De modo que possa fugir para seu pai se eles tentarem de novo, coisa que farão.

Xinguei baixinho.

— Aldhelm? — perguntei.

— O senhor Aldhelm — concordou Pyrlig.

— Æthelred irá forçá-la a ir para a cama de Aldhelm? — perguntei, a voz subindo com incredulidade.

— Esse seria o prazer do senhor Æthelred — disse Pyrlig secamente — e sem dúvida o prazer ainda maior do senhor Aldhelm. E quando isso for feito, Æthelred poderá oferecer à Igreja prova de adultério, confiná-la a um convento e o casamento estará acabado. Então ele ficará livre para se casar de novo, gerar um herdeiro e, assim que Alfredo morrer, poderá se declarar rei.

— E quem a protege? Quem protege meus filhos?

— Freiras.

— Nenhum homem a protege?

— O marido é que dá o ouro, não ela. Os homens a amam, mas ela não tem riqueza para lhes dar.

— Agora tem — afirmei com selvageria, e cravei as esporas no cavalo que havia comprado em Dunholm. Não me restava muita riqueza. Eu havia comprado mais de setenta cavalos para tornar essa viagem possível, e a pouca prata que restava estava em duas bolsas de sela. Mas eu tinha Bafo de Serpente e Ferrão de Vespa, e agora, porque as três fiandeiras haviam torcido minha vida de novo, tinha um propósito. Iria até Æthelflæd.

Lecelad era um amontoado de choupanas construídas na margem norte do Temes, onde o Lec, um córrego pantanoso, juntava-se ao rio. Um moinho de água ficava no ponto em que o riacho se esvaziava, e perto havia um cais onde estavam presos um punhado de barcos pequenos e cheios de vazamento. Na extremidade leste da rua da aldeia, que era uma coleção de poças cor de lama, ficava o convento. Era cercado por uma paliçada construída, suspeitei, para manter as freiras dentro, mais do que os inimigos fora, e por cima daquele muro escurecido pela chuva erguia-se uma igreja lúgubre e feia, feita de madeira e pau a pique. A torre do sino raspava as nuvens baixas enquanto a chuva açoitava do oeste. Do outro lado do Temes havia um desembarcadouro flutuante, de madeira e, acima dele, na margem, um grupo de homens que se abrigavam sob um toldo improvisado, sobre varas. Todos usavam malha e estavam com as lanças encostadas num salgueiro. Pisei no cais, pus as mãos em concha e gritei para eles.

— A quem vocês servem?

— Ao senhor Æthelnoth! — gritou de volta um dos homens. Ele não me reconheceu. Eu estava envolto numa capa escura e tinha um capuz sobre os cabelos louros.

— Por que estão aí? — gritei, mas a única resposta foi um dar de ombros, de incompreensão.

Aquela margem sul era território saxão ocidental, motivo pelo qual, sem dúvida, Æthelflæd havia escolhido Lecelad. Ela poderia fugir para o reino do pai a qualquer instante, se bem que Alfredo, que considerava sagrados os laços do matrimônio, sem dúvida relutaria em lhe oferecer refúgio por medo do escândalo resultante. Mesmo assim supus que ele ordenara que o *ealdorman* Æthelnoth de Sumorsæte vigiasse o convento, no mínimo para informar sobre qualquer acontecimento estranho na margem mércia do rio. Agora eles teriam algo a informar, pensei.

— Quem é o senhor? — gritou o homem de volta, por cima do rio. Ele podia não ter me reconhecido, mas viu que eu comandava um grupo de cavaleiros e talvez o ouro de meu luxuoso broche da capa tivesse brilhado no ar chuvoso e opaco.

Ignorei sua pergunta; apenas me virei para Finan, que riu de cima do cavalo.

— São só trinta homens, senhor — disse ele. Eu o havia mandado explorar a aldeia e descobrir quantos homens guardavam o convento.

— Só?

— Há mais numa aldeia ao norte.

— Quem comanda os trinta?

— Um pobre coitado que quase se cagou quando nos viu.

Os trinta homens estavam postados na própria Lecelad, presumivelmente seguindo ordens do meu primo e presumivelmente para garantir que Æthelflæd permanecesse trancada no feio convento. Subi na sela molhada e escorregadia e enfiei o pé direito no estribo.

— Vamos chutar esse ninho de vespas — falei.

Levei meus homens para o leste, passando por cabanas, montes de esterco e porcos chafurdando. Algumas pessoas nos olhavam das portas, e, no fim da rua, diante do convento, um grupo de homens com gibões de couro e elmos enferrujados esperavam, mas se tinham ordem de impedir que alguém entrasse no convento, não estavam com clima para cumpri-la. Saíram da frente, carrancudos, quando nos aproximamos. Ignorei-os e eles não perguntaram meu nome nem tentaram nos impedir.

Chutei o portão do convento, espirrando chuva da borda superior. Meu cavalo relinchou e chutei o portão pela segunda vez. As tropas mércias ficaram olhando. Um homem correu para um beco e suspeitei que estivesse indo procurar ajuda.

— Vamos lutar com alguém antes do fim deste dia — disse eu a Finan.

— Espero que sim, senhor — respondeu ele, carrancudo. — Faz tempo demais.

Uma portinhola se abriu no grande portão e um rosto de mulher apareceu no buraco.

— O que quer? — perguntou o rosto.

— Sair desta chuva — respondi.

— Os aldeões vão oferecer abrigo — disse a mulher, e começou a fechar a portinhola, mas consegui enfiar o dedo do pé no espaço.

— Você pode abrir o portão ou pode olhar enquanto nós o fazemos em pedacinhos — ameacei.

— Eles são amigos da senhora Æthelflæd — interveio solícito o padre Pyrlig.

A janelinha se abriu totalmente outra vez.

— É o senhor, padre?

— Sou, irmã.

— Será que os bons modos desapareceram da superfície da terra de Deus?

— Ele não pode evitar, irmã — disse Pyrlig. — É um brutamontes. — E sorriu para mim.

— Tire o pé — exigiu a mulher, irritada, e quando obedeci ela fechou a portinhola e ouvi a tranca sendo levantada. Então o portão se escancarou rangendo.

Desci da sela.

— Esperem — disse aos meus homens e entrei no pátio do convento.

A igreja lúgubre ocupava toda a parte sul, ao passo que os outros três lados tinham pequenas construções de madeira acompanhando o muro, cobertas de palha, onde presumi que as freiras dormiam, comiam e fiavam lã. A freira, que se apresentou como a abadessa Werburgh, fez uma reverência a mim.

— O senhor é mesmo amigo da senhora Æthelflæd? — perguntou. Era uma mulher idosa, tão pequena que mal chegava à minha cintura, mas tinha rosto feroz.

— Sou.

Werburgh estremeceu com desaprovação ao ver o martelo de Tor pendurado no meu pescoço.

— E o seu nome? — perguntou, mas nesse momento um berro agudo soou e uma criança saiu correndo de uma porta e veio correndo pelo pátio cheio de poças.

Era Stiorra, minha filha, que pulou sobre mim, envolvendo meu pescoço com os braços e minha cintura com as pernas. Fiquei feliz porque estava chovendo, caso contrário a freira poderia pensar que as gotas no meu rosto eram lágrimas. Eram.

— Eu sabia que você viria — disse Stiorra ferozmente. — Eu sabia, eu sabia, eu sabia.

— O senhor é o senhor Uhtred? — perguntou a abadessa.

— Sou.

— Graças a Deus.

Stiorra estava me contando suas aventuras, e Osbert, meu filho mais novo, havia corrido até mim e estava tentando subir pela minha perna. Uhtred, meu filho mais velho, não estava à vista. Peguei Osbert e gritei para Finan trazer os outros homens para dentro.

— Não sei quanto tempo vamos ficar — disse à abadessa Werburgh —, mas os cavalos precisam de estábulo e comida.

— Acha que somos uma taverna? — perguntou ela.

— Você não vai embora de novo, vai? — estava perguntando Stiorra com insistência.

— Não — respondi. — Não, não, não. — E então parei de falar porque Æthelflæd apareceu numa porta, emoldurada pela escuridão atrás e, mesmo naquele dia cinza e sem graça, me pareceu que, apesar de vestir uma capa e um capuz de trama áspera e marrom, ela reluzia.

E me lembrei da profecia de Iseult, feita tantos anos antes, quando Æthelflæd não era mais velha do que Stiorra, uma profecia feita quando Wessex estava mais fraco, quando os dinamarqueses haviam dominado o território e Alfredo era um fugitivo nos pântanos. Iseult, aquela mulher estranha e linda, morena como as sombras, tinha me prometido que Alfredo me daria poder e que minha mulher seria uma criatura de ouro.

Olhei para Æthelflæd e ela olhou de volta, e eu soube que cumpriria a promessa feita à minha filha. Não iria embora.

Pus meus filhos no chão, alertando para ficarem longe dos cascos dos cavalos, e atravessei o pátio cheio de poças, sem perceber as freiras que haviam se esgueirado para olhar nossa chegada. Eu planejava fazer uma reverência a Æthelflæd. Afinal de contas ela era filha de um rei e mulher do governante da Mércia, mas seu rosto estava ao mesmo tempo lacrimoso e feliz, e não me curvei. Estendi os braços, ela veio até mim e senti seu corpo tremendo enquanto eu a abraçava. Talvez ela pudesse sentir meu coração batendo, porque me pareceu que ele soava alto como um grande tambor.

— Você veio — disse ela.

— Vim.

— Eu sabia que você viria.

Afastei-a um pouco, para ver seu cabelo, dourado como o meu. Sorri.

— Uma criatura de ouro — falei.

— Homem bobo — respondeu ela, sorrindo.

— O que acontece agora?

— Imagino — disse ela, afastando-se gentilmente de mim e puxando o capuz para trás — que meu marido tentará matar você.

— E ele pode convocar... — perguntei, e parei para pensar — ... mil e quinhentos guerreiros treinados?

— No mínimo isso.

— Então não vejo dificuldade — afirmei em tom leve. — Tenho pelo menos quarenta homens.

E naquela tarde chegaram os primeiros guerreiros mércios.

Chegaram em grupos, dez ou vinte de cada vez, cavalgando do norte e fazendo um cordão frouxo em volta do convento. Olhei-os da torre do sino, contando mais de cem guerreiros, e outros ainda chegavam.

— Os trinta homens da aldeia estavam aqui para impedir você de ir embora? — perguntei a Æthelflæd.

— Eles deveriam impedir que a comida chegasse ao convento, mas não foram muito eficazes. Os suprimentos atravessavam o rio, de barco.

— Eles queriam matar você de fome?

— Meu marido achou que isso faria com que eu saísse. Então teria de voltar para ele.

— Não para o seu pai?

Ela fez uma careta.

— Ele teria me mandado de volta ao meu marido, não é?

— Teria?

— O casamento é um sacramento, Uhtred — disse ela, quase cansada. — É santificado por Deus, e você sabe que meu pai não ofenderia Deus.

— Então por que Æthelred simplesmente não arrastou você de volta?

— Invadindo um convento? Meu pai desaprovaria isso!

— Desaprovaria mesmo — disse eu, observando um grupo maior de cavaleiros aparecer vindo do norte.

— Eles achavam que meu pai morreria a qualquer momento — disse Æthelflæd, e eu soube que ela falava do meu primo e de seu amigo Aldhelm — e estavam esperando por isso.

— Mas seu pai vive.

— Ele se recupera, graças a Deus.

— E aí vem encrenca — disse eu, porque o novo bando de cavaleiros, pelo menos cinquenta, cavalgava sob um estandarte, sugerindo que quem comandava as tropas que guardavam o convento vinha pessoalmente. À medida que os cavaleiros se aproximavam, vi que o estandarte tinha uma cruz feita de dois grandes machados de batalha. — De quem é aquele brasão?

— De Aldhelm — disse Æthelflæd sem emoções.

Agora duzentos homens cercavam o convento, e Aldhelm, cavalgando um garanhão negro, postou-se a cinquenta passos do portão. Tinha uma guarda pessoal composta por dois padres e uma dúzia de guerreiros. Estes guerreiros usavam escudos com o brasão de seu senhor, com os machados cruzados, e aqueles homens sérios se juntaram logo atrás dele e, como seu senhor, olhavam em silêncio para o portão fechado. Será que Aldhelm sabia que eu estava ali dentro? Poderia ter suspeitado, mas duvido de que tivesse certeza. Tínhamos cavalgado depressa através da Mércia, mantendo-nos na metade leste onde os dinamarqueses eram mais fortes, de modo que poucos homens na Mércia saxã saberiam que eu viera para o sul. Mas talvez Aldhelm suspeitasse de que eu estava ali, porque não fez qualquer tentativa de invadir o convento, ou então tinha ordens de não ofender seu deus cometendo sacrilégio. Alfredo poderia perdoar Æthelred por tornar Æthelflæd infeliz, mas jamais perdoaria um insulto ao seu deus.

Desci ao pátio.

— Pelo que ele está esperando? — perguntou Finan.

— Por mim — respondi.

Vesti-me para a guerra. Pus malha brilhante, cinturão de espadas, botas, meu elmo com o lobo na crista e meu escudo com o distintivo do lobo, e optei por levar um machado de batalha, além das duas espadas nas bainhas. Ordenei que uma das bandas do portão do convento fosse aberta, depois saí sozinho. Não fui a cavalo porque não pudera comprar um garanhão treinado para batalha.

Andei em silêncio e os homens de Aldhelm me observavam. Se Aldhelm possuísse uma migalha de coragem deveria ter cavalgado até mim e me golpeado com a espada longa pendurada à cintura, e mesmo sem coragem poderia ter ordenado que sua guarda pessoal me matasse, mas, em vez disso, ele apenas me olhou.

Parei a 12 passos dele, depois apoiei o machado de batalha no ombro. Tinha aberto as placas faciais do elmo, de modo que os homens de Aldhelm vissem meu rosto.

— Homens da Mércia! — gritei, de modo que não somente os homens de Aldhelm me escutassem, mas também as tropas saxãs ocidentais do outro lado do rio. — A qualquer dia desses o *jarl* Haesten vai comandar um ataque contra seu território! Ele vem com milhares de homens, guerreiros famintos, dinamarqueses de lança e espada, que estuprariam suas mulheres, escravizariam seus filhos e roubariam suas terras. Eles vão fazer um exército maior do que a horda de guerreiros que vocês derrotaram em Fearnhamme! Quantos de vocês estiveram em Fearnhamme?

Homens se entreolharam, mas nenhum levantou a mão nem gritou dizendo que estivera presente àquela grande vitória.

— Estão com vergonha do seu triunfo? — perguntei. — Vocês fizeram uma matança que será lembrada enquanto viverem homens na Mércia! E sentem vergonha dela? Quantos de vocês estiveram em Fearnhamme?

Alguns encontraram coragem e levantaram o braço, e um homem gritou comemorando, e de repente a maioria deles estava gritando. Eles se saudavam. Confuso, Aldhelm levantou uma das mãos para pedir silêncio, mas eles o ignoraram.

— E quem — gritei mais alto ainda — vocês querem que os lidere contra o *jarl* Haesten que vem para cá com vikings e piratas, com matadores e traficantes de escravos, com lanças e machados, com assassinato e fogo? Foi a senhora Æthelflæd que os encorajou à vitória em Fearnhamme, e querem que ela fique trancada num convento? Ela implorou que eu viesse lutar com vocês de novo, e aqui estou, e me recebem com espadas? Com lanças? Então quem vocês querem que os comande contra o *jarl* Haesten e seus matadores? — Deixei essa pergunta pairar alguns instantes, depois apontei o machado para Aldhelm. — Querem ele? — gritei. — Ou eu?

Que idiota era aquele homem. Nesse momento, nos restos da chuva que viera do oeste, ele deveria ter me matado depressa, ou então deveria ter me abraçado. Poderia ter saltado da sela e me oferecido amizade, e assim fingir uma aliança que lhe garantiria tempo em que poderia tramar minha morte discreta, mas, em vez disso, mostrou medo. Era um covarde, sempre fora covarde, corajoso apenas diante dos fracos, e o medo estava em seu rosto, em sua hesitação, e só quando um dos seus seguidores se inclinou e sussurrou em seu ouvido ele encontrou a própria voz.

— Este homem — gritou ele, apontando para mim — foi declarado fora da lei em Wessex.

Isso era novidade para mim, mas não era surpreendente. Eu tinha violado meu juramento a Alfredo, por isso Alfredo teria pouca opção além de me declarar fora da lei e assim tornar-me uma presa para qualquer um que tivesse coragem de me capturar.

— Sou fora da lei! — gritei. — Então venham me matar! E quem vai proteger vocês do *jarl* Haesten?

Aldhelm voltou a si e murmurou algo ao homem que havia sussurrado para ele, e esse homem, um grande guerreiro com ombros largos, esporeou o cavalo adiante. Sua espada estava desembainhada. Ele sabia o que fazia. Não cavalgou para mim freneticamente, e sim de modo deliberado. Veio me matar, e pude ver seus olhos me avaliando do fundo das sombras de seu elmo. Sua espada já estava recuada, o braço tenso para o golpe giratório que se chocaria em meu escudo com o peso de um homem e um cavalo por trás da lâmina, para me desequilibrar. Então o cavalo se viraria para mim e a espada viria de novo por trás, e ele sabia que eu tinha consciência de tudo isso, mas se tranquilizou quando levantei meu escudo, porque isso significava que faria o que ele esperava. Vi sua boca se retesar, seus calcanhares cutucarem para trás. O garanhão, um grande animal cinzento, saltou adiante e a espada faiscou no ar opaco.

Toda a grande força do sujeito estava naquele golpe. Vinha pela minha direita. Meu escudo estava na mão esquerda, o machado na direita. Fiz duas coisas.

Abaixei-me sobre um dos joelhos e levantei o escudo sobre a cabeça, de modo a estar quase horizontal sobre o elmo, e no mesmo instante investi o machado contra as patas do cavalo e soltei o cabo.

A espada bateu no meu escudo, deslizou na madeira, retiniu na bossa, e nesse momento o cavalo, com o machado embolado nas patas traseiras, relinchou e tropeçou. Vi sangue brilhante num machinho e já estava me levantando quando o cavaleiro golpeou de novo, mas ele e seu cavalo estavam desequilibrados e o golpe produziu um guincho inofensivo na borda de ferro do meu escudo. Aldhelm gritou para os homens ajudarem seu campeão, mas Finan, Sihtric e Osferth já estavam fora do portão do convento, montados e armados, e os homens de Aldhelm hesitaram enquanto eu dava um passo na direção do cavaleiro. Ele golpeou de novo, ainda atrapalhado pelos movimentos do cavalo, e dessa vez deixei o escudo desviar o golpe para baixo e simplesmente levantei a mão e agarrei o pulso do cavaleiro. Ele gritou alarmado e eu puxei com força. Ele caiu da sela, chocou-se contra a rua molhada e, por um instante, pareceu atordoado. Seu garanhão, relinchando, girou para o lado enquanto o homem se levantava. Seu escudo, pendurado no braço esquerdo, estava cheio de lama.

Eu havia dado um passo para trás. Desembainhei Bafo de Serpente, a lâmina sibilando na garganta apertada da bainha.

— Qual é o seu nome? — perguntei. Outros dos meus homens estavam chegando do convento, mas Finan os conteve.

O homem partiu para cima de mim, esperando me desequilibrar com seu escudo, mas dei um passo de lado e deixei que ele passasse direto.

— Qual é o seu nome? — perguntei de novo.

— Beornoth — respondeu ele.

— Você esteve em Fearnhamme? — perguntei, e ele assentiu rapidamente com a cabeça. — Não vim aqui para matar você, Beornoth.

— Sou jurado ao meu senhor.

— Um senhor indigno — respondi.

— Você deveria saber disso, violador de juramentos. — E com isso ele atacou de novo. Levantei meu escudo para receber o golpe e ele baixou o braço depressa, pondo a espada sob meu escudo, e a lâmina bateu no meu tornozelo, mas eu sempre usei tiras de ferro costuradas nas botas porque o golpe por baixo do escudo é muito perigoso. Alguns homens usam grevas, mas a simples exposição dessa parte da armadura faz com que o inimigo não dê o golpe por baixo do escudo, ao passo que as tiras de ferro escondidas fazem com que as pernas pareçam vulneráveis e convidem ao golpe, que abre o inimigo à destruição. Minhas tiras pararam a espada de Beornoth e ele pareceu surpreso enquanto eu acertava o punho de Bafo de Serpente em seu rosto, com a mão enluvada envolvendo o cabo da espada. Ele cambaleou para trás. Minha perna esquerda estava doendo do golpe, mas ele sangrava pelo nariz quebrado e eu acertei-o com o escudo, forçando-o para trás de novo. Então empurrei-o outra vez com o escudo e dessa vez ele caiu para trás e chutei seu braço da espada para o lado, pus um pé na sua barriga e encostei a ponta de Bafo de Serpente na sua boca. Ele me olhou com ódio. Se perguntava se haveria tempo para lançar a espada contra mim, mas sabia que era tarde demais. Eu só precisava mover a mão e ele estaria engasgando no próprio sangue.

— Fique parado, Beornoth — falei baixinho, depois olhei para os homens de Aldhelm. — Eu não vim aqui para matar mércios! — gritei. — Vim lutar contra o *jarl* Haesten. — Em seguida me afastei e tirei a espada da cara de Beornoth. — Fique de pé — disse a ele. Ele se levantou inseguro, sem saber se a luta havia terminado ou não. O ódio havia sumido dos seus olhos, agora ele só estava me olhando perplexo. — Vá — disse eu.

— Eu jurei matá-lo.

— Não seja bobo, Beornoth — disse eu, cansado. — Acabei de lhe dar sua vida. Isso o torna meu. — Dei-lhe as costas. — O senhor Aldhelm — gritei — manda um homem corajoso fazer o que ele não ousa fazer! Vocês querem ser comandados por um covarde?

Ali havia homens que se lembravam de mim, não somente de Fearnhamme, mas do ataque contra Lundene. Eram guerreiros, e todos os guerreiros querem ser comandados por um homem que lhes traga sucesso. Aldhelm não era guerreiro. Eles sabiam disso, mas ainda estavam confusos e inseguros. Todos aqueles mércios haviam prestado juramento a Aldhelm e alguns tinham ficado ricos com seus presentes. Esses homens instigaram os cavalos para perto de seu senhor e suas mãos indo em direção ao punho das espadas.

— Em Fearnhamme — gritou uma voz atrás de mim —, o senhor Aldhelm quis fugir. É ele o homem certo para nos proteger? — Era Æthelflæd, montada em meu cavalo e ainda usando as roupas grosseiras do convento, mas com o cabelo louro descoberto. — Quem liderou vocês na matança? Quem protegeu seus lares? Quem protegeu suas esposas e seus filhos? A quem preferem servir?

Alguém no meio dos guerreiros mércios gritou meu nome, e gritos de apoio se seguiram. Aldhelm havia perdido, e sabia disso. Gritou para Beornoth me matar, mas este ficou imóvel, e, assim, Aldhelm, com a voz desesperada, ordenou que seus apoiadores acabassem comigo.

— Vocês não querem lutar uns contra os outros! — gritei. — Vocês terão inimigos de verdade em pouco tempo!

— Desgraçado — rosnou um dos homens de Aldhelm. Em seguida desembainhou a espada e esporeou o cavalo, e sua ação rompeu a incerteza. Mais espadas foram desembainhadas e de súbito era o caos.

Homens tomaram suas decisões, a favor ou contra Aldhelm, e a vasta maioria estava contra ele. Viraram-se contra seus guardas no momento em que o homem que me atacava girou a espada. Desviei o golpe com meu escudo enquanto os cavaleiros giravam ao meu redor num entrechoque de lâminas. Finan cuidou do meu atacante. Osferth, notei, havia posto seu cavalo à frente de Æthelflæd, de modo a proteger a meio-irmã, mas ela não corria perigo. Os homens de Aldhelm é que estavam sendo derrubados, mas o próprio Aldhelm, em pânico, conseguiu instigar o cavalo para longe da luta súbita e selvagem. Sua espada estava desembainhada, mas ele só queria escapar, porém havia homens ao redor e, me vendo, ele percebeu sua vantagem, estando a cavalo e eu não, por isso bateu as esporas de novo e voltou para me matar.

Atacou com o desespero de alguém que não acreditava na possibilidade de vencer. Não me avaliou, como Beornoth havia feito, apenas veio o mais rápido que pôde e golpeou com a espada usando o máximo de força que conseguiu, e recebi o golpe feroz levantando Bafo de Serpente. Eu conhecia essa espada, conhecia sua força, tinha visto Ealdwulf, o ferreiro, forjar as quatro hastes de ferro e três de aço formando uma lâmina comprida. Tinha lutado com ela, tinha matado com ela e tinha-a comparado com as lâminas de saxões, dinamarqueses, noruegueses e frísios. Conhecia-a e confiava nela, e quando a espada de Aldhelm a encontrou com um clangor que devia ter sido escutado longe, do outro lado do rio, eu soube o que aconteceria.

Sua espada se partiu. Despedaçou-se. A ponta quebrada, dois terços da lâmina, acertou meu elmo e caiu na lama, e então eu estava perseguindo Aldhelm que, segurando um cotoco de espada, tentou fugir, mas não havia como. A luta estava terminada. Os homens que o haviam apoiado estavam mortos ou desarmados, e os guerreiros que tinham ficado do meu lado formaram um círculo que envolvia nós dois. Aldhelm conteve seu garanhão e me encarou. Abriu a boca, mas não conseguiu encontrar palavras.

— Desça — disse eu, e quando ele hesitou, gritei de novo: — Desça! — Olhei para Beornoth, que havia recuperado seu cavalo. — Dê sua espada a ele — ordenei.

Aldhelm estava inseguro a pé. Tinha um escudo e agora a espada de Beornoth, mas não havia ânimo de luta nele. Estava choramingando. Não havia prazer em matar um homem assim, por isso fui rápido. Um golpe por cima do escudo que tinha o brasão dos machados cruzados o fez levantá-lo, e baixei Bafo de Serpente antes que a lâmina acertasse, para, em vez disso, atingir seu tornozelo esquerdo com força suficiente para derrubá-lo. Ele se apoiou num dos joelhos e Bafo de Serpente golpeou-o na lateral do pescoço. Ele usava um capuz de malha por baixo do elmo e os elos não se partiram, mas o golpe jogou-o numa poça e eu acertei de novo, dessa vez quebrando a malha sobre o pescoço, fazendo o sangue espirrar e bater nos cavaleiros mais próximos. Ele estava tremendo e chorando, e puxei a lâmina num movimento de serra até que a ponta estivesse no ferimento que era uma massa de sangue e malha rasgada, então empurrei-a com força em sua goela, e torci. Ele estremecia, sangrando como um porco, e em seguida estava morto.

Joguei seu estandarte no Temes, depois pus as mãos em concha e gritei para os homens do outro lado do rio.

— Digam a Alfredo que Uhtred de Bebbanburg retornou!

Só que agora estava lutando pela Mércia.

Æthelflæd insistiu que Aldhelm recebesse um enterro cristão. Havia uma igrejinha no povoado, pouco mais do que um curral com uma cruz pregada na empena, e ao redor ficava um cemitério onde cavamos seis sepulturas para seis mortos. As sepulturas existentes eram mal marcadas e uma das pás cortou um cadáver, rasgando a mortalha de lã e derramando gordura fedorenta e costelas. Pusemos Aldhelm nessa cova e, como tantos mércios haviam sido homens seus e eu não queria forçar a lealdade deles ainda mais, deixei que ele fosse enterrado com suas roupas finas e a cota de malha. Fiquei com seu elmo, uma corrente de ouro e seu cavalo. O padre Pyrlig rezou acima das covas recentes, e então podíamos partir. Meu primo evidentemente estava em sua propriedade perto de Gleawecestre, por isso fomos para lá. Agora eu comandava mais de duzentos homens, na maioria mércios e, sem dúvida, aos olhos do meu primo, rebeldes.

— Quer que eu mate Æthelred? — perguntei a Æthelflæd.

— Não! — Ela pareceu chocada.

— Por que não?

— Você quer ser senhor da Mércia? — retrucou ela.

— Não.

— Ele é o principal *ealdorman* da Mércia, e é meu marido. — Ela deu de ombros. — Posso não gostar do homem, mas sou casada com ele.

— Você não pode ser casada com um morto.

— O assassinato ainda é um pecado — disse Æthelflæd gentilmente.

— Pecado — falei com escárnio.

— Alguns pecados são tão ruins que nem mesmo toda uma vida de penitência basta para redimi-los.

— Então deixe que eu peque — sugeri.

— Sei o que há no seu coração, e se eu não impedir serei tão culpada quanto você.

Resmunguei alguma resposta, depois acenei rapidamente para pessoas que se ajoelhavam enquanto passávamos por um povoado que era todo palha, esterco e porcos. Os aldeões não tinham ideia de quem éramos, porém reconheciam malha, armas e escudos. Ficariam com a respiração suspensa até que tivéssemos ido embora, mas logo, pensei, os dinamarqueses poderiam vir por aqui e a palha seria queimada e as crianças, levadas como escravas.

— Quando você morrer — disse Æthelflæd — vai querer uma espada na sua mão.

— Claro.

— Por quê?

— Você sabe.

— Para ir ao Valhalla. Quando eu morrer, Uhtred, quero ir para o céu. Você me negaria isso?

— Claro que não.

— Então não posso cometer o pecado medonho do assassinato. Æthelred deve viver. Além disso — ela me deu um sorriso —, meu pai nunca me perdoaria se eu assassinasse Æthelred. Ou se permitisse que você o matasse. E não quero desapontar meu pai. Ele é um homem querido.

Ri disso.

— Seu pai vai ficar com raiva de qualquer modo.

— Por quê?

— Porque você pediu minha ajuda, claro.

Æthelflæd me lançou um olhar curioso.

— Quem você acha que sugeriu que eu pedisse sua ajuda?

— O quê? — Fiquei boquiaberto e ela riu. — Seu pai quis que eu viesse até você? — perguntei incrédulo.

— Claro!

Senti-me um idiota. Pensei que havia escapado de Alfredo, mas descobri que ele me atraíra para o sul. Pyrlig devia saber, mas tinha sido muito cuidadoso em não me contar.

— Mas seu pai me odeia!

— Claro que não. Ele só pensa em você como um cão muito rebelde, que precisa de uma chicotadas de vez em quando. — Ela me deu um sorriso apologético, depois deu de ombros. — Ele sabe que a Mércia será atacada, Uhtred, e teme que Wessex não possa ajudar.

— Wessex sempre ajuda a Mércia.

— Não se houver dinamarqueses desembarcando no litoral de Wessex — disse ela, e quase gargalhei. Tínhamos tido um enorme trabalho em Dunholm para manter os planos em segredo, no entanto Alfredo já estava se preparando para esses planos. Com esse objetivo havia usado sua filha para me atrair ao sul, e pensei primeiro em como ele era inteligente, depois imaginei que pecados aquele homem inteligente estava preparado para tolerar com o objetivo de impedir que os dinamarqueses destruíssem o cristianismo na Inglaterra.

Deixamos a aldeia para cavalgar pelo terreno ensolarado. O capim ficara verde e estava crescendo depressa. O gado, solto do confinamento do inverno, estava se refestelando. Uma lebre se apoiou nas patas traseiras para nos olhar, depois saiu correndo antes de se levantar e nos olhar de novo. A estrada subia suavemente para os morros. Este era um bom território, fértil e com bastante água, o tipo de terra pela qual os dinamarqueses ansiavam. Eu estivera em sua pátria natal e vi como os homens lutavam para arrancar o meio de vida dos campos pequenos, de areia e pedra. Não era de espantar que quisessem a Inglaterra.

O sol estava descendo quando passamos por outra aldeia. Uma garota carregando dois baldes de leite numa vara ficou tão apavorada com a visão de homens armados que tropeçou enquanto tentava se ajoelhar e o precioso leite escorreu para os buracos da estrada. Ela começou a chorar. Joguei-lhe uma moeda de prata, o bastante para secar as lágrimas, e perguntei se havia algum senhor vivendo ali perto. Ela apontou para o norte, onde, atrás de um grande bosque de olmos, descobrimos um belo castelo rodeado por uma paliçada meio podre.

O *thegn* que era dono da aldeia se chamava Ealdhith. Era um sujeito ruivo, atarracado, que pareceu pasmo com o número de cavalos e cavaleiros que vinham procurar abrigo para a noite.

— Não posso alimentar todos vocês — resmungou ele. — E quem são?

— Meu nome é Uhtred, e esta é a senhora Æthelflæd — respondi.

— Senhora — disse ele, e se ajoelhou.

Ealdhith nos alimentou bastante bem, mas na manhã seguinte reclamou que tínhamos esvaziado todos os seus barris de cerveja. Consolei-o com um elo de ouro que cortei da corrente de Aldhelm. Ealdhith tinha poucas novidades para nos contar. Ouvira falar, claro, que Æthelflæd estivera prisioneira no convento em Lecelad.

— Mandamos ovos e farinha para ela, senhor — disse ele.

— Por quê?

— Porque vivo perto de Wessex e gosto que os saxões ocidentais sejam amigos do meu povo.

— Viu algum dinamarquês nessa primavera?

— Dinamarqueses, senhor? Aqueles desgraçados não chegam perto daqui! — Ealdhith tinha certeza disso, o que explicou por que havia deixado sua paliçada se deteriorar. — Apenas cultivamos nossa terra e criamos nosso rebanho — disse ele com cautela.

— E se o senhor Æthelred o convocar? — perguntei. — Você vai à guerra?

— Rezo para que isso não aconteça, mas, sim, senhor. Posso levar seis bons guerreiros para servir.

— Você esteve em Fearnhamme?

— Não pude ir, senhor. Tinha quebrado uma perna. — Ele levantou a bata para mostrar o tornozelo torto. — Tive sorte em viver.

— Esteja pronto para uma convocação agora — alertei.

Ele fez o sinal da cruz.

— Haverá problemas?

— Sempre haverá problemas — respondi, e montei na sela do belo garanhão de Aldhelm. O cavalo, não acostumado comigo, tremeu e dei um tapinha em seu pescoço.

Cavalgamos para o oeste no ar fresco da manhã. Meus filhos cavalgavam comigo. Um mendigo vinha da outra direção e se ajoelhou perto da vala para deixar-nos passar, estendendo a mão mutilada.

— Fui ferido na luta em Lundene — gritou ele. Havia muitos homens assim, reduzidos à mendicância pelos ferimentos de guerra. Dei ao meu filho Uhtred uma moeda de prata e disse para jogá-la ao homem, coisa que ele fez, mas depois acrescentou algumas palavras:

— Que Cristo o abençoe!

— O que você disse? — perguntei.

— Você ouviu. — Æthelflæd, cavalgando à minha esquerda, achou divertido.

— Eu lhe ofereci uma bênção, pai — disse Uhtred.

— Não diga que virou cristão! — rosnei.

Ele enrubesceu, mas, antes que pudesse dizer qualquer coisa em resposta, Osferth veio do meio dos cavaleiros que estavam atrás.

— Senhor! Senhor!

— O que é?

Ele não respondeu, apenas apontou na direção de onde tínhamos vindo.

Virei-me e vi uma nuvem de fumaça se adensando no horizonte a leste. Com que frequência vi aquelas grandes colunas de fumaça! Eu mesmo provoquei muitas: as marcas da guerra.

— O que é? — perguntou Æthelflæd.

— Haesten — respondi, esquecendo a idiotice do meu filho. — Tem de ser Haesten. — Não pude pensar em outra explicação.

A guerra havia começado.

Doze

Setenta de nós cavalgamos em direção à pira de fumaça que agora aparecia como uma mancha movendo-se lentamente no horizonte enevoado. Metade dos setenta eram homens meus e metade eram mércios. Eu havia deixado meus filhos na aldeia onde Osferth e Beornoth ficaram sob ordens de esperar nossa volta.

Æthelflæd insistiu em ir conosco. Tentei impedi-la, mas ela não admitiu receber ordens minhas.

— Esta é a minha terra — disse ela com firmeza —, e este é o meu povo. Preciso ver o que está sendo feito a eles.

— Provavelmente nada — respondi. Os incêndios eram frequentes. As casas tinham tetos de palha e lareiras abertas, e fagulhas e palha não se dão, mas eu ainda tinha um pressentimento que me fizera vestir cota de malha antes de começarmos essa viagem de retorno. Minha primeira reação ao ver a fumaça fora suspeitar de Haesten e, ainda que o raciocínio tornasse essa explicação cada vez mais improvável, eu não conseguia afastar a suspeita.

— Não há outra fumaça — observou Finan quando havíamos refeito metade dos nossos passos. Geralmente, se um exército começa a atacar um território, ele incendeia cada povoado, no entanto apenas uma escura nuvem de fumaça deslizava para o céu. — E Lecelad fica muito longe da Ânglia Oriental — continuou ele —, se é que o incêndio é em Lecelad.

— É verdade — resmunguei. Lecelad ficava muito longe do acampamento de Haesten em Beamfleot, na verdade entrava tão fundo em território saxão que qualquer exército dinamarquês marchando direto contra Lecelad estaria se colocando em perigo. Nada disso fazia sentido, a não ser, como Finan e eu queríamos acreditar, que fosse apenas uma fagulha desgarrada e palha seca.

O incêndio era mesmo em Lecelad. Demorou um tempo para termos certeza porque a terra era plana e nossa visão ficava obscurecida por árvores, mas não tivemos dúvida assim que chegamos suficientemente perto para ver o calor tremeluzindo em meio à fumaça. Estávamos seguindo o rio, mas agora me afastei dele para podermos nos aproximar da aldeia pelo norte. Essa, acreditei, seria a direção em que qualquer dinamarquês iria recuar, e poderíamos ter a chance de interceptá-los. A razão ainda dizia que esse teria de ser um simples incêndio doméstico, mas meus instintos também pinicavam desconfortavelmente.

Chegamos à estrada que ia para o norte e vimos que estava revirada por cascos. O tempo estivera seco, de modo que as pegadas não eram nítidas, mas mesmo com um simples olhar pude ver que não tinham sido deixadas pelos homens de Aldhelm que, logo no dia anterior, haviam usado essa mesma trilha para se aproximar de Lecelad. Eram pegadas demais, e as que apontavam para o norte haviam quase totalmente apagado as que iam para o sul. Isso significava que quem havia cavalgado até Lecelad já fora embora.

— Vieram e se foram — disse o padre Pyrlig. Ele estava usando veste sacerdotal, mas tinha uma grande espada presa à cintura.

— Pelo menos cem — observou Finan, olhando as pegadas de cavalos que se espalhavam dos dois lados da trilha.

Olhei para o norte mas não pude ver nada. Se os cavaleiros que fizeram o ataque ainda estivessem perto eu veria poeira pairando no ar, mas o terreno estava calmo e verde.

— Vamos ver o que os desgraçados fizeram — declarei, e me virei para o sul.

Quem quer que tivesse vindo e ido embora, e eu tinha certeza de que foram os homens de Haesten, havia sido rápido. Presumi que teriam chegado em Lecelad ao crepúsculo, provocado o dano que queriam e partido ao alvorecer. Sabiam que estavam perigosamente fundo na Mércia saxã, por isso não se demoraram. Tinham atacado rápido, e agora mesmo corriam de volta para território mais seguro enquanto cavalgávamos para o cheiro cada vez mais denso de fumaça de madeira. De fumaça de madeira e carne queimada.

O convento havia sumido, ou melhor, fora reduzido a uma estrutura chamejante de traves de carvalho que, à medida que nos aproximávamos, finalmente desmoronou com um grande estrondo que fez meu garanhão empinar com medo. Brasas redemoinhavam para cima num grande sopro de fumaça levada pelo vento.

— Santo Deus — disse Æthelflæd, fazendo o sinal da cruz. Estava olhando com horror para um trecho da paliçada do convento que fora poupado do fogo, e ali, nos troncos, pregado com os braços abertos, estava um pequeno corpo nu.

— Não! — disse Æthelflæd, e esporeou o cavalo em meio à cinza quente que havia se espalhado do incêndio.

— Volte! — gritei, mas Æthelflæd havia saltado da sela para se ajoelhar ao pé do cadáver de uma mulher. Era Werburgh, a abadessa, e ela fora crucificada na paliçada. As mãos e os pés estavam furados por pregos grandes e escuros. Seu pequeno peso havia arrancado a carne, os tendões e os ossos em volta dos pregos, de modo que os ferimentos estavam esticados, e filetes de sangue secando faziam um rendado em seus braços finos de dar pena. Æthelflæd estava beijando os pés pregados da abadessa e resistiu quando tentei afastá-la.

— Ela era uma boa mulher, Uhtred — protestou Æthelflæd, e nesse momento a mão direita rasgada de Werburgh se soltou do prego, o cadáver se moveu e o braço desceu acertando a cabeça de Æthelflæd. Esta deu um grito, depois pegou a mão enrugada e sangrenta e a beijou. — Ela me abençoou, Uhtred. Estava morta, mas me abençoou! Você viu?

— Venha — chamei gentilmente.

— Ela me tocou!

— Venha — repeti, e dessa vez ela me deixou afastá-la do cadáver e do calor do fogo logo atrás.

— Ela deve ser enterrada adequadamente — insistiu Æthelflæd, e tentou se soltar de mim para voltar ao cadáver.

— E será — respondi segurando-a.

— Não deixe que ela queime! — disse Æthelflæd em meio às lágrimas. — Ela não deve sentir os fogos do inferno, Uhtred! Deixe-me poupá-la do fogo!

Werburgh estava muito perto da fornalha que esquentava o outro lado da paliçada, e eu sabia que esta iria se incendiar a qualquer momento. Empurrei

Æthelflæd para longe, voltei até Werburgh e arranquei seu corpo dos dois pregos que restavam. Pendurei-a no ombro no instante em que um sopro de vento fez uma grossa nuvem de fumaça escura me envolver. Senti um calor súbito nas costas e soube que a paliçada explodira em chamas, mas o corpo de Werburgh estava em segurança. Deitei-a na margem do rio e Æthelflæd cobriu o cadáver com uma capa. As tropas de Wessex, agora reforçadas por uns quarenta homens, olhavam-nos boquiabertos da margem sul.

— Jesus, Patrício e José — disse Finan enquanto se aproximava de mim. Olhou para Æthelflæd ajoelhada junto ao corpo da abadessa e senti que Finan não queria que ela escutasse o que ele tinha a dizer, por isso levei-o pela margem do rio até o moinho que também estava queimando. — Os desgraçados cavaram a sepultura de Aldhelm — disse Finan.

— Eu o coloquei lá. Por que deveria me preocupar com o que eles fizeram?

— Eles o mutilaram — disse Finan com raiva. — Pegaram todas as roupas, a cota de malha e cortaram o cadáver. Havia porcos comendo-o quando o encontramos. — Ele fez o sinal da cruz.

Olhei para a aldeia. A igreja, o convento e o moinho tinham sido incendiados, mas só duas cabanas foram queimadas, ainda que sem dúvida todas tivessem sido saqueadas. Os atacantes estavam com pressa e puseram fogo no que era mais valioso, mas não tiveram tempo para destruir Lecelad inteira.

— Haesten é uma criatura maligna — disse eu —, mas mutilar um cadáver e crucificar uma mulher? Não é do feitio dele.

— Foi Skade, senhor — respondeu Finan. Em seguida chamou um homem que usava uma cota de malha curta e um elmo com ferrugem nas juntas rebitadas. — Você! Venha cá! — ordenou.

O homem se ajoelhou diante de mim e tirou o elmo.

— Meu nome é Cealworth, senhor — disse ele —, e sirvo ao *ealdorman* Æthelnoth.

— É uma das sentinelas do outro lado do rio?

— Sim, senhor.

— Nós o trouxemos de barco — explicou Finan. — Agora conte ao senhor Uhtred o que viu.

— Foi uma mulher, senhor — respondeu Cealworth, nervoso. — Uma mulher alta com cabelo preto e comprido. A mesma mulher, senhor — ele parou, depois decidiu que não tinha nada mais a dizer.

— Continue — falei.

— A mesma mulher que vi em Fearnhamme, senhor. Depois da batalha.

— Levante-se — disse a ele. — Há algum aldeão vivo? — perguntei a Finan.

— Uns poucos — respondeu ele em tom sombrio.

— Alguns nadaram pelo rio, senhor — disse Cealworth.

— E todos os que vivem contam a mesma história — disse Finan.

— Skade? — perguntei.

O irlandês assentiu.

— Parece que ela os comandou, senhor.

— Haesten não esteve aqui?

— Se esteve, senhor, ninguém notou.

— A mulher dava todas as ordens, senhor — disse Cealworth.

Olhei para o norte e imaginei o que acontecia no resto da Mércia. Estava procurando as reveladoras colunas de fumaça, mas não vi nenhuma. Æthelflæd veio para perto de mim e, sem pensar, passei o braço pelo seu ombro. Ela não se moveu.

— Por que eles vieram para cá? — perguntou Finan.

— Por minha causa — respondeu Æthelflæd, amarga.

— Isso faria sentido, senhora — disse Finan.

De certa forma fazia sentido. Eu não duvidava de que Haesten teria mandado espiões à Mércia. Esses espiões seriam mercadores ou vagabundos, qualquer um que tivesse motivo para viajar, e eles teriam contado que Æthelflæd era prisioneira em Lecelad e ela certamente seria uma refém poderosa e útil, mas por que mandar Skade capturá-la? Pensei, mas não falei em voz alta, que era bem provável que Skade tivesse vindo atrás de meus filhos. Os espiões de Haesten teriam ficado sabendo que os três estavam com Æthelflæd, e Skade me odiava agora. E quando Skade odiava não existia crueldade suficiente para aplacar seu apetite. Eu sabia que minha suspeita estava certa e estremeci. Se Skade tivesse vindo apenas dois dias antes, teria levado meus filhos e exerceria poder sobre mim. Toquei o martelo de Tor.

— Vamos enterrar os mortos — enunciei — e depois vamos embora. — Nesse momento uma abelha pousou na minha mão direita, que ainda estava no ombro de Æthelflæd. Não tentei espantá-la porque não queria afastar meu braço. Senti primeiro, depois vi-a se arrastar sonolenta em direção ao polegar. Ela iria voar, pensei, mas então, sem motivo, ela me picou. Xinguei diante da dor súbita e matei o inseto com um tapa, espantando Æthelflæd.

— Esfregue uma cebola na picada — disse ela, mas eu não iria me incomodar procurando uma cebola, por isso deixei para lá. Sabia que a picada era um presságio, uma mensagem dos deuses, mas não queria pensar nisso, porque sem dúvida não podia ser bom sinal.

Enterramos os mortos. A maioria das freiras havia encolhido até virar pequenos cadáveres queimados, pouco maiores do que crianças, e agora compartilhavam uma sepultura com sua abadessa crucificada. O padre Pyrlig rezou sobre seus corpos, e depois cavalgamos de novo para o oeste. Quando encontramos Osferth e Beornoth, seus homens e minha família, minha mão estava tão inchada que eu mal conseguia enrolar os dedos estufados em volta das rédeas do garanhão. Certamente não conseguiria segurar uma espada com habilidade.

— Isso vai sumir em uma semana — disse Finan.

— Se tivermos uma semana — alertei em voz sombria. Ele me olhou interrogativamente e dei de ombros. — Os dinamarqueses estão em movimento e não sabemos o que está acontecendo.

Ainda viajávamos com as esposas e as famílias dos meus homens. Elas faziam com que fôssemos mais devagar, por isso deixei vinte homens para guardá-las enquanto nos seguiam, e nos apressamos na direção de Gleawecestre. Passamos a noite nas colinas a oeste dessa cidade e, ao amanhecer, vimos manchas no céu distante, a leste e norte. Eram numerosas demais para contar, e em alguns lugares se juntavam para formar retalhos mais escuros que poderiam ser nuvens, mas eu duvidava. Æthelflæd também viu e franziu a testa.

— Meu pobre país — disse.

— Haesten — declarei.

— Meu marido já deveria ter marchado contra eles.

— Você acha que ele fez isso?

Ela balançou a cabeça.

— Ele vai esperar Aldhelm para lhe dizer o que fazer.

Ri daquilo. Tínhamos chegado ao morro acima do vale do Sæfern e contive meu cavalo para olhar as propriedades do meu primo logo ao sul de Gleawecestre. O pai de Æthelred havia se contentado com um castelo da metade do tamanho do que fora construído por seu filho, e ao lado deste castelo novo e magnífico havia estábulos, uma igreja, celeiros e um enorme depósito de grãos erguido sobre cogumelos de pedra para manter os ratos a distância. Todas as construções, novas e velhas, eram cercadas por uma paliçada. Descemos o morro a meio-galope. Havia guardas numa plataforma de madeira acima do portão, mas devem ter reconhecido Æthelflæd porque não fizeram qualquer tentativa de nos desafiar, apenas ordenaram que o grande portão fosse aberto.

O administrador de Æthelred nos recebeu no pátio amplo. Se estava pasmo ao ver Æthelflæd, não deu sinal, apenas fez uma reverência profunda e deu-lhe as boas-vindas graciosamente. Escravos nos trouxeram tigelas d'água para lavarmos as mãos e cavalariços pegaram nossos cavalos.

— Meu senhor está no salão, senhora — disse o administrador a Æthelflæd, e pela primeira vez pareceu nervoso.

— Ele está bem? — perguntou Æthelflæd.

— Sim, Deus seja louvado — respondeu ele, em seguida seu olhar saltou para mim e retornou a ela. — A senhora veio para o conselho?

— Que conselho? — perguntou Æthelflæd, pegando um tecido de lã com um escravo para enxugar as mãos.

— Os pagãos estão causando problema, senhora — disse o administrador cautelosamente, depois me olhou de novo.

— Este é o senhor Uhtred de Bebbanburg — disse Æthelflæd com aparente despreocupação —, e, sim, viemos para o conselho.

— Direi ao seu marido que a senhora está aqui — respondeu o administrador. Ele havia parecido espantado ao ouvir meu nome e dera um passo para trás.

— Não é preciso anunciar — disse Æthelflæd enfaticamente.

— Suas espadas? — pediu o administrador. — Por favor, senhores, suas espadas?

— Há mais alguém armado no castelo? — perguntei.

— Os guardas do *ealdorman*, senhor, e mais ninguém.

Hesitei, depois dei minhas duas espadas ao administrador. Era usual não usar nenhuma arma no salão de um rei, e evidentemente Æthelred se considerava suficientemente próximo de ser rei para exigir a mesma cortesia. Era mais do que cortesia, era uma precaução contra a matança que podia se seguir a uma festa de bebedeiras. Eu havia pensado se deveria ficar com Bafo de Serpente, mas achei que a espada comprida seria uma provocação.

Levei Osferth, Finan, o padre Pyrlig e Beornoth. Minha mão estava vermelha e latejava, a carne tão inchada que pensei que o simples toque de um gume de faca iria abri-la como uma fruta estourando. Mantive-a escondida por baixo da capa enquanto íamos da luz do sol para a escuridão sombreada do grande castelo de Æthelred.

Se a primeira reação do administrador ao ver Æthelflæd fora contida, a do marido foi totalmente oposta. Ele pareceu irritado quando entramos no salão, claramente ofendido pela interrupção, depois esperançoso, porque devia ter pensado que Aldhelm chegara, e então nos reconheceu e, por um momento gratificante, pareceu aterrorizado. Estava sentado numa cadeira, mais trono do que cadeira, sobre o tablado onde, normalmente, seria posta a mesa alta para as festas. Usava uma fina tiara de bronze no cabelo ruivo, uma tiara que era pouco menos do que uma coroa. Tinha uma grossa corrente de ouro sobre o gibão bordado e uma capa com acabamento de pele que fora tingida de escarlate intenso. Dois homens com espadas e escudos estavam no fundo do tablado, ao passo que Æthelred era flanqueado por dois padres que se sentavam diante de quatro bancos arrumados no chão coberto de juncos. Dezoito homens ocupavam os bancos e todos se viraram para nos olhar. O padre à direita de Æthelred era meu velho inimigo, o bispo Asser, e estava me olhando arregalado e com surpresa explícita. Se Alfredo havia me manipulado para retornar, obviamente não tinha contado a Asser.

Foi Asser que rompeu o silêncio, e isso, em si, foi interessante. Aquele castelo pertencia a Æthelred, o *ealdorman* da Mércia, no entanto o bispo galês não hesitou nem um pouco em assumir a autoridade. Era sinal do domínio de Alfredo sobre a Mércia saxã, um domínio que Æthelred secretamente detestava. Ele mal podia esperar a morte de Alfredo para transformar a tiara numa coroa de verdade, no entanto também precisava do auxílio dado por Wessex. O bispo Asser, astuto e irascível, sem dúvida estava ali para passar as ordens de Alfredo, mas agora se levantou e apontou um dedo ossudo para mim.

— Você! — disse ele. Um par de cães tinha corrido para fazer festa para Æthelflæd. Ela os acalmou. Houve uma balbúrdia de vozes que o bispo Asser suplantou. — Você foi declarado fora da lei — latiu ele.

Mandei que ele ficasse em silêncio, mas ele continuou protestando, cada vez mais indignado, até que o padre Pyrlig falou com ele em galês. Eu não fazia ideia do que Pyrlig dissera, mas aquilo silenciou Asser, que só ficou balbuciando e apontando para mim. Presumo que o padre Pyrlig tenha revelado a conspiração de Alfredo para meu retorno, mas isso foi um pequeno consolo para o bispo que me considerava uma criatura enviada pelo demônio de sua religião, a criatura que eles chamam de Satã. De qualquer modo, ele ficou quieto enquanto Æthelflæd ia até o tablado e estalava os dedos para um serviçal que correu a pegar uma cadeira para ela. Ela se inclinou para Æthelred e deu-lhe um beijo muito público no rosto, mas também sussurrou algo em seu ouvido e eu o vi ficar vermelho. Depois sentou-se ao lado dele e segurou sua mão.

— Sente-se, bispo Asser — disse ela, e depois olhou séria para os senhores reunidos. — Trago más notícias. Os dinamarqueses destruíram o convento em Lecelad. Todas as queridas irmãs estão mortas, assim como meu caro senhor Aldhelm. Rezo por suas almas.

— Amém — rugiu o padre Pyrlig.

— Como morreu o senhor Aldhelm? — perguntou o bispo Asser.

— Haverá um tempo para histórias tristes quando nossa questão mais urgente for decidida — respondeu Æthelflæd sem olhar para Asser. — Por enquanto desejo saber como vamos derrotar o *jarl* Haesten.

Os instantes seguintes foram confusos. A verdade era que nenhum dos senhores reunidos sabia do tamanho da invasão de Haesten. Pelo menos uma dúzia de mensageiros tinha chegado a Gleawecestre durante a noite e todos haviam trazido as histórias terríveis de ataques violentos e súbitos feitos por cavaleiros dinamarqueses, e enquanto eu ouvia os vários relatórios percebi que Haesten decidira confundir os mércios. Devia ter comandado 2 ou 3 mil homens e os dividido em grupos menores e mandado que saqueassem e destruíssem toda a região norte da Mércia. Era impossível dizer onde os dinamarqueses estavam porque pareciam estar em toda parte.

— O que querem? — perguntou Æthelred em tom lamentoso.

— Ele quer se sentar onde você está sentado — respondi.

— Você não tem autoridade aqui — rosnou o bispo Asser.

— Bispo — reagiu Æthelflæd irritada —, se tiver algo útil a dizer, por favor sinta-se à vontade para falar. Mas se simplesmente quiser se tornar um incômodo, vá para a igreja e leve suas reclamações a Deus. — Isso causou um silêncio atônito. A verdadeira autoridade no salão pertencia ao bispo Asser, porque era o enviado de Alfredo, no entanto Æthelflæd lhe havia dado um tapa em público. Ela enfrentou com firmeza seu olhar indignado e manteve os olhos fixos nos dele até que ele cedeu. Depois Æthelflæd se virou para os senhores. — As questões que precisamos responder são simples. Quantos dinamarqueses são? Qual é o objetivo deles? Quantos homens podemos reunir para fazer frente a eles? E onde vamos consegui-los?

Æthelred ainda parecia pasmo com o retorno da mulher. Cada senhor no salão devia saber sobre o afastamento dos dois, no entanto ali estava Æthelflæd, calmamente segurando a mão do marido, e ninguém ousava questionar sua presença. O próprio Æthelred estava tão abalado que a deixou dominar o conselho, e ela fez isso bem. Havia uma doçura suave na aparência de Æthelflæd, mas essa doçura disfarçava uma mente tão aguçada quanto a do pai e uma vontade tão forte quanto a da mãe.

— Não falem todos ao mesmo tempo — ordenou ela, erguendo a voz acima da confusão. — Senhor Ælfwold — ela sorriu para um homem de aparência séria sentado no banco mais próximo ao tablado —, suas terras devem ter sofrido mais, ao que parece, então qual é sua avaliação do número dos inimigos?

— Entre 2 e 3 mil — respondeu ele. E deu de ombros. — Pode ser muito mais, é difícil dizer.

— Porque eles cavalgam em grupos pequenos?

— Pelo menos uma dúzia de bandos — respondeu Ælfwold —, talvez uns vinte.

— E quantos homens podemos levar para lutar contra eles? — Ela fez a pergunta ao marido, com a voz respeitosa.

— Mil e quinhentos — respondeu ele, carrancudo.

— Precisamos de mais guerreiros do que isso! — disse Æthelflæd.

— O seu pai — retrucou Æthelred, e não resistiu a dizer essas duas palavras com desprezo — insiste em deixarmos quinhentos para proteger Lundene.

— Pensei que a guarnição de Lundene era de Wessex — intervim, e deveria saber disso, porque havia comandado essa guarnição durante cinco anos.

— Alfredo deixou trezentos homens em Lundene — disse o bispo Asser, forçando a cordialidade na voz — e o resto foi para Wintanceaster.

— Por quê?

— Porque Haesten nos mandou o aviso — respondeu o bispo, azedo. Em seguida parou, e seu rosto de fuinha estremeceu incontrolavelmente — de que você e os *jarls* do norte planejavam um ataque contra Wessex. — O ódio na voz dele era evidente. — É verdade?

Hesitei. Eu não havia traído os planos de Ragnar porque ele era meu amigo, o que significava que tinha deixado a descoberta do ataque nortumbriano ao destino, mas parecia que Haesten já mandara um alerta. Ele fizera isso, claramente, para manter as tropas de Wessex fora da Mércia, e parecia que o alerta fora bem-sucedido.

— E então? — pressionou Æthelred, percebendo meu desconforto.

— Os *jarls* nortumbrianos discutiram um ataque contra Wessex — falei debilmente.

— Ele vai acontecer? — quis saber Asser.

— Provavelmente — respondi.

— Provavelmente. — O bispo Asser zombou da palavra. — E qual é o seu papel, senhor Uhtred? — O desprezo com que ele falou meu nome tinha um gume tão afiado quanto Bafo de Serpente. — Enganar-nos? Trair-nos? Matar mais cristãos? — Ele se levantou de novo, sentindo sua vantagem. — Em nome de Cristo — gritou ele —, exijo a prisão deste homem!

Ninguém se moveu para me segurar. Æthelred fez um gesto para seus dois guerreiros domésticos, mas o gesto carecia de convicção e nenhum dos dois se mexeu.

— O senhor Uhtred está aqui para me proteger — disse Æthelflæd rompendo o silêncio.

— Você tem os guerreiros de uma nação para protegê-la — respondeu Asser, fazendo um gesto amplo com os braços para abarcar os homens sentados nos bancos.

— Para que preciso dos guerreiros de uma nação quando tenho o senhor Uhtred?— perguntou Æthelflæd.

— O senhor Uhtred — disse Asser em sua voz afiada — não é de confiança.

— Vocês preferem ouvir esse pedaço de cartilagem galesa? — perguntei aos homens nos bancos. — Um galês dizendo que um saxão não é de confiança? Quantos homens aqui perderam amigos, filhos ou irmãos para a traição galesa? Se os dinamarqueses são o pior inimigo da Mércia, os galeses vêm logo em seguida. Vamos aceitar lições sobre lealdade vindas de um galês?

Ouvi o padre Pyrlig murmurar atrás de mim, mas de novo ele falou em galês. Suspeito que estivesse me insultando, mas ele sabia muito bem por que eu havia falado daquele jeito. Eu estava apelando à desconfiança profunda que todos os mércios nutriam pelos galeses. Desde o início da Mércia, desde os tempos perdidos de nossos ancestrais, os galeses atacavam as terras saxãs para roubar gado, mulheres e tesouros. Eles chamavam nossa terra de "terra perdida", e no coração dos galeses há sempre um desejo de expulsar os saxões de volta para o outro lado do mar, de modo que poucos homens no salão de Æthelred tinham qualquer amor por seus inimigos ancestrais.

— Os galeses são cristãos! — gritou Asser. — E agora é a hora de todos os cristãos se unirem contra a imundície pagã que ameaça nossa fé. Olhem! — Seu dedo estava apontando de novo. — O senhor Uhtred usa o símbolo de Tor. Ele é um idólatra, um pagão, inimigo de nosso querido senhor Jesus Cristo!

— Ele é meu amigo — disse Æthelflæd — e eu confio minha vida a ele.

— Ele é um idólatra — repetiu Asser, evidentemente pensando que era a pior coisa que poderia falar sobre mim. — Traiu seu próprio juramento! Matou um santo! É inimigo de tudo o que consideramos mais importante, ele é o... — sua voz foi morrendo.

Asser ficara quieto porque subi no tablado e empurrei seu peito com força, obrigando-o a sentar-se. Então me inclinei sobre os braços da cadeira e olhei-o nos olhos.

— Quer o martírio? — perguntei. Ele respirou fundo para responder, depois pensou melhor e não disse nada. Sorri para sua cara furiosa e dei um tapinha em sua bochecha pálida antes de me voltar para os bancos. — Estou aqui para lutar pela senhora Æthelflæd, e ela está aqui para lutar pela Mércia. Se algum de vocês acredita que a Mércia vai sofrer por causa da minha ajuda, tenho certeza de que ela vai me dispensar do juramento e eu partirei.

Ninguém parecia desejar minha partida. Os homens no salão estavam sem graça, mas Ælfwold, que já sofrera com a invasão de Haesten, levou a discussão de volta ao seu lugar apropriado.

— Não temos homens para enfrentar Haesten — disse desanimado. — Não sem a ajuda dos saxões ocidentais.

— E essa ajuda não virá — disse eu. — Não é verdade, bispo? — Asser confirmou com a cabeça. Estava com raiva demais para falar. — Haverá um ataque contra Wessex e Alfredo vai precisar de seu exército para enfrentar esse ataque, por isso devemos enfrentar Haesten sozinhos.

— Como? — perguntou Ælfwold. — Os homens de Haesten estão em toda parte e em parte nenhuma! Se mandarmos um exército para encontrá-los, eles simplesmente vão nos cercar.

— Vocês devem recuar para seus *burhs* — respondi. — Haesten não está equipado para sitiar cidades fortificadas. O *fyrd* protege os *burhs* e vocês levam seu gado e sua prata para trás das muralhas. Deixem Haesten queimar quantos povoados ele quiser. Ele não consegue capturar um *burh* bem defendido.

— Então simplesmente vamos deixar que ele devaste a Mércia enquanto nos encolhemos atrás de muros? — perguntou Ælfwold.

— Claro que não — respondi.

— Então o que faremos? — perguntou Æthelred.

Hesitei de novo. Segundo todos os relatos, Haesten havia escolhido uma nova estratégia. Quando Harald invadira Wessex no ano anterior, trouxera um grande exército e com ele a bagagem de um exército: mulheres, crianças, animais e escravos. Mas, se as mensagens urgentes eram verdadeiras, Haesten não trouxera nada além de cavaleiros. Tinha trazido seus próprios homens, os sobreviventes do exército de Harald e os guerreiros dinamarqueses da Ânglia Oriental para saquear a Mércia, e estavam se movendo depressa, cobrindo quilômetros de território, queimando e roubando. Se marchássemos para lhes fazer oposição, eles poderiam sair do nosso caminho ou, caso nos encontrássemos em terreno traiçoeiro, poderiam se juntar e nos atacar. No entanto, se não fizéssemos nada, inevitavelmente a Mércia seria tão enfraquecida que os homens prefeririam procurar a proteção dos dinamarqueses. Assim precisávamos dar um golpe que enfraquecesse os dinamarqueses antes que eles nos enfraquecessem. Precisávamos ser ousados.

— Então? — perguntou Asser, pensando que minha hesitação denotava incerteza.

E continuei hesitando porque não achava que a coisa poderia ser feita.

No entanto não conseguia pensar no que mais faríamos.

Todo mundo naquele salão estava me olhando, alguns com aversão explícita, outros com esperança desesperada.

— Senhor Uhtred? — instigou Æthelflæd gentilmente.

Então contei-lhes.

Nada era simples. Æthelred argumentou que a ambição de Haesten era capturar Gleawecestre.

— Ele vai usá-la como base para atacar Wessex — argumentou, e lembrou ao bispo Asser que, muitos anos antes, Guthrum havia usado Gleawecestre como o local para reunir o exército dinamarquês que chegara mais perto de conquistar Wessex. Asser concordou com o argumento, provavelmente porque queria que os *thegns* rejeitassem meu plano. No fim foi Æthelflæd que acabou com a discussão.

— Eu vou com Uhtred — disse ela — e os que quiserem podem ir conosco.

Æthelred não iria me acompanhar. Ele jamais havia gostado de mim, mas agora essa aversão era puro ódio porque eu havia resgatado Æthelflæd de seu rancor. Ele queria derrotar os dinamarqueses, porém mais ainda queria ver Alfredo morto, Æthelflæd posta de lado e sua cadeira transformada num trono de verdade.

— Vou reunir o exército em Gleawecestre — declarou — e impedir qualquer ataque contra Wessex. Esta é minha decisão. — E olhou os homens nos bancos. — Espero que todos se juntem a mim. Exijo que se juntem a mim. Vamos nos reunir em quatro dias!

Æthelflæd me lançou um olhar interrogativo.

— Lundene — falei sem emitir som.

— Eu vou para Lundene — disse ela — e aqueles de vocês que quiserem ver a Mércia livre dos pagãos juntem-se a mim lá. Dentro de quatro dias.

Se eu fosse Æthelred, teria posto fim ao desafio de Æthelflæd ali mesmo. Ele tinha homens armados no salão e nenhum de nós usava arma, e uma única ordem poderia me deixar morto nos juncos do chão. Mas ele não tinha coragem. Sabia que eu estava com homens do lado de fora do castelo e talvez temesse a vingança deles. Ele tremeu quando me aproximei de sua cadeira, depois me olhou nervoso e desgostoso.

— Æthelflæd continua sendo sua esposa — disse em voz baixa —, mas se ela morrer misteriosamente, se adoecer ou se eu ouvir boatos de um feitiço lançado contra ela, vou encontrá-lo, primo, e vou sugar seus olhos do crânio e cuspi-los pela sua garganta até você morrer engasgado. — Sorri. — Mande seus homens a Lundene e mantenha sua terra

Ele não mandou homens a Lundene, e a maioria dos senhores da Mércia também não mandou. Estavam apavorados com minha ideia e procuravam o apoio de Æthelred. Ele era o doador de ouro na Mércia, ao passo que Æthelflæd era quase tão pobre quanto eu. Assim, a maioria dos guerreiros da Mércia foi para Gleawecestre e Æthelred os manteve lá, esperando um ataque de Haesten que nunca veio.

Haesten estava saqueando por toda a Mércia. Nos dias seguintes, enquanto eu esperava em Lundene e ouvia os relatos trazidos por fugitivos, vi como os dinamarqueses estavam se movendo com velocidade de relâmpago. Capturavam qualquer coisa de valor, fosse um espeto de ferro, um arreio ou uma criança, e todo esse saque era mandado de volta a Beamfleot, onde Haesten tinha sua fortaleza acima da margem do Temes. Ele estava juntando um tesouro lá, um tesouro que poderia ser vendido na Frankia. Seu sucesso trazia mais dinamarqueses para o seu lado, homens vindos do outro lado do mar, que viam a queda iminente da Mércia e queriam compartilhar a terra que seria dividida no fim da conquista. Haesten capturou algumas cidades, as que ainda não tinham sido transformadas em *burhs*, e a prata de igrejas, conventos e mosteiros fluía de volta para Beamfleot. Alfredo mandou homens a Gleawecestre, mas apenas uns poucos, porque agora eram grandes os boatos de uma enorme frota da Nortúmbria navegando para o sul. Tudo era caos.

E eu estava impotente porque, depois de quatro dias, só comandava 83 homens. Eram a minha tripulação encolhida e os poucos mércios que tinham vindo em resposta ao chamado de Æthelflæd. Beornoth era um deles, porém a maioria dos homens que tinha vindo para o meu lado em Lecelad havia ficado com Æthelred.

— Outros viriam, senhor — disse Beornoth —, mas estão com medo de desagradar o *ealdorman*.

— O que ele faria?

— Tiraria os lares deles, senhor. Como é que eles vivem, senão da generosidade dele?

— No entanto você veio.

— O senhor me deu minha vida.

Minha antiga casa estava ocupada pelo novo comandante da guarnição, um austero saxão ocidental chamado Weohstan, que havia lutado em Fearnhamme. Quando cheguei a Lundene inesperadamente, numa noite chuvosa, o bispo Erkenwald ordenou que Weohstan me prendesse, mas Weohstan ignorou a ordem teimosamente. Em vez disso veio me ver no palácio real mércio, que já fora a mansão do antigo governador romano.

— O senhor está aqui para lutar contra os dinamarqueses? — perguntou ele.

— Está — respondeu Æthelflæd por mim.

— Então não sei se tenho homens suficientes para prendê-lo — disse Weohstan.

— Quantos você tem?

— Trezentos — disse ele com um sorriso.

— Nem de longe basta — garanti a ele.

Contei o que havia planejado e ele pareceu cético.

— Vou ajudar, se puder — prometeu, mas havia dúvida em sua voz. Ele havia perdido quase todos os dentes, de modo que sua fala era engrolada e sibilante. Tinha mais de 30 anos, era careca como um ovo, de cara vermelha, estatura baixa, mas ombros largos. Tinha habilidade com armas e modos ásperos que o tornavam um líder eficaz, mas Weohstan também era cauteloso. Eu confiaria nele para defender uma muralha para sempre, mas não era um homem capaz de liderar um ataque ousado.

— Você pode me ajudar agora — afirmei no primeiro dia, e pedi um navio emprestado.

Ele franziu a testa enquanto pensava na pergunta, depois decidiu que não estava arriscando muita coisa em ceder.

— Traga-o de volta, senhor — disse ele.

O bispo Erkenwald tentou me impedir de levar o navio rio abaixo. Encontrou-me no cais ao lado de minha antiga casa. Weohstan, com tato, havia encontrado o que fazer em outro lugar. Ainda que Erkenwald tivesse trazido sua guarda pessoal, aqueles três homens não eram páreo para minha tripulação. O bispo me confrontou.

— Eu governo Lundene — disse ele, o que era verdade — e você deve ir embora.

— Estou indo — e indiquei o navio que esperava.

— Não num dos nossos navios!

— Então me impeça.

— Bispo — Æthelflæd estava comigo e interveio.

— Uma mulher não deve falar de negócios de homens! — Erkenwald virou-se para ela.

Æthelflæd se eriçou.

— Eu sou...

— O seu lugar, senhora, é com seu marido!

Segurei Erkenwald pelos ombros e o guiei até o terraço onde Gisela e eu havíamos passado muitas noites tranquilas. Erkenwald, muito menor do que eu, tentou resistir, mas ficou parado quando o soltei. A água espumava pelas aberturas da velha ponte romana, obrigando-me a forçar a voz.

— O que sabe sobre Æthelred e Æthelflæd? — perguntei.

— Não é direito do homem interferir no sacramento do matrimônio — disse ele sem dar importância.

— Você não é idiota, bispo.

Ele me olhou furioso, com seus olhos escuros.

— O abençoado apóstolo Paulo instrui as esposas a se submeter aos maridos. Você gostaria que eu pregasse o oposto?

— Eu gostaria que o senhor fosse sensato. Os dinamarqueses querem erradicar sua religião. Eles veem que Wessex está enfraquecido pela doença de Alfredo. Eles destruiriam o poder saxão na Mércia, depois partiriam para Wessex. Se acontecer como eles querem, bispo, em algumas semanas algum guerreiro dinamarquês vai rasgar sua barriga e você será um mártir. Æthelflæd quer impedir isso, e estou aqui para ajudá-la.

Para seu crédito, Erkenwald não me acusou de traição. Em vez disso se eriçou.

— O marido dela também quer impedir os dinamarqueses — disse com firmeza.

— O marido dela quer separar a Mércia de Wessex — respondi. Ele não disse nada porque sabia que era verdade. — Então em quem o senhor confia para protegê-lo do martírio? Em Æthelred ou em mim?

— Deus vai me proteger — disse ele, teimoso.

— Só ficarei aqui alguns dias, e você pode me ajudar ou me atrapalhar. Se lutar contra mim, bispo, tornará mais provável a vitória dos dinamarqueses.

Ele olhou para Æthelflæd e um tremor surgiu em seu rosto fino. Estava sentindo cheiro de pecado em nossa aliança aparente, mas também estava pensando na visão que eu havia lhe dado, uma visão de um dinamarquês com cota de malha cravando uma lâmina em sua barriga.

— Traga o navio de volta — disse ele de má vontade, ecoando Weohstan, depois se virou abruptamente e foi andando.

O navio era o *Haligast*, a embarcação que carregava Alfredo pelo Temes, mas parecia que a doença dele o fizera abandonar essas viagens, de modo que o pequeno *Haligast* fora trazido através da abertura traiçoeira entre os pilares da ponte e agora era usado como embarcação de vigilância. Seu comandante era Ralla, um velho amigo.

— Ele é leve — disse Ralla sobre o *Haligast* — e rápido.

— Mais rápido do que o *Seolferwulf*? — perguntei. Ele conhecia bem meu navio.

— Nem de longe, senhor, mas corre bem no vento, e se os dinamarqueses chegarem perto demais podemos usar água mais rasa.

— Quando eu estava aqui — falei em voz afável — os dinamarqueses fugiam de nós.

— As coisas mudam — disse Ralla, soturno.

— Os pagãos estão atacando navios? — perguntou Æthelflæd.

— Não vimos nenhum navio mercante há semanas — respondeu Ralla —, portanto devem estar.

Æthelflæd havia insistido em ir comigo. Eu não queria sua companhia porque nunca achei que as mulheres devessem ser expostas a perigos desnecessários, mas tinha aprendido a não discutir com a filha de Alfredo. Ela queria fazer parte da campanha contra os dinamarqueses e eu não pude dissuadi-la, e assim ela ficou comigo, com Ralla e Finan na plataforma do leme enquanto a tripulação experiente de Ralla levava o *Haligast* rio abaixo.

Quantas vezes eu tinha feito essa viagem? Olhei os bancos de lama brilhantes deslizando para trás e era tudo familiar demais enquanto seguíamos as curvas exageradas do rio. Íamos com a maré, de modo que os trinta remadores só precisavam dar pequenos puxões nos remos para manter o navio direcionado rio abaixo. Cisnes batiam asas saindo do caminho e no alto o céu estava movimentado com pássaros voando para o sul. As margens pantanosas recuaram lentamente enquanto o rio se alargava e imperceptivelmente se transformava num braço de mar, e depois fomos ligeiramente para o norte deixando o *Haligast* deslizar ao longo da costa da Ânglia Oriental.

De novo tudo era muito familiar. Olhei para o território baixo e sem graça chamado de Sexe Oriental. Era bordejado por terras úmidas que lentamente se erguiam até campos arados, depois, abruptamente, havia o grande morro coberto de florestas que eu conhecia tão bem. O topo do rio fora despido das árvores, de modo a formar uma cúpula de capim onde a fortaleza gigantesca dominava o Temes. Beamfleot. Æthelflæd fora aprisionada naquele forte e olhou-o sem palavras, mas pegou minha mão e segurou-a enquanto se lembrava dos dias em que era supostamente uma refém, quando havia se apaixonado para em seguida perder o homem para a espada do irmão dele.

Abaixo da fortaleza o terreno descia íngreme até uma aldeia, também chamada Beamfleot, que ficava ao lado do riacho lamacento chamado Hothlege. O Hothlege separava Beamfleot de Caninga, uma ilha densa de juncos que podia ser inundada quando a maré era alta e quando o vento soprava forte do leste. Dava para ver que o Hothlege estava cheio de barcos, na maioria puxados para a praia abaixo do grande morro, onde eram protegidos por novas fortalezas postas na extremidade leste do riacho. As duas fortalezas eram um par de navios encalhados e sem mastros, um em cada margem, com as tábuas viradas para o mar formando altos muros. Achei que uma corrente ainda estaria atravessada no Hothlege para impedir que embarcações inimigas entrassem no canal estreito.

— Mais perto — resmunguei para Ralla.

— O senhor quer encalhar?

— Quero chegar mais perto.

Eu teria guiado o *Haligast* pessoalmente, só que minha mão picada pela abelha ainda estava inchada e a pele, esticada. Soltei a mão de Æthelflæd para coçá-la.

— Não vai melhorar se você ficar coçando — disse ela, pegando minha mão de volta.

Finan havia subido pelo mastro do *Haligast* onde, com sua visão apurada, estava contando navios dinamarqueses.

— Quantos? — gritei impaciente.

— Centenas — gritou ele de volta e, um instante depois, fez uma estimativa melhor. — Uns duzentos! — Era impossível fazer uma contagem acurada porque os mastros eram densos como árvores novas, e alguns barcos estavam sem mastros e ocultos por outros cascos.

— Maria nos salve — disse Æthelflæd baixinho e fez o sinal da cruz.

— Novecentos homens? — sugeriu Ralla azedamente.

— Não tantos — respondi. Muitos barcos pertenciam aos sobreviventes do exército de Harald e essas tripulações tinham sido parcialmente trucidadas em Fearnhamme, mas mesmo assim achei que Haesten teria o dobro de homens que havíamos estimado em Gleawecestre. Talvez até 5 mil, e a maioria deles estava agora mesmo devastando a Mércia, mas um número suficiente permanecia em Beamfleot para formar uma guarnição que nos olhava de sua alta muralha. O reflexo do sol piscava em lâminas de lanças, mas quando abriguei os olhos e espiei aquela fortificação formidável em seu morro íngreme, pareceu que ela estava precisando de reparos. — Finan! — gritei depois de um tempo —, há aberturas naquela muralha?

Ele esperou antes de responder.

— Eles construíram um forte novo, senhor! Embaixo, no litoral!

Do convés do *Haligast* eu não podia ver o forte novo, mas confiava em Finan, cujos olhos eram melhores do que os meus. Ele desceu do mastro depois de alguns instantes e explicou que Haesten parecia ter abandonado a fortaleza no morro.

— Ele tem vigias lá em cima, senhor, mas a força principal está mais adiante, no rio. Há uma desgraçada de uma muralha enorme lá.

— Por que abandonar o terreno elevado? — perguntou Æthelflæd.

— Ficava longe demais dos navios — respondi. Haesten saberia melhor do que ninguém, porque havia lutado aqui antes e seus homens tinham conseguido queimar os navios de Sigefrid antes que o norueguês pudesse trazer homens morro abaixo para impedi-lo. Agora Haesten havia bloqueado o riacho sob o rio, guardando sua extremidade voltada para o mar com os navios encalhados e a entrada por terra com uma fortaleza nova e poderosa. Entre essas fortalezas estavam seus navios. Isso significava que provavelmente poderíamos tomar a antiga fortaleza sem muito problema, mas sustentar o terreno elevado não nos ajudaria porque a nova fortaleza ficava fora do alcance de um tiro de flecha.

— Não pude ver muito bem — disse Finan —, mas me pareceu que a nova fortaleza fica numa ilha.

— Ele está tornando a coisa difícil — comentei em tom ameno.

— Pode ser feito? — perguntou Æthelflæd, em dúvida.

— Tem de ser feito — respondi.

— Não temos homens!

— Ainda — falei com teimosia.

Porque meu plano era capturar aquela fortaleza. Ela estava apinhada com os prisioneiros de Haesten, todas as mulheres e crianças tomadas como escravas, e era na nova fortaleza de Beamfleot que seu saque era armazenado. Eu suspeitava que a família de Haesten também estivesse lá, na verdade a família de cada dinamarquês que assolava a Mércia provavelmente estava naquele lugar. Seus navios também estavam, protegidos pela fortaleza. Se pudéssemos tomar a fortaleza iríamos empobrecer Haesten, capturar dezenas de reféns e destruir uma frota dinamarquesa. Se pudéssemos capturar Beamfleot teríamos uma vitória que desanimaria os dinamarqueses e alegraria cada coração saxão. Essa vitória poderia não vencer a guerra, mas enfraqueceria Haesten imensuravelmente e muitos de seus seguidores, perdendo a fé, iriam abandoná-lo, pensando: que tipo de líder não é capaz de proteger as famílias de seus homens? Æthelred acreditava que a salvação da Mércia estava garantida esperando Haesten atacar Gleawecestre, mas eu acreditava que precisávamos atacar Haesten onde ele menos esperava. Tínhamos de atacar sua base, destruir sua frota e tomar de volta seus saques.

— Quantos homens o senhor tem? — perguntou Ralla.

— Oitenta e três, pela última contagem.

Ele gargalhou.

— E de quantos o senhor precisa para capturar Beamfleot?

— Dois mil.

— E o senhor não acredita em milagres?

Æthelflæd apertou minha mão.

— Os homens virão — disse ela, mas não pareceu nem um pouco convencida.

— Talvez — respondi. Estava olhando os navios em seu riacho abrigado e pensei que, a seu modo, Beamfleot era tão inexpugnável quanto Bebbanburg. — E se eles não vierem? — perguntei baixinho.

— O que você fará? — perguntou Æthelflæd.

— Levo você para o norte, levo meus filhos para o norte e luto até conseguir prata para levantar um exército que possa capturar Bebbanburg.

Ela se virou para me encarar.

— Não. Agora sou mércia, Uhtred.

— Mércia e cristã — falei azedamente.

— É, mércia e cristã. E o que você é, senhor Uhtred?

Olhei para onde a luz do sol refletida piscava nas pontas de lanças dos vigias no alto morro de Beamfleot.

— Um idiota — respondi amargo. — Um idiota.

— Meu idiota — disse ela, e ficou na ponta dos pés para beijar meu rosto.

— Remem! — gritou Ralla e empurrou o remo-leme fazendo o *Haligast* virar para o sul e depois para o oeste. Dois grandes navios inimigos estavam se esgueirando para fora do riacho, passando pelas fortalezas recém-construídas, com o sol iluminando as filas de remos enquanto mergulhavam e subiam.

Fugimos rio acima.

E, idiota que era, sonhei em capturar Beamfleot.

Treze

No dia seguinte o *ealdorman* Ælfwold chegou a Lundene. Suas terras ficavam nas partes do norte da Mércia saxã, o que as tornava as mais vulneráveis aos ataques dinamarqueses, e ele só mantivera suas propriedades à custa de contratar guerreiros, subornar os dinamarqueses e lutando. Era velho, viúvo e estava cansado da luta.

— Assim que a colheita está reunida — disse — os dinamarqueses vêm. Os ratos e os dinamarqueses chegam juntos.

Trouxe quase trezentos homens, na maioria bem armados e treinados.

— Eles podem morrer com você tanto quanto podem apodrecer em Gleawecestre — observou. Estava sem casa porque seu castelo fora queimado por um dos bandos de Haesten. — Eu o abandonei — admitiu. — Estou acostumado a lutar com duzentos daqueles desgraçados, mas não com milhares. — Ele havia mandado seus serviçais domésticos, as filhas e os netos para Wessex na esperança de que ficassem seguros. — Os *jarls* do norte estão mesmo planejando atacar Alfredo? — perguntou.

— Estão.

— Deus nos ajude.

As pessoas estavam se mudando para a velha cidade. De fato Lundene são duas cidades: a romana, construída no terreno alto, e, a oeste, para além do rio Fleot, a nova cidade saxã. A primeira era um lugar de grandes palácios de pedra e da glória desbotada de colunas de mármore, ao passo que a outra era um pântano fétido de palha e pau a pique, mas as pessoas preferiam o pântano porque juravam que os arruinados prédios romanos eram assombrados por fantasmas. Agora, temendo os homens de Haesten mais do que qualquer espectro, estavam atravessando o Fleot e encontrando abrigo nas casas mais velhas. A cidade fedia. Os esgotos romanos haviam entupido, as fossas não tinham tamanho suficiente e as ruas ficaram imundas. O gado estava confinado na velha arena romana e porcos andavam pelas ruas. A guarnição de Weohstan cuidava das muralhas altas e fortes. A maioria das ameias fora construída pelos romanos, mas onde o tempo havia estragado o trabalho em pedra havia grossas paliçadas de carvalho.

Finan estava comandando cavaleiros para o norte e o leste todo dia, e trazia de volta notícias de dinamarqueses retornando para o leste.

— Eles estão levando os saques para Beamfleot — disse. — Saques e escravos.

— Estão ficando em Beamfleot?

Ele balançou a cabeça negativamente.

— Eles voltam para a Mércia. — Finan estava com raiva porque não tínhamos homens suficientes para ele atacar os cavaleiros dinamarqueses. Só podia ficar olhando.

Ralla, fazendo trabalho de batedor rio abaixo no *Haligast*, viu mais dinamarqueses chegando do outro lado do mar. Haviam se espalhado boatos de que tanto Wessex quanto a Mércia estavam desorganizados e as tripulações vinham correndo para dividir o saque. Enquanto isso Haesten levava a destruição pelas fazendas da Mércia e Æthelred esperava em Gleawecestre um ataque que nunca chegava. Então, um dia depois de Ælfwold ter trazido sua guarda pessoal para Lundene, chegou a notícia que eu estivera esperando. A frota da Nortúmbria havia desembarcado em Defnascir e feito acampamento acima do Uisc, o que significava que o exército saxão ocidental de Alfredo marchava para proteger Exanceaster.

Os saxões pareciam condenados. Uma semana depois de minha descida pelo rio sentei-me no salão do palácio e olhei as sombras lançadas pelo fogo no teto alto. Podia ouvir monges cantando na enorme igreja de Erkenwald, que ficava perto do palácio mércio. Se eu subisse ao telhado veria o brilho de incêndios longe, a norte e a oeste. A Mércia estava queimando.

Foi nessa noite que Ælfwold abandonou a esperança.

— Não podemos simplesmente esperar aqui, senhor — disse ele durante a ceia. — A cidade tem homens suficientes para defendê-la, e meus trezentos homens são necessários em outros lugares.

Naquela noite eu comia com meus companheiros de sempre: Æthelflæd, Ælfwold, o padre Pyrlig e Beornoth.

— Se eu tivesse mais trezentos — falei, e me desprezei por dizer isso. Mesmo que o destino me trouxesse mais trezentos guerreiros, inda nem de longe teria homens suficientes para capturar Beamfleot. Æthelred havia vencido. Nós o havíamos desafiado e perdido.

— Se o senhor fosse eu — perguntou baixinho Ælfwold, que era um homem astuto —, o que faria?

Dei-lhe uma resposta honesta.

— Iria me juntar de novo a Æthelred e convencê-lo a atacar os dinamarqueses.

Ele esmigalhou um pedaço de pão, encontrando uma lasca de pedra de moinho que esfregou entre os dedos. Não tinha consciência de que fazia aquilo. Estava pensando nos dinamarqueses, na batalha que sabia que devia ser travada, na batalha que temia perder. Balançou a cabeça.

— Amanhã — disse baixinho — levo meus homens para o oeste. — Em seguida me olhou. — Sinto muito.

— Você não tem escolha — disse eu.

Senti-me como um homem que tivesse perdido quase tudo jogando dados e então, como um idiota, arriscara tudo o que me restava num único lance. Tinha fracassado. O que eu pensara? Que homens viriam até mim por causa da minha reputação? Em vez disso eles ficaram com quem lhe dava ouro. Æthelred não queria que eu tivesse sucesso, por isso abrira os baús de prata e oferecera riqueza aos homens, caso se juntassem ao seu exército. Eu precisava de mil homens e não podia encontrá-los, e sem eles não podia fazer nada. Pensei amargamente na profecia de Iseult, feita tantos anos antes, dizendo que Alfredo me daria poder, que eu comandaria uma horda brilhante e teria uma mulher de ouro.

Naquela noite, no salão mais alto do palácio, onde eu tinha um colchão de palha, olhei o brilho fraco dos incêndios distantes além do horizonte e desejei ter ficado na Nortúmbria. Eu estivera à deriva desde a morte de Gisela, pensei. Achara que o chamado de Æthelflæd dava um novo propósito à minha vida, mas agora não podia ver nenhum futuro. Parei junto à janela, um grande arco de pedra que emoldurava o céu, e pude ouvir cantos vindos das tavernas, gritos de homens discutindo, o riso de uma mulher, e pensei que Alfredo havia tomado o poder que me dera e a prometida horda brilhante era metade de uma tripulação que começava a duvidar da minha capacidade de comandá-los para qualquer lugar.

— Então, o que você vai fazer? — perguntou Æthelflæd atrás de mim.

Eu não a ouvi chegar. Seus pés descalços não fizeram ruído. Ela tocou minha mão pousada no parapeito, acompanhando meu polegar com um dedo suave.

— O inchaço passou — disse ela.

— A coceira também.

— Está vendo? — perguntou ela, com a voz divertida. — A picada não foi um presságio.

— Foi, mas ainda não descobri o que ela significa.

Ela deixou a mão sobre a minha, o toque leve como pluma.

— O padre Pyrlig diz que tenho uma escolha.

— Qual é?

—Voltar para Æthelred ou encontrar um convento em Wessex.

Assenti. Os monges ainda cantavam na igreja, as vozes monótonas pontuadas por risos e cantos das tavernas. As pessoas procuravam o esquecimento na cerveja ou então rezavam. Todas sabiam o que significavam os incêndios no céu: o fim estava chegando.

— Você transformou meu filho mais velho em cristão? — perguntei.

— Não, ele encontrou isso sozinho.

— Vou levá-lo para o norte e tirar-lhe esse absurdo a pancada — disse eu. Æthelflæd não disse nada, apenas apertou minha mão. — Um convento? — perguntei desanimado.

— Sou casada — disse ela — e a Igreja me diz que se eu não estiver com meu marido dado por Deus devo ser vista como virtuosa. — Eu ainda estava olhando o horizonte manchado por incêndios, onde as chamas iluminavam a parte de baixo das nuvens. Acima de Lundene o céu estava claro, de modo que o luar lançava sombras afiadas das bordas dos telhados romanos. Æthelflæd encostou a cabeça no meu ombro. — O que está pensando?

— Que a não ser que derrotemos os dinamarqueses, não restarão conventos.

— Então o que farei? — perguntou ela em tom despreocupado.

Eu sorri.

— O padre Beocca gostava de falar sobre a roda da fortuna — disse eu, e pensei no motivo para ter falado dele como se ele estivesse no passado. Será que vi o fim chegando? Será que aqueles incêndios distantes iriam se esgueirar cada vez mais perto até queimarem Lundene e calcinarem o último saxão da Britânia? — Em Fearnhamme fui o comandante guerreiro de seu pai. Agora sou um fugitivo sem homens suficientes para encher os bancos de um navio.

— Meu pai diz que você é o milagreiro dele. É verdade — disse ela quando eu ri. — É como ele o chama.

— Eu poderia operar um milagre para Alfredo — falei amargamente — se ele me desse homens. — Pensei de novo na profecia de Iseult, que Alfredo me daria poder e que minha mulher seria dourada, e foi então que finalmente dei as costas para os incêndios distantes, olhei o cabelo dourado de Æthelflæd e tomei-a nos braços.

E no dia seguinte Ælfwold deixaria Lundene e eu ficaria impotente.

Três cavaleiros chegaram primeiro. Vieram ao alvorecer, galopando pelo vale imundo do Fleot e subindo até os portões da cidade. Ouvi a trompa tocando nas fortificações e vesti roupas, calcei botas, beijei Æthelflæd e desci correndo a escada até o salão do palácio no momento em que a porta era aberta e os três homens vestidos com malha entraram, os pés lascando os ladrilhos já lascados. O líder era alto, sério e barbudo. Parou a dois passos de mim.

— Você deve ter um pouco de cerveja nessa cidade fedorenta — disse ele. Eu o encarava com incredulidade. — Preciso de um desjejum — exigiu, e então não pôde se conter. Gargalhou. Era Steapa, e com ele estavam dois homens mais novos, ambos guerreiros. Gritei para os serviçais trazerem comida e cerveja, ainda mal acreditando que Steapa viera. — Estou trazendo 1.200 homens — disse ele rapidamente.

Por um momento mal pude falar.

— Mil e duzentos? — ecoei debilmente.

— Os melhores de Alfredo — respondeu Steapa —, e o *ætheling* também vem.

— Eduardo? — Eu estava atônito demais para dar qualquer resposta sensata.

— Eduardo e 1.200 dos melhores homens de Alfredo. Nós viemos na frente — explicou ele, depois se virou e fez uma reverência quando Æthelflæd, envolta numa capa grande, entrou no salão. — Seu pai manda lembranças, senhora.

— E manda seu irmão — disse eu — com 1.200 homens.

— Deus seja louvado — respondeu Æthelflæd.

O salão havia se enchido enquanto a notícia se espalhava. Meus filhos estavam ali, e o bispo Erkenwald, Ælfwold e o padre Pyrlig, depois Finan e Weohstan.

— O *ætheling* Eduardo vai comandar as forças — disse Steapa —, mas deve aceitar a orientação do senhor Uhtred.

O bispo Erkenwald ficou atônito. Estava olhando para Æthelflæd e para mim, e pude ver que ele farejava o pecado com a ansiedade de um terrier cheirando uma toca de raposa.

— O rei mandou vocês? — perguntou a Steapa.

— Sim, senhor.

— Mas e os dinamarqueses em Defnascir?

— Eles só estão coçando a... — disse Steapa, depois ficou vermelho porque quase dissera algo que achava que iria ofender o bispo, quanto mais a filha do rei.

— Coçando a bunda? — terminei por ele.

— Eles não estão fazendo nada, senhora — murmurou Steapa. Ele era filho de escravos e, apesar de toda a sua importância como comandante da guarda pessoal de Alfredo, ficava atarantado na presença de Æthelflæd. — Mas o rei quer seus homens de volta logo, senhor — disse Steapa, me olhando —, para o caso de os dinamarqueses da Nortúmbria acordarem.

— Então termine o seu desjejum — disse eu — e depois cavalgue de volta até Eduardo. Diga que ele não deve entrar na cidade. — Eu não queria o exército saxão ocidental dentro de Lundene, com suas tentadoras tavernas e prostitutas. — Deve marchar para o norte ao redor da cidade — ordenei — e continuar marchando para o leste.

Steapa franziu a testa.

— Ele espera encontrar suprimentos aqui.

Olhei para o bispo Erkenwald.

— Você mandará comida e cerveja para o exército. A guarnição de Weohstan fornecerá escolta.

O bispo, ofendido com meu tom peremptório, hesitou, depois assentiu. Sabia que agora eu falava com a autoridade de Alfredo.

— Para onde mando os suprimentos? — perguntou.

— Lembra-se de Thunresleam? — perguntei a Steapa.

— O antigo castelo no morro, senhor?

— Eduardo deve se encontrar comigo lá. Você também. — Olhei de volta para o bispo. — Mande os suprimentos para lá.

— Para Thunresleam? — perguntou o bispo Erkenwald cheio de suspeitas, farejando mais pecado ainda porque o nome fedia a paganismo.

— O Bosque de Tor — confirmei — fica perto de Beamfleot. — O bispo fez o sinal da cruz mas não ousou protestar. — Você e cem de seus homens vão comigo — disse a Weohstan.

— Minhas ordens são de defender Lundene — respondeu Weohstan, inseguro.

— Se estivermos em Beamfleot não haverá dinamarqueses ameaçando Lundene. Marcharemos dentro de duas horas.

Demorou quase quatro horas, mas com os mércios de Ælfwold, os saxões ocidentais de Weohstan e meus homens somávamos mais de quatrocentos guerreiros montados que passaram ruidosamente pela porta leste da cidade. Deixei meus filhos aos cuidados dos serviçais de Æthelflæd. Æthelflæd insistiu em cavalgar conosco. Argumentei contra, dizendo que ela não deveria arriscar a vida, mas ela se recusou a ficar em Lundene.

— Você não fez um juramento de me servir? — perguntou.

— Mais idiotice da minha parte. Fiz.

— Então eu dou as ordens — disse ela, sorrindo.

— Sim, minha patinha — disse eu, e ganhei um soco no braço. No início do casamento dos dois, Æthelred sempre chamava Æthelflæd de "patinha", um tratamento que a irritava. E agora ela cavalgava sob meu estandarte de cabeça de lobo, Weohstan desfraldava o dragão de Wessex e os mércios de Ælfwold levavam uma bandeira comprida com a cruz cristã.

— Quero meu próprio estandarte — disse-me Æthelflæd.

— Então faça um.

— Ele vai ter a imagem de gansos — disse ela.

— Gansos! Não são patos?

Ela fez uma careta.

— Os gansos são os símbolos de santa Werburgh — explicou ela. — Havia um enorme bando de gansos destruindo um trigal, ela rezou e Deus expulsou os gansos. Foi um milagre!

— A abadessa de Lecelad fez isso?

— Não, não! A abadessa recebeu esse nome por causa de santa Werburgh. A santa morreu há muito tempo. Talvez eu a mostre no meu estandarte. Sei que ela me protege. Rezei para ela ontem à noite e viu o que ela fez? — Æthelflæd indicou os homens que nos seguiam. — Minhas preces foram atendidas!

Imaginei se ela havia rezado antes ou depois de ter vindo ao meu quarto, mas decidi que era melhor não fazer a pergunta.

Cavalgamos logo ao norte dos pântanos monótonos à beira do Temes. Esse lugar era território da Ânglia Oriental, mas não havia grandes propriedades perto de Lundene. Antigamente houvera castelos com traves altas e aldeias movimentadas, mas os ataques e contra-ataques frequentes tinham deixado os castelos em cinzas e as aldeias, aterrorizadas. O rei dinamarquês Eohric da Ânglia Oriental era supostamente cristão e havia assinado um tratado de paz com Alfredo, concordando que seus dinamarqueses ficariam fora da Mércia e de Wessex, mas era o mesmo que os dois reis terem assinado um acordo para impedir os homens de beber cerveja. Os dinamarqueses viviam atravessando a fronteira e os saxões retaliavam, e assim passamos cavalgando por povoações empobrecidas. O povo nos via chegando e corria para os pântanos ou então para as florestas nos morros baixos. Nós o ignorávamos.

Beamfleot ficava na extremidade sul da grande linha de morros que barrava nosso caminho. A maior parte dos morros tinha florestas densas, mas, acima do povoado, onde as encostas eram mais altas e mais íngremes, podíamos ver a velha fortaleza que fora feita sobre o cume redondo coberto de capim acima do rio. Viramos para o norte, subindo uma trilha íngreme que levava a Thunresleam, e cavalgamos com cautela porque os dinamarqueses poderiam nos ver chegando e facilmente mandariam uma força para atacar enquanto subíamos o morro em meio às árvores densas. Eu esperava esse ataque. Tinha mandado Æthelflæd e suas duas criadas para o centro da nossa coluna e ordenado que cada homem cavalgasse com seu escudo pendurado nos braços e as armas a postos. Prestava atenção ao som de pássaros voando entre as folhas, ao estalo de arreios, às batidas de cascos no chão coberto de folhas, ao grito súbito que anunciaria um ataque de cavaleiros vikings vindo do morro acima, mas os únicos pássaros voando entre as folhas eram os pombos que nós mesmos espantávamos. Os defensores de Beamfleot evidentemente haviam nos cedido o morro, e nenhum dinamarquês tentou nos impedir.

— Isso é loucura — disse Finan quando chegamos à crista. — Eles poderiam ter matado uns vinte de nós.

— Eles estão confiantes — respondi. — Devem saber que os muros de sua fortaleza vão nos impedir.

— Ou então não conhecem seu ofício — disse Finan.

— Quando você encontrou pela última vez um dinamarquês que não soubesse lutar?

Mandamos homens para examinar as árvores ao redor enquanto nos aproximávamos do antigo castelo de Thunresleam, mas ainda assim nenhum inimigo apareceu. Estivéramos naquele castelo anos antes, quando negociamos com os noruegueses Sigefrid e Erik, e depois havíamos travado uma batalha séria no riacho sob a fortaleza. Esses acontecimentos pareciam muito distantes agora, e tanto Sigefrid quanto Erik estavam mortos. Haesten havia sobrevivido àquela luta antiga, e agora eu viera me opor de novo a ele, mas nenhum de nós sabia se o próprio Haesten tinha retornado a Beamfleot. Segundo boatos, ele ainda estava devastando a Mércia, o que implicava confiança na capacidade de a guarnição de Beamfleot se proteger.

O castelo de madeira de Thunresleam seria o centro do meu acampamento. Um dia fora uma construção magnífica, mas tinha sido abandonado havia muitos anos, as colunas estavam apodrecendo e a palha do teto estava preta, úmida e caindo. As grandes traves do teto tinham uma grossa camada de fezes de pássaros ao passo que o chão era uma massa de ervas daninhas. Do lado de fora havia uma coluna de pedra mais ou menos da altura de um homem. Havia um buraco atravessando a pedra, cheio de pedrinhas e pedaços de pano, oferendas votivas deixadas pelo povo do local, que havia fugido à nossa chegada. Seu povoado ficava a 1,5 quilômetro a oeste e eu sabia que ele possuía uma igreja, mas os cristãos de Thunresleam tinham consciência de que seu lugar elevado e o velho castelo eram consagrados a Tor, por isso ainda vinham e faziam orações àquele deus mais antigo. Nenhuma segurança é demasiada para a humanidade. Eu podia não gostar do deus cristão, mas não nego sua existência e, em momentos difíceis da vida, fiz orações também a ele, assim como aos meus deuses.

— Vamos fazer uma paliçada? — perguntou Weohstan.

— Não.

Ele me encarou.

— Não?

— Derrubem o máximo de árvores que puderem — ordenei —, mas nada de paliçada.

— Mas...

— Nada de paliçada!

Eu estava assumindo um risco, mas se fizesse uma paliçada daria aos meus homens um local seguro, e sabia como os homens relutavam em abandonar esse tipo de segurança. Frequentemente havia notado como um touro, trazido para diversão em alguma festa, adota um trecho de terra como refúgio e se defende dos cães atacantes com uma ferocidade terrível desde que permaneça em seu refúgio escolhido, mas basta tirar o touro dali para os cães sentirem a vulnerabilidade e atacarem com selvageria renovada. Eu não queria que meus homens se sentissem seguros. Queria-os nervosos e alertas. Queria que soubessem que a segurança não estava num forte feito por eles, e sim em capturar o forte do inimigo. E queria que essa captura fosse rápida.

Ordenei que os homens de Ælfwold cortassem árvores a oeste, limpando a floresta até a beira do morro e mais além, de modo que pudéssemos enxergar longe o território em direção a Lundene. Se os dinamarqueses trouxessem homens de volta da Mércia eu queria vê-los. Pus Osferth encarregado de nossas sentinelas. O serviço delas era formar uma barreira entre nós e Beamfleot para alertar sobre qualquer ataque dinamarquês. Essas sentinelas ficavam na floresta, escondidas da fortaleza antiga, e se os dinamarqueses viessem eu esperava lutar com eles entre as árvores. Os homens de Osferth iriam retardá-los enquanto toda a minha força pudesse ser levada contra os atacantes, e ordenei que cada homem dormisse usando sua cota de malha e com as armas por perto.

Pedi para Ælfwold proteger nossos flancos norte e oeste. Seus homens vigiariam a aproximação de nossos suprimentos e ficariam de guarda contra reforços que viessem dos homens de Haesten, que ainda manchavam de fumaça o horizonte distante. Então, tendo dado essas ordens, levei cinquenta homens para explorar o terreno em volta do acampamento que ressoava com o barulho de machados mordendo árvores. Finan, Pyrlig e Osferth me acompanhavam, assim como Æthelflæd, que ignorava todos os meus conselhos para ficar longe do perigo.

Primeiro fomos ao povoado de Thunresleam. Era um amontoado de cabanas com grossos tetos de palha construídos em volta da ruína chamuscada e desmoronada de uma igreja. Os aldeões haviam fugido quando subimos o morro, mas algumas almas mais corajosas apareceram agora, saindo da floresta do outro lado de suas pequenas plantações onde os primeiros brotos de trigo, cevada e centeio tornavam verdes os sulcos na terra. Eram saxões, e os primeiros a se aproximar de nós eram liderados por um camponês corpulento com cabelo castanho emaranhado, um olho só e mãos enegrecidas pelo trabalho. Olhou o estandarte de Ælfwold, que mostrava a cruz cristã. Eu pegara o estandarte emprestado para deixar claro que não éramos dinamarqueses, e a cruz evidentemente tranquilizou o caolho que se ajoelhou diante de nós e sinalizou para seus companheiros também se ajoelharem.

— Sou o padre Heahberht — disse ele.

Contou-me que era padre da aldeia e de dois outros povoados mais a leste.

— Você não parece um padre — disse eu.

— Se parecesse, senhor, estaria morto. A bruxa da fortaleza mata padres.

Olhei para o sul, mas dali a velha fortaleza no morro não era visível.

— A bruxa?

— Ela se chama Skade, senhor.

— Conheço Skade.

— Ela queimou nossa igreja, senhor.

— E levou as meninas, senhor — disse uma mulher lacrimosa —, mesmo as mais novas. Levou minha filha que só tinha 10 anos, senhor.

— Por que ela... — Æthelflæd começou a fazer a pergunta, e parou abruptamente ao perceber que a resposta era óbvia.

— Eles abandonaram a velha fortaleza? — perguntei. — A de cima do morro?

— Não, senhor — respondeu o padre Heahberht. — Eles a usam para manter vigilância. E nós temos de levar comida para lá.

— Quantos homens estão lá?

— Uns cinquenta, senhor. Eles deixam os cavalos lá, também.

Não duvidei que o padre dissesse a verdade, mas os dinamarqueses tinham nos visto chegar e eu achava que agora a velha fortaleza estaria reforçada.

— Quantos homens há na fortaleza nova? — perguntei.

— Eles não nos deixam chegar perto da fortaleza nova, senhor — disse o padre Heahberht —, mas eu olhei do morro de Hæthlegh, senhor, e não pude contar todos os homens que estão lá dentro. — Ele me olhou nervoso. Seu olho morto era de um branco leitoso e ulcerado. Ele tremia de medo, não porque pensava que fôssemos inimigos como os dinamarqueses, mas porque éramos senhores. Obrigou-se a falar com o máximo de calma que pôde. — São centenas, senhor. Três mil homens cavalgaram para o oeste, senhor, mas deixaram todas as esposas e os filhos em Beamfleot.

— Você contou os que saíram?

— Tentei, senhor.

— As mulheres e os filhos estão aqui? — perguntou Æthelflæd.

— Eles vivem nos barcos que estão na praia, senhora.

O padre era um homem observador e recompensei-o com uma moeda de prata.

— E quem comanda a fortaleza nova? — perguntei. — O próprio Haesten?

O padre Heahberht balançou a cabeça.

— Skade, senhor.

— Skade! Ela está no comando?

— Foi o que nos disseram, senhor.

— Haesten não retornou?

— Não, senhor. Não que ficássemos sabendo. — Heahberht nos contou que Haesten havia começado a construir a nova fortaleza assim que sua frota chegou de Cent. — Eles nos obrigaram a cortar carvalhos e olmos para eles, senhor.

— Preciso ver essa nova fortaleza — falei, e dei outra moeda a Heahberht antes de instigar meu cavalo por entre duas cabanas, saindo num campo de cevada que estava crescendo. Pensava em Skade, em suas crueldades, em sua luxúria desesperada para ser soberana. Ela era capaz de mandar em homens pela pura força da vontade, mas teria as habilidades para organizá-los em batalha? No entanto Haesten não era idiota. Não iria deixá-la no comando se duvidasse de sua capacidade, e eu não duvidava de que ele também lhe deixara tropas suficientes e conselheiros competentes. Instiguei o cavalo de novo, agora indo para o sul, para o meio das árvores. Meus homens foram atrás. Eu cavalgava imprudentemente, sem me importar com o fato de que os dinamarqueses pudessem ter homens na floresta, embora não tivéssemos visto nenhum. Senti que a guarnição de Skade estava satisfeita em ficar atrás de suas muralhas, confiantes na capacidade de resistir a qualquer ataque.

Chegamos à borda daquele terreno elevado, onde a terra descia íngreme até a teia de riachos e pequenas enseadas em meio ao pântano. Para além disso ficava o largo Temes, com a margem sul pouco visível na névoa distante. Quatro navios deslizavam preguiçosamente no meio daquela vastidão de água refletindo a luz. Eram dinamarqueses patrulhando em busca de presas e vigiando qualquer barco de guerra saxão que descesse o rio a partir de Lundene.

E à minha direita eu podia ver a ilha Caninga e seu riacho, e a grande frota de barcos encalhada na costa. A nova fortaleza mal era visível depois da curva do morro alto onde ficava a velha fortaleza. O que o padre Heahberht havia dito? Que apenas uns cinquenta homens guardavam a velha fortificação. Eu podia ver pontas de lanças brilhando junto ao portão virado para o norte, e parecia haver muito mais de cinquenta, e a muralha que elas defendiam estava em boas condições. Eu sabia que o muro sul, dando para o riacho, havia apodrecido, mas as defesas voltadas para a terra tinham sido mantidas em boas condições.

— Skade nos viu chegando — disse eu — e reforçou a fortaleza antiga.

— Ela tem um bocado de lanças, lá — concordou Finan.

— Então precisamos capturar duas fortalezas.

— Por que não deixar esta aí apodrecer? — perguntou Finan, indicando o velho forte.

— Porque não quero aqueles desgraçados às nossas costas quando atacarmos a nova. Temos de matá-los primeiro.

Finan não disse nada. Ninguém falou. A guerra que estivéramos travando durante toda a vida tinha obrigado os governantes a construir fortalezas, pois elas venciam guerras. Alfredo protegia Wessex com *burhs* que não passavam de fortalezas grandes e com muitos homens. Æthelred da Mércia estava construindo *burhs*. Haesten, pelo que sabíamos, ainda não ousara atacara nenhum *burh* porque tinha consciência de que seus homens morreriam na vala e sob os muros altos. Queria enfraquecer a Mércia e matar de fome os defensores dos *burhs* antes de ousar atacar aquelas fortificações. As duas fortalezas em Beamfleot não eram *burhs*, mas suas defesas eram igualmente poderosas. Havia muralhas, valas com estacas e, sem dúvida, embaixo, no rio, um fosso. E atrás das muralhas estavam homens que sabiam matar, dinamarqueses de lança e espada, e eles nos esperavam não em uma fortaleza, mas em duas.

— Precisamos tomar as duas fortalezas? — perguntou Æthelflæd timidamente, rompendo o silêncio.

— A primeira vai ser fácil — respondi.

— Fácil, senhor? — perguntou Finan com um riso torto.

— E rápido — disse eu, parecendo muito mais confiante do que me sentia. A velha fortaleza era formidável, e era grande, mas eu duvidava de que os dinamarqueses tivessem comprometido homens suficientes para defender cada centímetro de suas fortificações. Assim que as tropas do *ætheling* Eduardo me alcançassem eu achava que teríamos guerreiros suficientes para atacar a velha fortaleza em vários lugares ao mesmo tempo, e esses ataques iriam esgarçar os defensores até romper a passagem. Não era um grande plano, mas funcionaria, porém eu temia que fosse custar muitos homens. No entanto não tinha escolha. Precisava fazer o impossível. Precisava tomar os dois fortes e, para dizer a verdade, não fazia ideia de como tomar a fortaleza mais nova junto à água. Só sabia que isso precisava ser feito.

Cavalgamos de volta ao nosso acampamento.

Tudo ficou confuso na manhã seguinte. Era como se os dinamarqueses tivessem acordado para a ameaça que representávamos e decidissem fazer o que deviam ter feito no dia anterior.

Sabiam que estávamos acampados ao redor do velho castelo de Thunresleam. Eu havia posto um grande número de sentinelas na floresta ao sul do castelo, mas sem dúvida algum dinamarquês inteligente as tinha evitado para espionar o novo espaço limpo em volta da construção, e Skade, ou quem quer que a aconselhava, decidiu que um ataque ao alvorecer mataria muitos de nós e desencorajaria o resto. O que era uma ideia bastante inteligente, só que era óbvia, e preparando-me para ela eu havia acordado todos os homens no coração da noite estrelada. Ordenei que as sentinelas retornassem das árvores, certifiquei-me de que todos estávamos acordados, depois selamos os cavalos, vestimos malha e partimos. As fogueiras do acampamento ainda tinham brasas, sugerindo que dormíamos. Nossa partida fez barulho suficiente para acordar os mortos no pequeno cemitério de Thunresleam, mas os dinamarqueses presumivelmente estavam fazendo seu próprio barulho e não tinham ideia de que havíamos deixado o acampamento.

— Não podemos fazer isso toda madrugada — resmungou Ælfwold.

— Se eles vão nos atacar — disse eu — será nesta manhã. Amanhã estaremos na fortaleza do alto.

— Amanhã? — ele pareceu surpreso.

— Se Eduardo chegar hoje — respondi. Eu planejava atacar a velha fortaleza assim que pudesse. Só precisava de homens suficientes para fazer oito ou nove investidas simultâneas.

Cavalgamos até a aldeia e esperamos. Éramos quatrocentos homens prontos para a batalha. Eu sabia que era possível que os dinamarqueses tivessem detectado nosso movimento, por isso insisti em que ficássemos nas selas. Os aldeões recém-acordados nos trouxeram cerveja azeda e o padre Heahberht me ofereceu, nervoso, uma taça de hidromel. Era surpreendentemente bom, e eu lhe disse para dar um pouco a Æthelflæd e suas duas criadas, as únicas mulheres que acompanhavam nossa força.

— Se os dinamarqueses atacarem — disse a ela — você vai ficar aqui com uma guarda pessoal. — Ela me olhou em dúvida, mas pela primeira vez não questionou.

Ainda estava escuro. Os únicos sons eram o tilintar dos arreios e as batidas de cascos inquietos. Às vezes um homem falava, mas a maioria simplesmente cochilava encurvada sobre as selas. Subia fumaça dos buracos nos tetos das choupanas, uma coruja piou triste na floresta e senti uma desolação gelada descer sobre meu espírito. Não conseguia sair daquele estado. Toquei o martelo de Tor e enviei uma prece aos deuses pedindo um sinal, mas tudo o que ouvi foi o grito lamentoso da coruja se repetindo. Como eu poderia tomar duas fortalezas? Temia que os deuses tivessem me abandonado e que ao vir da Nortúmbria para o sul eu tivesse renunciado a seus favores. O que eu havia dito a Alfredo? Que estávamos aqui para divertir nossos deuses, mas como esses deuses poderiam se divertir com minhas traições? Pensei no desapontamento de Ragnar e essa lembrança rasgou minha alma. Lembrei-me do desprezo de Brida e soube que era merecido. Sentia-me indigno naquela manhã enquanto a beira do céu se clareava atrás de mim formando uma faixa cinza. Senti como se meu futuro não guardasse nada, e a sensação era tão forte que cheguei perto do desespero. Girei na sela, procurando Pyrlig. O padre galês era um dos poucos homens em quem eu confiava minha alma, e eu queria seu conselho, mas, antes que pudesse chamá-lo, um homem gritou um alerta:

— Há um cavaleiro chegando, senhor!

Eu havia deixado Finan e um punhado de homens como nossas únicas sentinelas. Eles estavam postados na borda dos campos, na metade do caminho entre a aldeia e o velho castelo, e Finan havia mandado um homem para me alertar que os dinamarqueses estavam em movimento.

— Estão na floresta, senhor, perto do nosso acampamento — disse o homem.

— Quantos?

— Não dá para saber, senhor, mas pelo som parece uma horda.

O que poderia significar duzentos ou 2 mil, e a prudência sugeria que eu esperasse até Finan fazer uma avaliação mais precisa do inimigo, mas eu estava naquele clima de desolação, sentindo-me condenado e desesperado por um sinal dos deuses, por isso me virei para Æthelflæd.

— Fique aqui com sua guarda pessoal — disse eu, e não esperei resposta. Apenas desembainhei Bafo de Serpente, sentindo conforto no som do aço longo raspando na boca da bainha. — Os dinamarqueses estão no nosso acampamento! — gritei. — E vamos matá-los! — Esporeei meu cavalo, o mesmo garanhão que eu havia tomado de Aldhelm. Era um bom cavalo, bem treinado, mas eu ainda não estava familiarizado com ele.

Ælfwold esporeou seu animal para me alcançar.

— Quantos são? — perguntou.

— O bastante! — gritei para ele. Estava me sentindo imprudente, descuidado, e sabia que isso era idiotice. Mas achava que os dinamarqueses atacariam o acampamento e perceberiam quase imediatamente que nos havíamos antecipado, e estariam cautelosos. Eu os queria distraídos, por isso instiguei o garanhão até um trote. Toda a minha força, quase quatrocentos homens, corria pela trilha atrás de mim. As primeiras sombras do dia eram lançadas nos sulcos das plantações e os pássaros voavam sobre a floresta adiante.

Virei-me na sela para ver as lanças e espadas, os machados e escudos. Guerreiros saxões, de malha cinza num alvorecer cinza, rostos sérios sob os elmos, e senti a raiva da batalha subindo. Queria matar. Estava naquele humor desolado, atacado pela certeza de que precisava me entregar à misericórdia dos deuses. Se eles quisessem que eu vivesse, se as fiandeiras estivessem dispostas a tramar meu fio de volta no tecido de ouro, eu sobreviveria a essa manhã. Presságios e sinais, vivemos segundo eles, e por isso cavalguei para descobrir qual era a vontade dos deuses. Foi idiotice.

Cavaleiros apareceram à nossa esquerda, me assustando, mas eram apenas Finan e seus sete homens que galopavam para se juntar a nós.

— Devem ser uns trezentos — gritou ele — ou talvez quatrocentos!

Apenas assenti e instiguei o cavalo de novo. A trilha até o velho castelo era suficientemente larga para quatro ou cinco homens cavalgarem lado a lado. Finan provavelmente esperava que eu parasse nossos cavalos antes do espaço que havíamos limpado em volta do velho castelo e alinhasse os homens nas árvores, mas a imprudência estava comigo.

Uma luz surgiu adiante. A luz do dia ainda era cinza, a noite amortalhando o horizonte oeste, mas a luz súbita e nova era vermelha e brilhante. Fogo. Supus que os dinamarqueses tivessem incendiado a palha do castelo; portanto que ela agora iluminasse a morte deles. Eu podia ver o corte das árvores, os troncos caídos que havíamos derrubado na véspera, o brilho fraco das fogueiras agonizantes do acampamento e as formas escuras de homens e cavalos e o brilho do fogo se refletindo em elmos, malhas e armas. Instiguei o garanhão de novo e rugi um desafio:

— Matem!

Chegamos sem ordem, irrompendo das árvores com espadas e lanças, com ódio e fúria, e quase no mesmo instante em que entrei na clareira percebi que estávamos em menor número. Os dinamarqueses tinham vindo em força total, eram pelo menos quatrocentos, e a maioria ainda estava montada, mas estavam espalhados por todo o acampamento e poucos perceberam que estávamos chegando até que nossos cavalos e armas apareceram no alvorecer. O maior grupo de inimigos estava na borda oeste da clareira, olhando por cima da terra escura em direção ao brilho fraco de luz que indicava as fogueiras de Lundene. Talvez suspeitassem que tivéssemos desistido de qualquer esperança de capturar as fortalezas e que, sob a cobertura da noite, teríamos voltado furtivos para aquela cidade distante. Em vez disso vínhamos do leste com a luz crescendo por trás de nós, e eles se viraram quando ouviram os primeiros gritos.

Estávamos iluminados em vermelho pelo incêndio que crescia na palha do velho castelo. Fogo vermelho brilhava nos dentes dos cavalos, em nossa malha, nas nossas lâminas, e eu ainda estava gritando quando girei a espada para o primeiro homem. Ele estava de pé e segurando uma lança de lâmina larga que tentou apontar para o meu cavalo, mas Bafo de Serpente pegou-o na lateral da cabeça, eu levantei a espada e estoquei-a contra outro homem, não me incomodando em ver o dano que causara, apenas esporeando para provocar mais medo. Nós os tínhamos surpreendido, e por um momento éramos os senhores da matança enquanto nos espalhávamos na trilha e matávamos homens a pé que procuravam o que saquear em volta das fogueiras agonizantes do acampamento. Vi Osferth arrebentar a cabeça de um homem com a parte chata da lâmina de um machado, derrubando o elmo do sujeito e lançando-o numa fogueira. O sujeito devia ter o hábito de limpar as mãos depois de comer passando-as no cabelo porque a gordura pegou fogo e chamejou súbita e brilhante. Ele gritou e se retorceu, a cabeça como um farol enquanto cambaleava para ficar de pé, e então um jorro de cavaleiros passou por cima dele. Um casco levantou um monte de fagulhas e cavalos sem cavaleiros fugiram em pânico.

Finan estava comigo. Finan, Cerdic e Sihtric, e juntos cavalgamos para o maior grupo de guerreiros montados, que estiveram olhando para o leste por cima da terra sombreada pela noite. Eu ainda estava gritando quando os ataquei, a espada girando para um homem de barba loura que desviou o golpe com o escudo levantado, então ele foi acertado por um golpe de lança no escudo, a lâmina escorregou pela malha e se cravou em sua barriga. Senti algo acertar meu escudo mas não podia olhar para a esquerda porque um homem desdentado estava tentando cravar a espada no pescoço do meu garanhão. Empurrei sua espada com Bafo de Serpente e golpeei seu braço, mas a cota de malha aparou o golpe. Agora estávamos no meio do inimigo, incapazes de cavalgar adiante, porém mais dos meus homens vinham ajudar. Estoquei contra o desdentado, mas ele era rápido e seu escudo interceptou a espada, então seu cavalo tropeçou. Sihtric deu uma machadada e eu vislumbrei metal se partindo e sangue.

Eu estava tentando manter meu cavalo em movimento. Havia dinamarqueses a pé no meio dos cavaleiros, e um corte nas pernas do meu garanhão poderia me derrubar, e o homem jamais fica tão vulnerável quanto quando cai de uma sela. Uma lança veio deslizando à minha direita, escorregou pela barriga e se alojou na parte de baixo do meu escudo, e eu simplesmente girei Bafo de Serpente para trás contra um rosto barbudo. Senti-a despedaçar dentes e puxei-a de volta para cravar seu gume mais fundo. Um cavalo gritou. Agora os homens de Ælfwold estavam enfiados na luta e nossa carga havia dividido os dinamarqueses. Alguns tinham recuado morro abaixo, mas a maioria fora para o norte ou para o sul ao longo da crista, e agora estavam se reorganizando, voltando para nós vindos das duas direções, soltando seus gritos de guerra. O sol havia nascido, ofuscando e cegando, o castelo era um inferno e o ar um redemoinho de fagulhas na claridade nova.

Caos. Por um momento tínhamos mantido a vantagem da surpresa, mas os dinamarqueses se recuperaram rapidamente e partiram para cima de nós. A borda do morro era uma confusão de cavalos pisoteando, homens gritando e o som cru de aço em aço. Eu tinha me virado para o norte e estava tentando empurrar os dinamarqueses dali para fora do morro, mas eles estavam igualmente decididos a nos trucidar. Aparei um golpe de espada, vendo os dentes trincados do homem que tentava decepar minha cabeça. O choque de espadas estremeceu meu braço, mas eu havia impedido seu golpe e lhe dei um soco na cara com o punho de Bafo de Serpente. Ele girou a espada de novo, acertando meu elmo, enchendo minha cabeça com ruído enquanto eu dava um segundo soco. Estava perto demais para ele usar o gume da arma, e ele acertou meu braço da espada com força usando a borda do escudo.

— Seu bosta — grunhiu ele para mim. Seu elmo era decorado com lã retorcida, tingida de amarelo. Ele usava braceletes por cima da cota de malha, indicando ser um homem que ganhara tesouros em batalha. Havia fúria em seus olhos que refletiam o fogo. Ele queria demais minha morte. Eu usava o elmo decorado em prata, tinha mais braceletes do que ele e ele sabia que eu era um guerreiro de renome. Talvez soubesse quem eu era e quisesse alardear que havia matado Uhtred de Bebbanburg, e eu o vi trincar os dentes de novo enquanto tentava passar a espada pelo meu rosto. Então a careta se transformou em surpresa, seus olhos se arregalaram e o vermelho sumiu deles enquanto o homem fazia um som gorgolejante. Ele balançou a cabeça, desesperado para continuar segurando a espada que se soltava enquanto a lâmina de machado cortava sua coluna. Sihtric havia brandido o machado, o homem soltou um miado e caiu da sela. Nesse momento meu cavalo relinchou e cambaleou de lado, e eu vi um dinamarquês a pé cravando uma lança na barriga do garanhão. Finan derrubou o sujeito com seu cavalo enquanto eu tirava os pés dos estribos.

O garanhão desmoronou, retorcendo-se e chutando, ainda gritando, e minha perna direita ficou presa embaixo dele. Outro cavalo passou quase raspando no meu rosto. Cobri meu corpo com o escudo e tentei me soltar. Uma lâmina se chocou contra o escudo. Um cavalo pisou em Bafo de Serpente e quase perdi a espada. Meu mundo era um trovejar de cascos, gritos e confusão. Tentei me soltar de novo e uma coisa, lâmina ou casco, acertou a parte de trás de meu elmo e o mundo confuso ficou preto. Eu estava atordoado, e na escuridão ouvi alguém soltando gemidos patéticos. Era eu. Um homem estava tentando arrancar meu elmo e quando percebeu que eu estava vivo pôs uma faca na minha boca. Lembro-me de ter pensado em Gisela e verificado desesperadamente se o punho de Bafo de Serpente estava na minha mão, não estava, gritei, sabendo que teria negadas as alegrias do Valhalla. Então minha visão ficou vermelha. Havia calor no meu rosto e vermelho diante de meus olhos, e recuperei os sentidos percebendo que o homem que teria me matado estava morrendo e seu sangue jorrava no meu rosto, então Cerdic empurrou o agonizante para longe e me puxou de debaixo do cavalo morto.

— Aqui! — Sihtric empurrou Bafo de Serpente na minha mão. Ele e Cerdic estavam a pé. Um dinamarquês soltou um grito de vitória e estocou com uma lança de cabo grosso, de cima de sua sela, e Cerdic desviou o golpe com um escudo marcado por lâminas. Acertei a coxa do cavaleiro com Bafo de Serpente mas o golpe não teve força e sua lança veio para cima de mim, batendo no meu escudo. Os dinamarqueses estavam sentindo cheiro de triunfo e pressionaram, e sentimos seus golpes acertando a madeira de tília.

— Matem os cavalos deles — gritei, mas o grito saiu como um grasnido. Alguns homens de Weohstan chegaram à nossa direita impelindo os cavalos contra os dinamarqueses e vi um saxão se virar na sela, com a mão da lança pendendo do braço sangrento por uma tira de osso ou tendão.

— Jesus! Jesus! — gritou um homem, e era o padre Pyrlig que se juntava a nós. O padre galês estava a pé, com a barriga esticando a malha, segurando uma lança que parecia um pequeno tronco de árvore. Não carregava escudo e por isso usava a lança com as duas mãos, cravando a lâmina nos cavalos inimigos para mantê-los à distância.

— Obrigado — agradeci a Cerdic e Sihtric.

— Deveríamos voltar, senhor — disse Cerdic.

— Onde está Finan?

— Atrás! — gritou Cerdic, e sem cerimônia agarrou meu ombro esquerdo e me puxou para longe dos dinamarqueses.

Finan estava lutando atrás de nós, dando machadadas nos dinamarqueses na parte sul do cume, onde era apoiado pela maioria dos meus homens e pelos mércios de Ælfwold.

— Preciso de um cavalo — rosnei.

— Isso aqui está uma confusão — disse Pyrlig, e quase gargalhei porque seu tom e suas palavras eram muito amenos. Era mais do que uma confusão, era um desastre. Eu havia levado meus homens até a borda do morro, os dinamarqueses tinham se recuperado do ataque e agora nos cercavam. Havia dinamarqueses no leste, no norte e no sul, e estavam tentando nos empurrar por cima do cume e nos perseguir pela encosta íngreme onde nossos corpos seriam uma mancha de sangue sob o sol nascente. Pelo menos cem dos meus saxões estavam a pé e agora formávamos um círculo dentro de uma desesperada parede de escudos. Muitos estavam mortos, alguns mortos por seu próprio lado porque, na confusão, era difícil saber quem era amigo ou inimigo. Muitos saxões tinham uma cruz no escudo, mas nem todos. Havia muitos cadáveres dinamarqueses também, mas seus vivos superavam os nossos. Eles haviam cercado minha pequena parede de escudos, enquanto seus cavaleiros assediavam os saxões ainda montados empurrando-os de volta para a floresta.

Ælfwold havia perdido seu garanhão e abriu caminho até onde eu estava.

— Seu desgraçado — disse ele. — Seu desgraçado traiçoeiro. — Ele devia ter pensado que eu levara seus homens deliberadamente para uma armadilha, mas fora apenas minha imprudência idiota, e não uma traição, que provocara esse desastre. Ælfwold levantou seu escudo enquanto os dinamarqueses vinham e os golpes acertavam de cima para baixo. Enfiei Bafo de Serpente no peito de um cavalo, torci e enfiei de novo, e Pyrlig suspendeu parcialmente um homem da sela com um golpe poderoso de sua lança pesada. Mas Ælfwold estava caído, o elmo aberto, o sangue e o cérebro se derramando no rosto, porém manteve consciência suficiente para me olhar com censura antes de começar a estremecer em espasmos. Tive de desviar o olhar para enfiar a espada em outro dinamarquês cujo cavalo tropeçou num cadáver, e então o inimigo recuou de nossa parede de escudos para se preparar para outro ataque.

— Jesu, Jesu — disse Ælfwold, e então o ar lhe faltou, fazendo-o estremecer, e ele não disse mais nada. Nossa parede de escudos estava encolhida, os escudos lascados e cheios de sangue. Os dinamarqueses zombavam de nós, rosnavam e prometiam mortes agonizantes. Homens se juntaram mais próximos e eu deveria tê-los encorajado, mas não sabia o que dizer porque aquilo era minha culpa, minha imprudência. Eu havia atacado sem primeiro descobrir a força do inimigo. Minha morte, pensei, seria justa, mas eu iria para a outra vida sabendo que tinha levado comigo muitos homens bons.

Assim o único caminho era morrer bem, e passei pelo escudo de Sihtric e fui em direção ao inimigo. Um homem aceitou o desafio e cavalgou até mim. Não pude ver seu rosto porque o sol nascente estava por trás dele, ofuscando-me, mas passei Bafo de Serpente pela boca de seu garanhão e levantei o escudo para receber o golpe de sua espada. O cavalo empinou, estoquei contra sua barriga e errei, enquanto outro homem girava um machado à minha esquerda. Eu me desviei e meu pé escorregou num emaranhado de tripas derramadas de um cadáver eviscerado por um machado. Tombei sobre um dos joelhos, mas de novo meus homens vieram me resgatar. O garanhão bateu as patas no chão e eu me levantei, dando uma estocada contra o cavaleiro, a espada acertando-o em algum lugar, mas eu estava ofuscado pelo sol e não pude ver onde. À minha direita, um garanhão, com uma lança empalada no peito, estava tossindo sangue. Eu estava gritando, mas não lembro o que gritei, e da minha esquerda veio uma nova carga de cavaleiros. Os recém-chegados soltavam gritos de guerra.

Morrer bem. Morrer bem. O que mais um homem pode fazer? Seus inimigos devem dizer que ele morreu como homem. Estoquei de novo, impelindo o cavalo para longe, e uma espada acertou o topo do meu escudo, partindo a borda de ferro e atirando uma lasca de madeira no meu olho. Girei a espada de novo e senti Bafo de Serpente raspar em osso rasgando a coxa do cavaleiro. Ele golpeou para baixo. Pisquei tirando a lasca de madeira do olho enquanto sua espada acertava meu elmo, resvalava e batia no ombro. A malha conteve o golpe que fora subitamente enfraquecido porque o padre Pyrlig havia cravado a lança na lateral do corpo do cavaleiro. O galês me arrastou de volta para a parede de escudos.

— Graças a Deus! — dizia ele, repetidamente.

Os recém-chegados eram saxões. Cavalgavam sob o estandarte do dragão de Wessex, e à sua frente estava Steapa, que valia por dez homens. Tinham vindo do norte e estavam se enfiando no meio dos dinamarqueses.

— Um cavalo! — gritei, e alguém me trouxe um garanhão. Pyrlig segurou o animal nervoso enquanto eu montava. Enfiei as botas nos estribos estranhos e gritei para meus homens a pé encontrarem cavalos. Havia muitos animais mortos, mas um número suficiente de garanhões sem cavaleiros ainda vivia, de olhos brancos arregalados em meio à matança.

Um estrondo enorme anunciou o desmoronamento do teto incendiado do castelo. As traves em chamas caíram uma a uma, cada qual lançando um novo jorro de fagulhas para o céu enegrecido pela fumaça. Esporeei o cavalo até a antiga pedra votiva, inclinei-me da sela e toquei o topo da pedra enquanto fazia uma oração a Tor. Uma lança havia se alojado através do buraco no pilar, embainhei Bafo de Serpente e peguei a arma de cabo comprido. A lâmina estava ensanguentada. O lanceiro, um dinamarquês, estava morto ao lado da pedra. Um cavalo havia pisado no rosto dele, mutilando-o e deixando um olho pendurado por cima da borda do elmo. Segurei o cabo de freixo e esporeei o cavalo em direção aos restos da luta. Steapa e seus homens haviam surpreendido completamente os dinamarqueses que estavam se virando para fugir em direção à segurança da fortaleza, e Steapa foi atrás. Tentei alcançá-lo, mas ele desapareceu entre as árvores. Agora todos os saxões estavam em perseguição, com a floresta densa cheia de cavalos e fugitivos. De algum modo Finan me achou e cavalgou ao meu lado, abaixando-se entre os galhos. Um dinamarquês ferido e a pé se encolheu para longe de nós, depois caiu de joelhos, mas o ignoramos.

— Senhor Jesus — gritou Finan para mim —, achei que estávamos condenados!

— Eu também.

— Como o senhor sabia que os homens de Steapa vinham? — perguntou ele, depois esporeou atrás de um dinamarquês fugitivo que instigava o cavalo freneticamente.

— Não sabia! — gritei, mas Finan estava concentrado demais em sua presa para me ouvir. Alcancei-o e apontei a lança para a parte inferior das costas do dinamarquês. Folhas mortas voavam contra o meu rosto, levantadas pelos cascos do cavalo do inimigo, então estoquei e Finan deu um corte para trás com sua espada, e o dinamarquês caiu da sela enquanto passávamos galopando.

— Ælfwold está morto! — gritou Finan.

— Eu vi! Ele pensou que eu o traí!

— Então ele guardava o cérebro dentro do cu. Para onde os desgraçados foram?

Os dinamarqueses estavam cavalgando para a fortaleza e nossa perseguição nos levara ligeiramente para o leste. Lembro-me da luz verde do sol brilhando nas folhas, lembro-me de passar pela terra revirada por um texugo, lembro-me do som de todos aqueles cascos na floresta, do alívio de viver depois do que parecia a morte certa, e então estávamos no limite das árvores.

E ainda havia caos.

Diante de nós ficava um grande trecho de capim onde ovelhas e cabras normalmente pastavam. A terra descia até uma depressão, depois erguia-se mais íngreme até o portão da velha fortaleza no alto de seu morro em corcova. Os dinamarqueses galopavam para a fortaleza, ansiosos por obter a proteção de seu fosso e das fortificações, mas os homens de Steapa estavam entre os fugitivos, cortando-os e derrubando-os das selas.

— Venha! — gritou Finan, e bateu com as esporas.

Ele viu a oportunidade antes de mim. Meu pensamento imediato foi impedi-lo e parar com a carga indisciplinada de Steapa, mas então a imprudência tomou conta de novo. Gritei algum desafio sem palavras e esporeei atrás de Finan.

Eu havia perdido a noção de tempo. Não sabia quanto tempo a luta na beira do morro havia demorado, mas agora o sol estava no alto e sua luz tremeluzia no Temes e iluminava o capim deixando-o de um verde reluzente. O luxo de cavaleiros se estendia desde a floresta até a fortaleza. Meu cavalo se esforçava ofegando, com suor branco nos flancos, mas instiguei-o enquanto convergíamos naquela cavalgada de perseguidores e perseguidos, revirando a terra. E o que Finan entendera antes de mim era que os dinamarqueses poderiam fechar o portão tarde demais. Enquanto seus homens cavalgassem pela ponte do fosso, sob o arco de madeira, eles deixariam o portão aberto, mas os homens de Steapa estavam tão misturados com os dinamarqueses que alguns poderiam passar, e se um número suficiente dos nossos pudesse penetrar na muralha, poderíamos tomar a fortaleza.

Mais tarde, muito mais tarde, quando os poetas cantaram sobre a luta daquele dia, disseram que Steapa e eu atacamos juntos o velho castelo de Thunresleam, que expulsamos os dinamarqueses em pânico e que atacamos a fortaleza enquanto o inimigo ainda estava atônito com a derrota. Eles entenderam mal a história, claro, mas afinal de contas eram poetas, e não guerreiros. A verdade foi que Steapa me resgatou da derrota certa, e nenhum de nós atacou a fortaleza porque não precisamos. Os primeiros homens de Steapa conseguiram passar pelo portão, e só quando eles estavam dentro os dinamarqueses perceberam que o inimigo entrara com seus homens. Outra luta desesperada começou. Steapa ordenou que seus homens apeassem e eles fizeram uma parede de escudos junto ao portão, uma parede virada para dentro da fortaleza e também para fora, em direção à encosta ensolarada, e os dinamarqueses presos do lado de fora não puderam romper essa parede de escudos e, em vez disso, fugiram. Esporearam descendo a encosta íngreme voltada para o oeste, cavalgando em desespero em direção à fortaleza nova. E nós simplesmente apeamos e passamos pelo portão juntando-nos à parede de escudos de Steapa, que se alargava para dentro da fortaleza antiga.

Então vi Skade. Jamais descobri se ela havia comandado os cavaleiros até o castelo incendiado em Thunresleam, mas comandava os homens na velha fortaleza e estava gritando para eles nos atacarem. Mas agora estávamos em número muitíssimo maior. Havia pelo menos quatrocentos saxões na parede de Steapa, e mais chegavam a cavalo. O orgulhoso estandarte de Wessex balançava acima de nós, o dragão bordado sujo de sangue, e Skade gritava. Estava a cavalo, usando malha, de cabeça descoberta, o cabelo comprido e preto balançando ao vento enquanto ela brandia uma espada. Instigou o cavalo em direção à parede de escudos, mas teve o bom-senso de parar quando os escudos redondos se levantaram ao mesmo tempo e as lanças compridas se estenderam para ela.

Weohstan chegou com mais cavaleiros, comandou-os pelo flanco direito da parede de Steapa e ordenou um ataque. Steapa gritou para a parede avançar e marchamos pela ligeira encosta em direção aos grandes salões que coroavam o morro. Os homens de Weohstan fizeram uma varredura à nossa frente e os dinamarqueses, entendendo seu destino, fugiram.

E assim tomamos a velha fortaleza. O inimigo fugiu morro abaixo, um homem puxando o cavalo de Skade pelo arreio. Ela ficou virada na sela, olhando-nos. Não fomos atrás. Estávamos cansados, ensanguentados, arranhados, feridos e espantados. Além disso havia uma parede de escudos de dinamarqueses guardando a ponte que levava à fortaleza nova. Nem todos os fugitivos iam para aquela ponte, alguns faziam os cavalos nadarem pelo rio estreito e fundo para chegar a Caninga.

A bandeira do dragão foi posta para voar nas muralhas da velha fortaleza e, perto dela, a da cruz de Ælfwold. As bandeiras anunciavam uma vitória, mas essa vitória não significaria nada a não ser que pudéssemos capturar a nova fortaleza que, pela primeira vez, vi claramente.

E xinguei.

Quatorze

Æthelflæd se juntou a mim na fortificação. A princípio não disse nada, mas, sem se importar com quem olhasse, envolveu-me com os braços. Pude sentir seu corpo tremendo. Meu escudo golpeado ainda estava preso ao braço esquerdo e cobriu-a quando a puxei para perto.

— Pensei que você estivesse morto — disse ela depois de um tempo.

— Quem lhe disse?

— Ninguém. Eu estava olhando.

— Olhando? De onde?

— Da beira do acampamento — respondeu ela calmamente.

— Está louca? — perguntei com raiva, e empurrei-a para poder olhá-la. — Queria que os dinamarqueses a capturassem?

— Seu rosto está cheio de sangue — disse ela, tocando minha bochecha com o dedo. — Está seco. Foi ruim?

— Foi, mas aquilo vai ser muito pior — e apontei para a fortaleza abaixo.

A fortaleza nova fora construída ao pé do morro, onde o íngreme precipício coberto de capim se nivelava numa encosta mais suave que terminava como uma crista baixa serpenteando até o pântano junto ao riacho. A maré baixa se aproximava e eu podia avistar os bancos de lama intrincados onde o riacho se fundia ao pântano. Vi como Haesten havia construído seu novo forte nessa última língua de terreno mais firme, mas então cavara um fosso largo para proteger a muralha leste contra um ataque frontal. Tinha transformado a fortaleza numa ilha, com o comprimento três vezes maior do que a largura. A fortificação sul se estendia ao longo do riacho e era protegida pelo canal de águas profundas, as muralhas oeste e norte davam para amplas enseadas inundadas e intermináveis pântanos assombrados pelas marés, ao passo que a curta paliçada do leste, onde ficava o portão principal, de frente para nós, era protegida por um fosso recém-cavado. Uma ponte de madeira atravessava o fosso, mas agora que os últimos fugitivos tinham atravessado, homens estavam desmantelando-a e carregando as grandes tábuas da pista para dentro do forte. Alguns homens trabalhavam na água que, no centro do fosso, chegava apenas à cintura. Assim, o fosso podia ser atravessado na maré baixa, mas esse era um pequeno consolo porque a diferença entre maré alta e baixa ali era de pelo menos o dobro da altura de um homem grande, o que significava que, quando o fosso estivesse em condições de ser atravessado, a margem mais distante seria uma encosta íngreme de lama pegajosa e escorregadia.

O interior do forte era atulhado de construções, algumas com tetos de tábuas e outras com pano de vela, mas sem palha, o que significava que Haesten estava se resguardando contra a possibilidade de flechas incendiárias pondo fogo em sua fortaleza. Presumi que muitas traves e postes usados para fazer as casas tinham sido tirados da aldeia que fora desmontada e queimada, e cujas ruínas ficavam a leste da nova fortaleza, onde a encosta do morro era mais larga. Havia incontáveis dinamarqueses dentro do forte comprido, mas um número ainda maior vivia evidentemente a bordo de seus navios. Mais de duzentas embarcações de guerra, com proas altas, estavam encalhadas na margem oposta do riacho. A maioria tivera os mastros retirados e algumas tinham toldos estendidos sobre os mastros apoiados em cavaletes. Roupas lavadas secavam nos toldos, e à sombra dos cascos crianças brincavam na lama ou nos olhavam boquiabertas. Também contei 23 navios fundeados, todos com os mastros no lugar e velas enroladas nas vergas. Cada um daqueles navios fundeados tinha homens a bordo, sugerindo que podiam ser preparados para o mar a qualquer instante. Eu estivera pensando em trazer embarcações rio abaixo, de Lundene, mas o evidente estado de prontidão dos navios fundeados sugeria que qualquer frota pequena que trouxéssemos seria rapidamente dominada.

Steapa veio em nossa direção. Seu rosto, tão temível por causa da pele esticada e dos olhos ferozes, pareceu subitamente nervoso enquanto ele se ajoelhava diante de Æthelflæd e tirava o elmo, deixando o cabelo emaranhado.

— Senhora — disse ele, piscando.

— Levante-se, Steapa — respondeu ela.

Aquele era um homem que dominaria uma dúzia de dinamarqueses e cuja espada era temida em três reinos, mas que sentia um espanto reverente por Æthelflæd. Ela era da realeza e ele era filho de escravo.

— A senhora Æthelflæd — falei imperiosamente — quer que você desça o morro, atravesse o fosso, derrube os portões e traga os dinamarqueses para fora.

Por um momento ele acreditou. Pareceu alarmado, depois franziu a testa para mim, mas não soube o que dizer.

— Obrigada, Steapa — disse Æthelflæd calorosamente, salvando-o da confusão. — Você obteve uma vitória magnífica! Garantirei que meu pai saiba de seu triunfo.

Ele se animou diante disso, mas continuou gaguejando.

— Tivemos sorte, senhora.

— Sempre parecemos ter sorte quando você luta. Como está Hedda?

— Está bem, senhora! — Ele sorriu para ela, atônito por Æthelflæd ter a condescendência de fazer uma pergunta assim. Eu jamais conseguia lembrar o nome da mulher de Steapa, uma criatura minúscula, mas Æthelflæd lembrava, e sabia até o nome do filho dele.

— Meu irmão está perto? — perguntou Æthelflæd.

— Estava conosco durante a luta — disse Steapa —, de modo que deve estar perto, senhora.

— Vou encontrá-lo — anunciou ela.

— Não sem uma guarda pessoal — resmunguei. Eu suspeitava que alguns fugitivos dinamarqueses ainda estivessem na floresta.

— O senhor Uhtred acha que sou um bebê que precisa de proteção — disse Æthelflæd a Steapa.

— Ele sabe o que diz, senhora — respondeu Steapa com lealdade.

O cavalo de Æthelflæd foi trazido e fiz um apoio com as mãos para ajudá-la a montar. Ordenei que Weohstan e seus cavaleiros a acompanhassem enquanto ela voltava em direção à fumaça do antigo castelo incendiado, então dei um tapa nas costas de Steapa. Era como dar um soco num carvalho.

— Obrigado.

— Por quê?

— Por me manter vivo.

— O senhor parecia estar se saindo muito bem — murmurou ele.

— Só estava morrendo devagar, até que você veio.

Ele grunhiu e se virou para olhar a fortaleza abaixo.

— Vai ser difícil. Como vamos tomá-la?

— Eu gostaria de saber.

— Mas tem de ser feito — disse ele, quase como uma pergunta.

— E depressa — enfatizei. Tinha de ser depressa porque estávamos com a mão na garganta do inimigo, mas ele ainda tinha os dois braços livres. Esses braços eram as tropas selvagens que devastavam a Mércia e tinham deixado suas famílias e seus navios em Beamfleot, e muitos desses homens davam mais valor a seus navios do que a suas famílias. Os dinamarqueses eram oportunistas. Atacavam onde sentiam fraqueza, mas assim que a luta ficava difícil demais eles entravam nos navios e partiam para encontrar presas mais fracas. Se eu destruísse essa frota gigantesca as tripulações ficariam encurraladas na Britânia e, se Wessex sobrevivesse, elas poderiam ser caçadas e trucidadas. Haesten podia acreditar confiante que a nova fortaleza de Beamfleot era inexpugnável, mas logo seus seguidores estariam pressionando-o para levantar nosso cerco. Resumindo, assim que os dinamarqueses que saqueavam a Mércia soubessem que éramos uma ameaça verdadeira e que estávamos presentes em números de verdade, iriam querer retornar para proteger os navios e as famílias. — Muito depressa — acrescentei.

— Então precisamos atravessar aquela vala — disse Steapa, indicando o fosso — e colocar escadas encostadas na muralha. — Ele fez com que parecesse simples.

— É a minha ideia, também.

— Jesus — ele murmurou e fez o sinal da cruz.

Trompas soaram ao norte e me virei para olhar por cima da depressão onde os cadáveres espalhados de homens e cavalos ainda estavam e onde mais cavaleiros apareciam, vindo da floresta distante. Um cavaleiro levava uma enorme bandeira com o dragão, indicando que o *ætheling* Eduardo chegara.

O filho de Alfredo parou do lado de fora da fortaleza, deixando seu cavalo ao sol enquanto serviçais e animais de carga passavam pelo portão e subiam ao maior dos dois castelos. Os dois estavam em más condições de manutenção. Finan, que havia revistado ambos, juntou-se a nós na muralha e disse que os castelos haviam sido usados como estábulos.

— Vai ser como viver numa fossa de excrementos — disse ele.

Eduardo ainda esperava do outro lado do portão com Æthelflæd ao lado.

— Por que ele não entra? — perguntei.

— Ele precisa de um trono — disse Finan, e riu da expressão no meu rosto. — É verdade! Eles lhe trouxeram um tapete, um trono e Deus sabe o que mais. Um altar, também.

— Ele será o próximo rei — disse Steapa com lealdade.

— A não ser que eu consiga matar o desgraçado enquanto estivermos atravessando aquela muralha — falei apontando para o forte dinamarquês. Steapa pareceu chocado, mas depois se animou quando lhe perguntei como ia Alfredo.

— Melhor do que nunca! — disse ele. — Achamos que estava morrendo! Agora está muito melhor. Ele pode cavalgar de novo, até andar!

— Ouvi dizer que ele tinha morrido.

— Quase morreu. Deram a extrema-unção, mas ele se recuperou. Foi para Exanceaster.

— O que está acontecendo por lá?

Steapa deu de ombros.

— Os dinamarqueses fizeram um acampamento e estão sentados lá dentro.

— Eles querem que Alfredo pague para irem embora — sugeri. Pensei em Ragnar e imaginei sua infelicidade porque, sem dúvida, Brida estaria insistindo para ele investir contra Exanceaster, mas aquele *burh* era difícil de ser atacado. Ficava num morro, os arredores eram íngremes, e o treinado exército de Alfredo estava protegendo suas grossas fortificações, motivo pelo qual, pelo menos até a saída de Steapa, os dinamarqueses não tinham feito qualquer tentativa de atacá-lo. — Haesten foi esperto — disse eu.

— Esperto? — perguntou Steapa.

— Convenceu os nortumbrianos a atacar dizendo que distrairia o exército de Alfredo, depois avisou Alfredo sobre o ataque nortumbriano para garantir que não teria de lutar contra os saxões ocidentais.

— Ele precisa lutar contra nós — rosnou Steapa.

— Porque Alfredo é igualmente esperto — afirmei.

Alfredo sabia que Haesten era a maior ameaça. Se Haesten pudesse ser derrotado, os nortumbrianos perderiam o ânimo e, com toda a probabilidade, iriam embora. Os nortumbrianos de Ragnar precisavam ser mantidos longe, motivo pelo qual boa parte do exército de Wessex estava em Defnascir, mas Alfredo mandara seu filho e 1.200 de seus melhores homens para Beamfleot. Ele queria que eu enfraquecesse Haesten, mas queria muito mais do que isso.

Queria que a reputação do *ætheling* Eduardo fosse incrementada com a vitória. Alfredo não precisava ter mandado o filho. Steapa e seus homens eram indispensáveis para mim, ao passo que Eduardo era um peso, mas Alfredo sabia que a própria morte não podia estar distante demais e queria a certeza de que seu filho o sucedesse, e para isso precisava dar renome de guerreiro a Eduardo. Motivo pelo qual tinha pedido que eu lhe fizesse juramento, e refleti com amargura que minha recusa não impedira Alfredo de me manipular de modo que eu estivesse aqui, lutando pelos cristãos e por Eduardo.

Finalmente o *ætheling* entrou no forte, e sua chegada foi anunciada por toques de trombetas. Homens se ajoelharam enquanto ele cavalgava até o castelo. Olhei-o receber a homenagem com acenos graciosos da mão direita. Ele parecia jovem e magro, e me lembrei de Ragnar perguntando se eu queria ser rei de Wessex. E não pude resistir a um riso súbito e amargo. Finan me olhou curioso.

— Ele vai querer que a gente vá para o castelo — disse Steapa.

O grande salão fedia. Os serviçais haviam empurrado o esterco de cavalo para um dos lados e tirado a maioria dos juncos podres que forravam o chão, mas o lugar ainda fedia como uma latrina e estava cheio de moscas gordas. Eu havia festejado ali uma vez, na época em que o castelo era iluminado por fogo e ruidoso com gargalhadas, e a lembrança me fez imaginar se todos os grandes salões festivos, com altas traves de teto, estavam condenados à decadência.

Não havia tablado, de modo que a cadeira de Eduardo foi posta num grande tapete, e perto dele havia um banco onde Æthelflæd sentou-se. Atrás do irmão e da irmã estava um sombrio grupo de padres. Eu não conhecia nenhum, mas eles evidentemente me conheciam porque quatro dos seis homens da Igreja fizeram o sinal da cruz quando me aproximei do trono improvisado.

Steapa se ajoelhou diante do *ætheling*, Finan fez uma reverência e eu acenei com a cabeça. Eduardo evidentemente esperava mais obediência de mim e aguardou, mas quando ficou claro que eu havia lhe oferecido tudo o que estava preparado para dar, ele forçou um sorriso.

— Você agiu bem — disse ele em sua voz aguda. Não havia calor nem convicção no elogio.

Dei um tapa nas costas de Steapa.

— Steapa agiu bem, senhor.

— Ele é um guerreiro leal e um bom cristão — respondeu Eduardo, dando a entender que eu não era uma coisa nem outra.

— Também é um brutamontes grande e feio — disse eu — e faz os dinamarqueses se cagarem de medo.

Eduardo e os padres se eriçaram diante disso. Eduardo estava se preparando para me censurar quando o riso de Æthelflæd atravessou o salão. Eduardo pareceu irritado com o som, mas se recompôs.

— Lamento que o senhor Ælfwold tenha morrido — disse ele.

— Compartilho sua tristeza, senhor.

— Meu pai — disse ele — me mandou para capturar esse ninho de piratas pagãos. — Ele falava do mesmo modo como se sentava: rigidamente. Tinha uma consciência horrível da própria juventude e de sua autoridade frágil, mas, como o pai, tinha olhos inteligentes. Ainda assim estava perdido naquele salão. Sentia medo de meu rosto sujo de sangue e da maioria dos guerreiros mais velhos que matavam dinamarqueses quando ele ainda sugava os seios de sua ama de leite. — A questão é como.

— Steapa já tem a resposta — respondi.

Eduardo sentiu alívio e Steapa pareceu alarmado.

— Fale, Steapa — disse Eduardo.

Steapa olhou para mim com medo, por isso respondi por ele:

— Temos de atravessar o fosso e subir a muralha, e só podemos fazer isso na maré baixa, algo que os dinamarqueses sabem. Também sabem que precisamos fazer isso depressa.

Houve silêncio. Eu havia declarado o óbvio, o que claramente desapontou Eduardo, mas o que ele esperava? Que eu tivesse algum esquema de feitiçaria nascido de ardis pagãos? Ou será que acreditava que anjos voariam do céu cristão e atacariam os dinamarqueses dentro do forte? Só havia dois meios de capturar Beamfleot. Um era fazer os dinamarqueses morrerem de fome, e não tínhamos tempo para isso, e a outra era passar pelas muralhas. Às vezes, na guerra, o simples é a única resposta. Também era provavelmente uma resposta encharcada de sangue, e todos os homens no salão sabiam disso. Alguns me olhavam com reprovação, imaginando o horror de tentar escalar uma paliçada alta vigiada por dinamarqueses assassinos.

— Assim — prossegui confiante —, precisamos nos ocupar. Weohstan — virei-me para ele —, seus homens vão patrulhar os pântanos para impedir que mensageiros saiam do forte. Beornoth? Pegue os homens do senhor Ælfwold e ameace os barcos-fortalezas no fim do riacho. Quanto ao senhor — olhei para Eduardo —, seus homens devem começar a fazer escadas, e vocês? — Apontei para os seis padres. — Para que vocês servem?

Eduardo apenas me olhou horrorizado e os padres pareceram ofendidos.

— Eles podem rezar, senhor Uhtred — sugeriu Æthelflæd com doçura.

— Então rezem muito — disse eu.

Houve silêncio de novo. Os homens esperavam um conselho de guerra, e Eduardo, que estava nominalmente no comando, teria gostado do fingimento de que estava tomando as decisões, mas não tínhamos tempo para discutir.

— Escadas — disse Eduardo finalmente, em voz perplexa.

— São feitas para subir — respondi com selvageria. — E precisamos de pelo menos quarenta.

Eduardo piscou. Dava para ver que ele estava decidindo se deveria me dar um basta, mas depois deve ter resolvido que uma vitória em Beamfleot era preferível a fazer um inimigo. Até conseguiu sorrir.

— Elas serão feitas — disse com benevolência.

— Então tudo o que precisamos — disse eu — é levá-las para o outro lado do fosso e usá-las para subir a muralha.

O sorriso de Eduardo desapareceu.

Porque até ele sabia que homens morreriam. Homens demais.

Mas não havia outro modo.

O primeiro problema era atravessar o fosso, e com esse objetivo cavalguei para o norte no dia seguinte. Estava preocupado com a hipótese de Haesten trazer seus homens de volta para derrubar o cerco, e mandamos fortes grupos de batedores para oeste e norte vigiarem a chegada desse exército. No fim das contas ele acabou não vindo. Parecia que Haesten confiava na força de Beamfleot e na coragem de sua guarnição, de modo que, em vez de tentar nos destruir, mandou seus grupos de guerreiros ainda mais para dentro da Mércia atacando cidades e aldeias sem muralhas, que se pensavam seguras porque ficavam perto da fronteira com Wessex. Os céus sobre a Mércia estavam amortalhados por fumaça.

Cavalguei até Thunresleam e encontrei o padre Heahberht. Contei a ele o que queria, e Osferth, que liderava os 18 homens que me acompanhavam, deu um cavalo de reserva ao padre.

— Eu vou cair, senhor — disse Heahberht nervoso, espiando o garanhão com seu olho único.

— Vai ficar seguro — respondi. — É só se agarrar. O cavalo cuidará de você.

Eu havia levado Osferth e seus homens porque estávamos cavalgando para o norte, penetrando na Ânglia Oriental, que era território dinamarquês. Não esperava problemas. Qualquer dinamarquês que quisesse lutar com os saxões já teria cavalgado com Haesten, de modo que os que permaneciam em suas terras provavelmente não queriam participar da guerra, mas mesmo assim era prudente viajar em grande número. Já íamos sair da aldeia em direção ao norte quanto Osferth me alertou de que mais cavaleiros se aproximavam, e virei-me para ver que eles saíam da floresta que escondia Beamfleot.

Meu primeiro pensamento foi que o exército de Haesten devia ter sido visto longe, a oeste, e que esses cavaleiros vinham me avisar, mas então um cavaleiro levantou um estandarte do dragão e vi que era a bandeira do *ætheling* Eduardo. O próprio Eduardo estava com eles, acompanhado por uns vinte guerreiros e um padre.

— Não vi muito do território da Ânglia Oriental — disse ele, explicando sua presença desajeitadamente — e quero acompanhá-lo.

— O senhor é bem-vindo — respondi numa voz que deixava totalmente claro que não era verdade.

— Este é o padre Coenwulf. — Eduardo apresentou o padre que assentiu relutante para mim. Era um homem pálido, cerca de dez anos mais velho do que Eduardo. — O padre Coenwulf foi meu tutor — disse Eduardo em tom afetuoso — e agora é meu confessor e amigo.

— O que você ensinou a ele? — perguntei a Coenwulf, que não respondeu, apenas me encarou com olhos indignados e muito azuis.

— Filosofia — respondeu Eduardo — e os escritos dos patriarcas da Igreja.

— Só aprendi uma lição útil na infância — disse eu a ele. — Cuidado com os golpes que vêm por baixo do escudo. Este é o padre Heahberht — indiquei o padre caolho — e este é o *ætheling* Eduardo — falei ao padre da aldeia, que quase caiu do cavalo, horrorizado por conhecer aquele príncipe tão importante.

O padre Heahberht era nosso guia. Eu havia perguntado a ele onde poderia haver navios, e ele dissera que tinha visto dois navios mercantes sendo rebocados de um rio ao norte, menos de uma semana antes.

— Não estão longe, senhor — informara ele. Disse que os navios pertenciam a um comerciante dinamarquês e tinham sido encalhados para fazer reparos. — Mas talvez não estejam em condições de enfrentar o mar.

— Não faz mal — disse eu. — Apenas nos leve até lá.

Era um dia quente, beijado pelo sol. Cavalgamos por boas terras agricultáveis que, segundo o padre Heahberht, pertenciam a um homem chamado Thorstein, que cavalgara com Haesten para dentro da Mércia. Thorstein havia prosperado. Sua terra tinha bastante água, boas florestas e pomares saudáveis.

— Onde fica o castelo dele? — perguntei a Heahberht.

— Estamos indo para lá, senhor.

— Esse tal de Thorstein é cristão? — quis saber Eduardo.

— Ele diz que sim, senhor — gaguejou Heahberht, ruborizando. Obviamente queria falar mais, porém o medo implicou que ele não conseguisse dizer as palavras certas, e apenas ficou olhando de queixo caído para o *ætheling*. Eduardo sinalizou para o padre ir à nossa frente, mas o pobre coitado não fazia ideia de como apressar o cavalo, por isso Osferth se inclinou e pegou suas rédeas. Eles trotaram adiante com Heahberht agarrado ao arção da sela como se temesse pela vida.

Eduardo fez uma careta.

— Um padre do campo — disse, desprezando-o.

— Eles fazem mais mal do que bem — observou Coenwulf. — Um dos nossos deveres, senhor, será educar o clero do campo.

— Ele usa a túnica curta! — observou Eduardo com ar de conhecedor. O próprio papa ordenara que os padres usassem mantos compridos, uma ordem que Eduardo endossara com entusiasmo.

— O padre Heahberht é um homem inteligente e bom — disse eu. — Mas está com medo do senhor.

— De mim! — perguntou Eduardo. — Por quê?

— Porque ele é um camponês, mas um camponês que aprendeu a ler. O senhor pode ao menos imaginar como foi difícil para ele se tornar padre? E durante toda a vida os *thegns* mijaram em cima dele. Portanto, claro, ele tem medo do senhor. E usa manto curto porque não pode comprar um comprido, e porque vive na lama e na merda e os mantos curtos não sujam tanto quanto os compridos. Como o senhor se sentiria se fosse um camponês conhecendo um homem que um dia pode ser rei de Wessex?

Eduardo não disse nada, mas o padre Coenwulf atacou:

— Pode? — perguntou indignado.

— Pode mesmo — respondi com despreocupação. Eu estava cutucando-os, lembrando a Eduardo que ele tinha um primo, Æthelwold, que possuía mais direito ao trono do que o próprio Eduardo, se bem que Æthelwold, o sobrinho de Alfredo, fosse um sujeito desprezível.

Minhas palavras silenciaram Eduardo por um tempo, mas o padre Coenwulf era feito de material mais sério.

— Fiquei surpreso, senhor, ao descobrir a senhora Æthelflæd aqui — disse ele.

— Surpreso? — perguntei. — Por quê? Ela é uma dama aventureira.

— O lugar dela é com o marido — disse o padre Coenwulf. — Meu senhor, o *ætheling*, concordará comigo, não é, senhor?

Olhei para Eduardo e o vi ficar vermelho.

— Ela não deveria estar aqui — obrigou-se ele a dizer, e eu quase ri alto. Agora percebi por que ele havia cavalgado conosco. Não estava muito interessado em ver alguns quilômetros da Ânglia Oriental, em vez disso viera trazer as instruções de seu pai, e essas instruções eram convencer Æthelflæd a cumprir seu dever.

— Por que estão dizendo isso a mim? — perguntei aos dois.

— O senhor tem influência sobre a dama — disse o padre Coenwulf, sério.

Tínhamos atravessado um córrego e estávamos descendo uma encosta longa e suave. O caminho era ladeado por um bosque de salgueiros e havia vislumbres de água mais adiante, tons de prata brilhando sob o céu pálido.

— Então — ignorei Coenwulf e olhei para Eduardo — seu pai o mandou para reprovar sua irmã?

— É um dever cristão lembrá-la de suas responsabilidades — respondeu ele muito rigidamente.

— Ouvi dizer que ele se recuperou da doença — disse eu.

— E por isso Deus seja louvado — interveio Coenwulf.

— Amém — disse Eduardo.

Mas Alfredo não podia viver muito tempo. Já era um velho, com bem mais de 40 anos, e agora estava olhando para o futuro. Estava fazendo o que sempre fazia: organizando coisas, arrumando coisas, tentando impor a ordem num reino assediado por inimigos. Acreditava que seu deus rancoroso iria castigar Wessex se aquele não fosse um reino santo e por isso estava tentando obrigar Æthelflæd a voltar para o marido, ou então, supus, para um convento. Não poderia haver pecado visível na família de Alfredo, e esse pensamento me inspirou. Olhei para Eduardo outra vez.

— Conhece Osferth? — perguntei animado. Ele ruborizou diante disso e o padre Coenwulf olhou com irritação, como se me alertasse para não levar esse assunto adiante. — Não se conheceram? — perguntei a Eduardo com inocência fingida, depois gritei para Osferth: — Espere por nós!

O padre Coenwulf tentou afastar o cavalo de Eduardo, mas segurei as rédeas e forcei o *ætheling* a alcançar seu meio-irmão.

— Diga como você faria os mércios lutarem — pedi a Osferth.

Osferth franziu a testa diante da pergunta, imaginando o que haveria além dela. Olhou para Eduardo mas não cumprimentou o meio-irmão, porém a semelhança entre eles era espantosa. Os dois tinham o rosto comprido de Alfredo, as bochechas fundas e os lábios finos. O rosto de Osferth era mais duro, mas ele tivera uma vida mais dura, também. Seu pai, com vergonha do próprio bastardo, tentara tornar este um padre, mas Osferth havia se transformado em guerreiro, profissão à qual trouxe a inteligência do pai.

— Os mércios podem lutar tão bem quanto qualquer um — disse Osferth cautelosamente. Sabia que eu estava fazendo algum jogo e tentava detectá-lo, e assim, sem ser visto por Eduardo ou por Coenwulf, que cavalgavam à minha esquerda, pus a mão em concha para sugerir um seio, e Osferth, apesar de ter herdado a falta de humor quase completa do pai, teve de resistir a um sorriso divertido. — Eles precisam de liderança — disse confiante.

— Então agradeçamos a Deus pelo senhor Æthelred — disse o padre Coenwulf, recusando-se a olhar diretamente para Osferth.

— O senhor Æthelred — falei com violência — não seria capaz de liderar uma prostituta molhada até uma cama seca.

— Mas a senhora Æthelflæd é muito amada na Mércia — disse Osferth, agora fazendo seu papel à perfeição. — Vimos isso em Fearnhamme. Foi ela que inspirou os mércios.

— O senhor vai precisar dos mércios — declarei a Eduardo. — Caso se torne rei — prossegui, enfatizando o "se" para mantê-lo desequilibrado — os mércios irão proteger sua fronteira norte. E eles não amam Wessex. Podem lutar por vocês, mas não os amam. Eles já formaram um país orgulhoso e não gostam de ser mandados por Wessex. Mas amam uma saxã ocidental. E o senhor iria trancá-la num convento?

— Ela é casada... — começou o padre Coenwulf.

— Ah, cale a boca — falei rispidamente. — O seu rei usou a filha dele para me trazer para o sul, e aqui estou, e vou ficar enquanto Æthelflæd pedir. Mas não pensem que estou aqui por vocês, por seu deus ou por seu rei. Se vocês têm planos para Æthelflæd, é melhor contar comigo como parte deles.

Eduardo ficou sem graça demais para me encarar. O padre Coenwulf estava com raiva, mas não ousou falar, enquanto Osferth ria para mim. O padre Heahberht ouvira a conversa com expressão chocada, mas agora encontrou sua voz tímida.

— O castelo fica naquela direção, senhores — disse apontando. Viramos para uma trilha sulcada por rodas de carroças e eu vi um teto de palha de junco aparecendo no meio de alguns olmos pesados de tantas folhas. Instiguei o cavalo à frente de Eduardo e vi que a casa de Thorstein fora construída numa crista longa acima do rio. Havia uma aldeia atrás do castelo, as pequenas casas se estendendo ao longo da margem onde dezenas de fogueiras soltavam fumaça.

— Eles secam arenques aqui? — perguntei ao padre.

— E fazem sal, senhor.

— Há uma paliçada?

— Sim, senhor.

A paliçada não tinha vigias e o portão estava aberto. Thorstein havia levado seus guerreiros com Haesten, deixando apenas um punhado de homens mais velhos para proteger sua família e suas terras, e esses homens sabiam que era melhor não entrar numa briga que poderiam perder. Em vez disso, um administrador nos recebeu com uma tigela de água. A esposa grisalha de Thorstein olhava da porta do castelo, mas quando me virei ela recuou para as sombras e a porta foi fechada.

A paliçada envolvia o castelo, três celeiros, um curral e um par de rampas de tábuas de olmos onde os dois navios tinham sido puxados bem acima da linha de maré. Eram navios mercantes, com a barriga gorda mostrando retalhos claros onde os carpinteiros pregavam novas tábuas de carvalho.

— O seu senhor constrói navios? — perguntei ao administrador.

— Sempre construíram navios aqui, senhor — respondeu ele humildemente, querendo dizer que Thorstein havia roubado o estaleiro de algum saxão.

Virei-me para Osferth.

— Certifique-se de que as mulheres não sejam molestadas — ordenei — e encontre uma carroça e cavalos de tração. — Olhei para o administrador. — Precisamos de cerveja e comida.

— Sim, senhor.

Havia uma construção longa e baixa ao lado das rampas do estaleiro, e fui até lá. Pardais discutiam embaixo da palha. Assim que entrei, tive de deixar que os olhos se acostumassem à semiescuridão, mas então vi o que estava procurando. Mastros, vergas e velas. Ordenei que meus homens levassem todas as vergas e velas para a carroça, depois fui até a extremidade aberta do barracão para olhar o rio passar em redemoinhos. A maré estava baixando, expondo bancos de lama compridos e íngremes.

— Por que vergas e velas? — perguntou Eduardo às minhas costas. Estava sozinho. — O administrador trouxe hidromel — disse sem jeito. Estava com medo de mim, mas fazia um grande esforço para ser amigável.

— Diga o que aconteceu quando vocês tentaram capturar Torneie.

— Torneie? — Eduardo pareceu confuso.

— Vocês atacaram a ilha de Harald e fracassaram. Quero saber por quê. — Eu tinha ouvido a história contada por Offa, o homem dos cães que levava as notícias entre os reinos, mas não havia perguntado a ninguém que estivera lá. Só sabia que o ataque aos fugitivos de Harald terminara em derrota e com grande perda de homens.

Ele franziu a testa.

— Foi... — E parou, balançando a cabeça, talvez se lembrando dos homens chapinhando na lama até a paliçada de Harald. — Nós nem chegamos perto — disse com amargura.

— Por quê?

— Havia estacas no rio. A lama era grossa.

— Acha que Beamfleot vai ser mais fácil? — perguntei, e vi a resposta no rosto dele. — Então, quem comandou o ataque a Torneie?

— Æthelred e eu.

— O senhor comandou? — perguntei objetivamente. — Estava na linha de frente?

Ele me olhou, mordeu o lábio inferior e pareceu sem graça.

— Não.

— O seu pai se certificou de que o senhor estivesse protegido? — perguntei, e ele assentiu. — E o senhor Æthelred? Comandou?

— Ele é um homem corajoso — disse Eduardo em tom de desafio.

— O senhor não me respondeu.

— Ele foi com seus homens — respondeu Eduardo evasivamente —, mas graças a Deus escapou da debandada.

— Então por que o senhor deveria ser rei de Wessex? — perguntei brutalmente.

— Eu — disse ele, depois ficou sem palavras e apenas me olhou com expressão dolorosa. Tinha vindo ao barracão tentando ser amigável e eu estava pegando no seu pé.

— Porque seu pai é o rei? No passado nós escolhíamos o melhor homem para ser rei, e não o que, por acaso, tivesse saído do meio das pernas da mulher de um rei. — Ele franziu a testa, ofendido e inseguro, sem voz. — Diga por que eu não deveria tornar Osferth rei — falei asperamente. — Ele é o filho mais velho de Alfredo.

— Se não houver regra para a sucessão — disse ele com cuidado — a morte de um rei levará ao caos.

— Regras — zombei. — Como vocês gostam de regras! Então só porque a mãe de Osferth era uma serviçal ele não pode ser rei?

— É — Eduardo encontrou coragem para responder. — Não pode.

— Sorte sua ele não querer ser rei — disse eu. — Pelo menos não creio que queira. Mas você quer? — Esperei e por fim ele respondeu com um movimento quase imperceptível de cabeça. — E você tem a vantagem de ter nascido do meio das pernas reais, mas ainda precisa provar que merece o reinado. — Ele me encarou sem dizer nada. — Você quer ser rei, por isso deve mostrar que merece. Comande. Faça o que não fez em Torneie, o que meu primo também não fez. Vá na frente do ataque. Não pode esperar que homens morram por você a não ser que esteja disposto a morrer por eles.

Ele assentiu.

— Beamfleot? — perguntou, incapaz de disfarçar o medo diante da perspectiva do ataque.

— Quer ser rei? Então lidere o ataque. Agora venha comigo e vou lhe mostrar como.

Levei-o para fora e até o topo da margem do rio. A maré havia baixado quase totalmente, deixando um barranco escorregadio, de lama brilhante, com pelo menos 4 metros de altura.

— Como subimos por um barranco assim?

Ele não respondeu, apenas franziu a testa como se pensasse no problema, e então, para sua perplexidade absoluta, empurrei-o da borda. Ele gritou alto quando perdeu o apoio, depois escorregou e foi caindo sobre sua bunda real até chegar à água, onde finalmente conseguiu se levantar, inseguro. Estava sujo de lama e indignado. O padre Coenwulf evidentemente pensou que eu estava tentando afogar o *ætheling*, porque correu até o meu lado e olhou para o príncipe.

— Desembainhe sua espada e suba esse barranco — disse eu a Eduardo.

Ele desembainhou a espada e deu alguns passos hesitantes, mas a lama escorregadia derrotou-o fazendo-o deslizar para trás todas as vezes.

— Esforce-se mais — rosnei. — Esforce-se de verdade! Há dinamarqueses no topo do barranco e você precisa matá-los. Então suba!

— O que você está fazendo? — perguntou Coenwulf, irritado.

— Um rei — respondi baixinho, depois olhei de volta para Eduardo. — Suba, seu desgraçado! Venha cá!

Ele não conseguiu, atrapalhado pela malha pesada e pela espada comprida. Tentou engatinhar barranco acima, mas continuou escorregando de volta.

— Sair do fosso de Beamfleot vai ser assim! — disse eu.

Ele me encarou, imundo e molhado.

— Vamos fazer pontes? — sugeriu.

— Como vamos fazer uma ponte com uma centena de dinamarqueses peidorrentos atirando lanças contra nós? Agora ande! Suba! — Ele tentou de novo e fracassou outra vez. Depois, enquanto seus homens e os meus olhavam de cima do barranco, Eduardo trincou os dentes e se lançou contra a lama gordurosa para uma última tentativa determinada, e dessa vez conseguiu ficar no barranco. Usou a espada como cajado, subindo centímetro a centímetro, e os homens comemoraram. Ficava escorregando para trás, mas sua determinação era óbvia, e cada pequeno passo era aplaudido. O herdeiro ao trono de Alfredo estava emplastrado de lama e sua preciosa dignidade sumira, mas ele estava subitamente se divertindo. Estava rindo. Chutava as botas para dentro da lama, fazia força com a espada e finalmente conseguiu passar pela beira do barranco. Levantou-se, sorrindo diante dos aplausos, e até o padre Coenwulf estava reluzente de orgulho. — Precisamos subir o barranco do fosso para chegar ao forte — disse eu — e será tão íngreme e escorregadio quanto este. Nunca vamos conseguir. Os dinamarqueses estarão fazendo chover flechas e lanças. O leito do fosso ficará grosso de sangue e corpos. Vamos todos morrer lá.

— As velas — disse Eduardo, entendendo.

— Sim, as velas. — Ordenei que Osferth desdobrasse uma das três velas que estávamos roubando. Foram necessários seis homens para desenrolar o grande tecido rígido, com uma crosta de sal. Camundongos saíram correndo das dobras, mas assim que ela estava estendida mandei os homens colocarem a vela no barranco lamacento. A vela em si não oferecia apoio para os pés, porque o tecido é frágil, mas há cordas costuradas nele, e assim cada vela é um entrecruzado de cordas de reforço, e essa trama de linhas formaria nossas escadas. Segurei o cotovelo de Eduardo e nós dois descemos pela vela até a beira da água. — Agora tente de novo — disse eu. — A toda velocidade. Vamos disputar uma corrida!

Ele venceu. Correu para o barranco, suas botas se apoiaram nas cordas da vela e ele chegou ao topo sem usar as mãos nenhuma vez. Riu de triunfo enquanto eu ia atrás, depois teve uma ideia súbita.

— Todos vocês! — gritou para sua guarda pessoal. — Desçam ao rio e subam de volta!

De repente eles estavam se divertindo. Todos os homens, tanto os meus quanto os de Eduardo, queriam tentar a nova trama de cordas de vela. Eram homens demais, e a vela acabou escorregando barranco abaixo, motivo pelo qual eu ia levar as vergas. Prenderia a trama de cordas nas vergas, depois amarraria as vergas no lugar, de modo que a escada de cordas improvisada ficasse rígida com a estrutura de madeira de espruce e, eu esperava, permanecesse no lugar. Naquele dia nós simplesmente prendemos a vela no barranco cravando pedaços de pau e disputamos corridas que Eduardo, para seu deleite evidente, ganhou repetidas vezes. Ele até arranjou coragem para conversar brevemente com Osferth, mas não discutiram nada mais importante do que o tempo, que os meio-irmãos achavam evidentemente agradável. Depois de um tempo ordenei que os homens parassem de subir pela vela, que teve de ser dobrada laboriosamente de novo, mas eu havia provado que ela funcionaria como um meio de sair do fosso da fortaleza. Com isso restaria apenas a muralha para atravessar, e aqueles de nós que não morressem no fosso quase certamente morreriam na estreita faixa de terra sob a muralha.

O administrador me trouxe um pequeno chifre com hidromel. Peguei-o e, por algum motivo, enquanto minha mão se fechava sobre a taça, a picada de abelha, que eu havia pensado que desaparecera havia muito, começou a coçar de novo. O inchaço havia passado totalmente, mas por um momento a coceira voltou e eu olhei para a mão. Não me mexi, apenas fiquei olhando e Osferth se preocupou.

— O que foi, senhor?

— Chame o padre Heahberht — disse eu e, quando o padre chegou, perguntei quem tinha feito o hidromel.

— Ele é um homem estranho, senhor — disse Heahberht.

— Não me importa se ele tem rabo e tetas, apenas me leve até ele.

As velas e vergas foram postas na carroça e escoltadas de volta ao velho forte, mas eu peguei meia dúzia de homens e cavalguei com Heahberht até uma aldeia chamada Hocheleia. Parecia um lugar pacífico e meio esquecido, apenas um punhado de cabanas rodeadas por grandes salgueiros. Havia uma pequena igreja, marcada por uma cruz de madeira pregada na empena.

— Skade não queimou essa igreja? — perguntei ao padre Heahberht.

— Thorstein protegia esse povo, senhor.

— Mas não protegeu Thunresleam?

— Este é o povo de Thorstein, senhor. Pertence a ele. Trabalha na terra dele.

— E quem é o senhor de Thunresleam?

— Quem estiver na fortaleza — disse ele com amargura. — Por aqui, senhor. — E me levou passando por um laguinho de patos e entrando num bosque de arbustos onde uma pequena cabana, com teto tão denso que parecia mais um monte de palha do que uma casa, ficava à sombra das árvores. — O homem se chama Brun, senhor.

— Brun?

— Só Brun. Alguns dizem que ele é louco, senhor.

Brun engatinhou para fora da cabana. Tinha de engatinhar para passar por baixo da borda da palha. Levantou-se parcialmente, viu minha cota de malha e os braceletes de ouro, caiu de volta de joelhos e remexeu a terra com as mãos sujas. Murmurou algo que não ouvi. Então uma mulher emergiu de debaixo da palha e se ajoelhou ao lado de Brun, e os dois soltaram gemidos enquanto balançavam a cabeça. O cabelo deles era comprido, sujo e emaranhado. O padre Heahberht disse a eles o que queríamos, e Brun resmungou alguma coisa, depois se levantou abruptamente. Era um homem minúsculo, não maior do que os anões que supostamente vivem no subterrâneo. Seu cabelo era tão denso que não dava para ver seus olhos. Ele puxou a mulher de pé, que não era mais alta do que ele e certamente não era mais bonita, depois os dois falaram com Heahberht, mas sua fala era tão atrapalhada que mal pude entender uma palavra.

— Ele diz que devemos ir para os fundos da casa — disse Heahberht.

— Você consegue entendê-los?

— Bastante bem, senhor.

Deixei minha escolta no caminho, amarrei nossos dois cavalos num arbusto e acompanhamos o casal pequenino em meio ao mato denso até onde, meio escondido pelo capim, estava o que eu procurava. Fileiras de colmeias. As abelhas estavam agitadas no ar quente, mas nos ignoraram, indo e vindo das colmeias em forma de cones que pareciam feitas de lama queimada. Brun, com um carinho súbito na voz, estava acariciando uma colmeia.

— Ele diz que as abelhas falam com ele, senhor — disse Heahberht — e ele fala de volta.

As abelhas subiam pelo braço nu de Brun e ele murmurava para elas.

— O que elas dizem? — perguntei.

— O que acontece no mundo, senhor. E ele diz que elas estão tristes.

— Pelos acontecimentos do mundo?

— Porque para conseguir o mel para o hidromel, senhor, ele precisa quebrar as colmeias, e então as abelhas morrem. Ele diz que as enterra e reza junto às sepulturas.

Brun estava cantarolando para suas abelhas, como uma mãe ninando os filhos.

— Eu só tinha visto colmeias de palha — falei. — Talvez as colmeias de palha não precisem ser quebradas, não é? Talvez as abelhas consigam viver.

Brun devia ter entendido, porque se virou com raiva e falou depressa.

— Ele não aprova as colmeias de palha, senhor — traduziu Heahberht. — Ele faz suas colmeias do modo antigo, com galhos de aveleira trançados e esterco de vaca. Diz que o mel é mais doce.

— Diga o que eu quero — ordenei — e diga que pagarei bem.

E de novo a barganha foi feita e cavalguei de volta ao forte no morro pensando que havia uma chance. Só uma chance. Porque as abelhas haviam falado.

Naquela noite e nas duas noites seguintes mandei homens descer o morro comprido até a fortaleza nova. Nas duas primeiras liderei-os, saindo da antiga fortaleza após o anoitecer. Homens carregavam as velas que tinham sido cortadas ao meio, e em seguida cada metade fora costurada em duas vergas, de modo que tínhamos seis largas escadas de cordas. Quando atacássemos de verdade, precisaríamos entrar no riacho, desenrolar as seis largas escadas e encostá-las na outra margem, então os homens teriam de subir pelas cordas entrecruzadas carregando escadas de verdade que deveriam ser encostadas na muralha.

Mas durante três noites apenas fingimos os ataques. Chegávamos perto do fosso, gritávamos, e nossos arqueiros, que eram apenas pouco mais de cem, disparavam flechas contra os dinamarqueses. Eles, por sua vez, disparavam flechas de volta e atiravam lanças que batiam na lama. Também jogavam tochas para iluminar a noite e, quando viam que não estávamos tentando cruzar o fosso, eu ouvia homens gritando ordens para pararem de atirar as lanças.

Fiquei sabendo que a muralha era bem vigiada. Haesten deixara uma guarnição grande, tantos que alguns dinamarqueses não eram necessários no forte, e em vez disso guardavam os navios encalhados na margem da ilha Caninga.

Na terceira noite não desci o morro. Deixei Steapa comandar esse falso ataque enquanto eu olhava dos muros da fortaleza do alto. Logo depois do escurecer, meus homens trouxeram uma carroça de Hocheleia, e nela havia oito colmeias. Brun nos havia dito que a melhor hora para lacrar uma colmeia era ao anoitecer, e naquela noite ele havia fechado as entradas com tampões de lama misturada com esterco de vaca, que agora endurecia lentamente. Encostei o ouvido numa colmeia e escutei uma estranha vibração zumbindo.

— As abelhas vão viver até amanhã à noite? — perguntou Eduardo.

— Não precisam, porque vamos atacar amanhã ao alvorecer.

— Amanhã! — disse ele, incapaz de esconder a surpresa, o que me agradou. Fazendo ataques falsos no início da noite eu queria convencer os dinamarqueses de que lançaríamos o ataque verdadeiro pouco depois do crepúsculo. Em vez disso iria até eles ao nascer do dia seguinte, mas esperava que Skade e seus homens já estivessem convencidos, como Eduardo, de que eu planejava um ataque ao cair da noite.

— Amanhã de manhã — disse eu. — E partimos esta noite, no escuro.

— Esta noite? — perguntou Eduardo, ainda atônito.

— Esta noite.

Ele fez o sinal da cruz. Æthelflæd que, com Steapa, era a única outra pessoa a quem eu havia contado meus planos, veio para o meu lado e passou o braço pelo meu. Eduardo pareceu estremecer à visão do nosso afeto, depois forçou um sorriso.

— Reze por mim, irmã — disse ele.

— Sempre rezo — respondeu ela.

Ela olhou-o com firmeza e ele a encarou por um instante, depois me olhou. Começou a falar, mas o nervosismo transformou a primeira palavra num grasnido incoerente. Tentou de novo.

— O senhor não me faria um juramento, senhor Uhtred.

— Não, senhor.

— Mas minha irmã tem seu juramento?

O braço de Æthelflæd apertou o meu.

— Ela tem meu juramento de lealdade, senhor — respondi.

— Então não preciso do seu juramento — disse Eduardo com um sorriso.

Isso era generoso da parte dele e fiz uma reverência, reconhecendo.

— O senhor não precisa de meu juramento, mas seus homens precisam de seu encorajamento esta noite. Fale com eles. Inspire-os.

Naquela noite pouco se dormiria. Os homens precisavam de tempo para se preparar para a batalha. Era um tempo de medo, um tempo em que a imaginação faz com que o inimigo pareça mais temível ainda. Alguns homens, uns poucos, fugiram do forte e buscaram abrigo na floresta, mas foram muito poucos. O resto afiou espadas e machados. Não deixei que eles alimentassem as fogueiras, porque não queria que os dinamarqueses vissem nada diferente naquela noite, e assim a maioria das armas foi afiada no escuro. Homens calçavam botas, vestiam malhas e punham elmos. Faziam piadas ruins. Alguns apenas ficavam sentados de cabeça baixa, mas ouviram quando Eduardo lhes falou. Ele foi de grupo em grupo e me lembrei de como fora pouco inspirador o primeiro discurso de seu pai antes da grande vitória em Ethandun. Eduardo não foi muito melhor, mas tinha uma sinceridade convincente, e os homens murmuraram em aprovação quando ele prometeu que seria o primeiro a estar no ataque.

— Você deve mantê-lo vivo — disse-me sério o padre Coenwulf.

— Isso não é responsabilidade do seu deus?

— O pai dele nunca vai perdoar você se Eduardo morrer.

— Ele tem outro filho — falei petulante.

— Eduardo é um bom homem — disse Coenwulf com raiva — e vai ser um bom rei.

Concordei com isso. Antes não pensava assim, mas tinha começado a gostar de Eduardo. Ele possuía força de vontade e eu não duvidava de que iria se mostrar corajoso. Eduardo tinha medo, claro, como todos os homens, mas havia mantido esses temores por trás da cerca dos dentes. Estava decidido a se provar como herdeiro, e isso significava ir ao lugar da morte. Não havia recuado diante da ideia, e por isso eu o respeitava.

— Ele será um bom rei caso se provar — disse eu a Coenwulf. — E você sabe que ele precisa se provar.

O padre fez uma pausa, depois assentiu.

— Mas cuide dele — implorou.

— Mandei Steapa cuidar dele, e não posso fazer mais do que isso.

O padre Pyrlig, vestindo sua enferrujada cota de malha, com uma espada na cintura e um machado e um escudo pendurados nos ombros, veio da escuridão.

— Meus homens estão prontos — disse. Eu havia lhe dado trinta homens cujo trabalho era carregar as colmeias pelo morro escuro até o outro lado do fosso.

Olhei para o leste. Não havia sinal de qualquer luz nova por lá, mas senti que a noite curta estava terminando. Toquei o martelo de Tor.

— Hora de ir — disse.

Os homens de Steapa estavam fazendo uma balbúrdia ao pé do morro, um barulho para distrair os dinamarqueses enquanto centenas de homens deixavam o forte e, na escuridão nublada, desciam a encosta íngreme. Na frente estavam os homens de Eduardo carregando as escadas. Vi as tochas se acendendo na beira do fosso e o brilho de penas de flechas zunindo em direção ao topo da muralha. O ar cheirava a sal e mariscos. Pensei no beijo de despedida de Æthelflæd, em seu abraço súbito e impetuoso, e os temores borbulharam dentro de mim. A coisa parecia simples. Atravessar um fosso, colocar as escadas na pequena tira lamacenta entre o fosso e a muralha, subir a escada. Morrer.

Não havia ordem em nosso avanço. Os homens encontravam seu próprio caminho morro abaixo e seus líderes chamavam em voz baixa para reuni-los no lugar em que as ruínas calcinadas da aldeia ofereciam algum disfarce. Estávamos suficientemente perto para ouvir os dinamarqueses zombando enquanto os homens de Steapa recuavam. As tochas que haviam sido atiradas para iluminar o fosso estavam quase apagadas. Agora, eu esperava, os dinamarqueses iriam descer. Homens iriam para suas camas e para suas mulheres, enquanto nós esperávamos no escuro onde tocávamos nossas armas e nossos amuletos e ouvíamos o ondular da água à medida que a maré se esvaía do grande pântano. Weohstan estava entre as moitas do pântano e eu ordenara que ele exibisse seus homens a oeste do forte, na esperança de que alguns defensores fossem atraídos para lá. Eu tinha mais duzentos homens no leste, prontos para atacar o navio-fortaleza encalhado na outra extremidade do riacho. Esses homens eram comandados por Finan. Eu não gostava de perder Finan como meu vizinho de escudo, mas precisava de um guerreiro para impedir a fuga dos dinamarqueses, e não havia homem tão feroz nem de cabeça tão limpa em batalha quanto o irlandês.

Mas nem Weohstan nem Finan podiam se mostrar até o alvorecer. Nada podia acontecer até o alvorecer. Havia uma leve garoa chegando fria num vento oeste. Padres rezavam. Os homens de Osferth, carregando as velas enroladas, agacharam-se em meio aos altos arbustos de urtiga na borda da aldeia, a apenas cem passos do barranco do fosso. Esperei com Osferth, cerca de 1 metro à frente de Eduardo, que não falava uma palavra, apenas segurava com força a cruz de ouro pendurada no pescoço. Steapa havia nos encontrado e esperava com o *ætheling*. Meu elmo estava frio nos ouvidos e no pescoço e minha cota de malha estava úmida.

Ouvi dinamarqueses falando. Tinham mandado homens recolher as lanças depois de cada um dos nossos falsos ataques, e eu supus que era isso que estavam fazendo agora à luz fraca das tochas que iam morrendo. Então os vi, apenas sombras em meio a sombras, e soube que o alvorecer estava quase chegando, enquanto a luz cinza da morte se espalhava atrás de nós como uma mancha na borda do mundo. Virei-me para Eduardo.

— Agora, senhor — falei.

Ele se levantou, um jovem no limiar da batalha. Por um instante não conseguiu encontrar a própria voz, depois desembainhou a espada longa.

— Por Deus e por Wessex — gritou —, venham comigo!

E assim começou a luta por Beamfleot.

Quinze

Por um momento tudo é como a gente imaginou, depois muda, e os detalhes se destacam nítidos demais. Detalhes de coisas irrelevantes. Talvez seja a compreensão de que essas coisas pequenas sejam as últimas que a gente verá nesta vida que as torne tão memoráveis. Lembro-me de uma estrela tremeluzir como uma vela derretendo entre as nuvens a oeste, o chacoalhar das flechas na aljava de um arqueiro correndo, o brilho da luz cinzenta no Temes ao sul, as penas claras de todas as flechas cravadas na muralha de madeira da fortaleza e os elos soltos da malha de Steapa tilintando e pendendo da bainha de sua cota enquanto ele corria à direita de Eduardo. Lembro-me de um cachorro preto e branco correndo conosco, com uma corda esgarçada no pescoço. Parecia que corríamos em silêncio, mas não podia ter sido. Oitocentos homens corriam para a fortaleza enquanto o sol tocava a borda da terra com prata.

— Arqueiros! — gritou Beornoth. — Arqueiros! Para mim!

Alguns poucos dinamarqueses ainda estavam recolhendo lanças. Um nos olhou incrédulo, os braços segurando um feixe de cabos de freixo, então entrou em pânico, largou as armas e correu. Uma trompa soou no topo da muralha.

Tínhamos dividido nossos homens em tropas, e cada uma tinha um objetivo e um líder. Beornoth comandava os arqueiros que se reuniram à nossa esquerda, imediatamente diante das estacas da ponte que se erguiam macilentas no fosso. Esses arqueiros deviam assediar os dinamarqueses sobre a muralha, jorrar flechas sobre eles, obrigá-los a se abaixar enquanto tentavam nos repelir com lanças, machados e espadas. Osferth comandava os cinquenta homens cujo trabalho era colocar as escadas feitas de velas no fosso, e atrás dele vinha Egwin, um veterano saxão ocidental, cujos cem homens levariam as escadas de madeira até a muralha. O resto das tropas faria o assalto. Assim que os carregadores das escadas tivessem atravessado o fosso, as tropas de ataque iriam segui-los, subir as escadas e confiar em qualquer deus a quem rezaram à noite. Eu havia organizado os homens em tropas, e Alfredo, que adorava listas e ordem, teria aprovado, mas eu sabia da rapidez com que esses planos cuidadosos desmoronavam sob o choque da realidade.

A trombeta estava desafiando o alvorecer e os defensores da fortaleza apareciam no topo da muralha. Os homens que antes estavam recolhendo as lanças subiram o outro lado do fosso com a ajuda de uma corda amarrada a uma coluna junto à entrada do forte, mas um deles teve o bom-senso de cortar a corda antes de entrar correndo. O grande portão duplo se fechou atrás dele. Nossos arqueiros estavam disparando, mas eu sabia que suas flechas causariam pouco dano contra cotas de malha e elmos de aço. No entanto isso obrigaria os dinamarqueses a usar escudos. O que iria atrapalhá-los, e então vi os homens de Osferth desaparecerem no fosso e gritei para as tropas que iriam segui-los esperarem.

— Parem e esperem! — A última coisa de que eu precisava era uma massa de homens presos no leito do fosso, chapinhando sob uma chuva de lanças e atrapalhando os homens de Osferth. Era melhor deixá-los terminar o serviço e, depois deles, os de Egwin.

O fundo do fosso tinha estacas afiadas escondidas sob a água baixa, mas os homens de Osferth as encontraram com bastante facilidade para arrancá-las da lama macia. As velas com a trama de cordas foram desenroladas na margem oposta e suas vergas foram ancoradas por lanças cravadas fundo na lama. Um balde de carvão aceso foi jogado de cima da muralha. Vi o fogo brilhante cair e depois morrer na lama úmida embaixo. O fogo não machucou ninguém e suspeitei de que um dinamarquês tivesse entrado em pânico e esvaziado o balde cedo demais. O cachorro latia à beira do fosso.

— Escadas! — gritou Osferth, e os homens de Egwin avançaram enquanto os guerreiros de Osferth atiravam lanças contra a alta muralha. Fiquei olhando com aprovação os carregadores de escadas escalarem o barranco íngreme do fosso, depois gritei para as tropas de assalto me seguirem até as escadas recém-colocadas.

Só que não foi assim. Tento contar às pessoas como foi uma batalha, e a narrativa sai hesitante e fraca. Depois de uma batalha, quando o medo passou, trocamos histórias, e a partir de todas essas histórias criamos um padrão da luta, mas na batalha tudo é confusão. Sim, nós atravessamos o fosso, a trama de cordas nas velas abertas funcionou, pelo menos por um tempo, e as escadas chegaram à muralha dinamarquesa, mas deixei muita coisa de fora. O tumulto de homens chapinhando na maré baixa, a queda das vergas pesadas, sangue escuro em água escura, gritos, o sentimento de não saber o que aconteceu, de desespero, de ouvir as pancadas sólidas de lanças atiradas do parapeito, os sons menores de flechas acertando, os gritos de homens que não sabiam o que estava acontecendo, homens que temiam a morte, homens que berravam para outros homens trazerem escadas ou puxar uma verga de volta para cima do barranco lamacento. E havia a lama grossa como cola de cascos e igualmente pegajosa. Lama lisa e escorregadia, homens cobertos de lama, sujos de sangue e morrendo na lama, e sempre os dinamarqueses gritando insultos do céu. Os gritos de homens morrendo. Homens pedindo socorro, gritando por suas mães, chorando a caminho da sepultura.

No fim são as pequenas coisas que vencem uma batalha. Você pode lançar milhares de homens contra uma muralha e a maioria vai fracassar, ou vai se encolher do outro lado do fosso, ou se agachar na água, e são os poucos, os corajosos e desesperados que lutam através do próprio medo. Olhei um homem carregar uma escada, batê-la contra a muralha e subir com a espada na mão, e um dinamarquês preparar sua lança pesada e esperar. Gritei um aviso, mas então a lança foi impelida diretamente para baixo e a lâmina atravessou o elmo; o homem tremeu na escada e caiu para trás, sangue súbito no alvorecer, e um segundo homem empurrou-o para fora do caminho, gritou um desafio enquanto subia brandindo um machado de cabo comprido contra o lanceiro. Nesse momento o sol inundou o novo dia, tudo era caos. Eu tinha feito o máximo para organizar o ataque, mas agora as tropas estavam misturadas. Alguns homens estavam de pé com água do fosso até a cintura, e todos permaneciam impotentes porque não podíamos fazer com que as escadas ficassem encostadas na muralha. Os dinamarqueses, mesmo ofuscados com o sol novo, estavam empurrando as escadas de lado com seus pesados machados de guerra. Algumas escadas, com degraus feitos de madeira verde, se partiram, mas mesmo assim homens corajosos tentavam subir a alta paliçada. Uma das escadas feitas de vela escorregou para trás e vi homens arrastarem-na de volta para o lugar enquanto as lanças caíam ao redor. Mais fogo foi atirado de cima do muro, iluminando elmos e lâminas, mas os homens apagavam as brasas rolando na lama. Lanças batiam em escudos.

Peguei uma escada caída, empurrei-a contra a muralha e subi, mas não é possível subir uma escada segurando espada e escudo, por isso meu escudo estava pendurado às costas e eu tinha de agarrar os degraus um a um com a mão esquerda enquanto segurava Bafo de Serpente com a direita, e um dinamarquês agarrou a lâmina com a mão enluvada e tentou arrancá-la de mim. Puxei-a para trás, perdi o equilíbrio e caí em cima de um cadáver, e então Eduardo começou a subir a mesma escada. Ele usava um elmo com um aro de ouro, sobre o qual havia um penacho de plumas de cisne que o tornavam um alvo, e pude ver os dinamarqueses esperando para puxá-lo por cima da muralha para pegar sua bela armadura. Mas então Steapa derrubou a escada de lado de modo que o *ætheling* caiu na lama.

— Santo Deus — ouvi Eduardo dizer em tom calmo, como se tivesse derramado um pouco de leite ou cerveja, e isso me fez rir. O cabo de um machado atirado bateu no meu elmo. Virei-me, peguei a arma e joguei-a para os rostos acima, mas ela passou longe. O padre Coenwulf ajudou Eduardo a ficar de pé.

— Você não deveria estar aqui — rosnei para o padre, mas ele me ignorou. Era um homem corajoso, já que não usava armadura e não levava armas. Steapa cobriu Eduardo com seu escudo gigantesco enquanto as lanças choviam. De algum modo o padre Coenwulf sobreviveu às lâminas. Segurava um crucifixo estendido para os dinamarqueses e gritava maldições contra eles.

— Tragam escadas para cá — gritou uma voz. — Tragam para cá! — Era o padre Pyrlig. — Escadas! — gritou ele de novo, então pegou uma colmeia com um dos seus homens e virou-se para a muralha. — Peguem um pouco de mel! — rugiu para os dinamarqueses e jogou a colmeia para cima.

A muralha tinha cerca de 3 metros de altura e era preciso força para jogar aquela colmeia lacrada por cima do parapeito. Os dinamarqueses não podiam saber o que era aquilo, talvez tenham confundido com uma pedra, mas certamente sabiam que ninguém seria capaz de jogar uma pedra tão longe. Vi uma espada acertar a colmeia, então ela desapareceu por cima do parapeito.

— Outra! — gritou Pyrlig.

A primeira colmeia devia ter batido na plataforma de luta. E devia ter quebrado.

As colmeias estavam lacradas. Brun tinha esperado até o frio da noite, quando todas as abelhas haviam retornado para casa, depois fechara as entradas com lama e esterco. Agora o invólucro da primeira colmeia, que não passava de esterco de vaca preso com gravetos de aveleira, se partiu como uma casca de ovo.

E as abelhas saíram.

Pyrlig jogou uma segunda colmeia e outro homem lançou uma terceira. Uma não conseguiu atravessar o parapeito e caiu de volta na lama onde, milagrosamente, não se despedaçou. Duas outras estavam flutuando no fosso; jamais descobri o que aconteceu com o resto das colmeias, mas as duas primeiras foram suficientes.

As abelhas começaram a fazer nosso trabalho. Milhares e milhares de abelhas furiosas e confusas se espalharam entre os defensores dinamarqueses, e ouvi súbitos gritos de dor espantada. Os homens eram picados no rosto e nas mãos, e aquela pequena distração era tudo de que precisávamos. Pyrlig estava berrando para os homens ajeitarem as escadas. O próprio Eduardo colocou uma escada e tentou subir, mas Steapa o empurrou de lado e foi primeiro. Eu subi por outra.

Não posso dizer como a fortaleza de Beamfleot foi tomada, porque não me lembro de nada a não ser do caos. Caos e picadas de abelhas. Sei que Steapa chegou ao topo da escada e abriu espaço girando um machado de guerra com tanta violência que a lâmina quase atravessou meu elmo com o lobo na crista, e então ele havia ultrapassado o parapeito e estava usando o machado com eficiência assassina. Eduardo foi atrás. Abelhas voavam ao redor dele.

— Grite para seus homens! — disse eu. — Diga para se juntarem a você!

Ele me olhou arregalado, depois entendeu.

— Por Wessex! — gritou de cima da muralha.

— Pela Mércia — berrei, e agora os homens se juntavam rapidamente a nós. Eu não sentia as picadas das abelhas, porém mais tarde descobri que fora picado mais de dez vezes, mas estávamos esperando ser picados, ao passo que os dinamarqueses foram apanhados de surpresa. Eles se recuperaram bastante depressa. Ouvi uma voz de mulher gritando para eles nos matarem e soube que Skade estava perto. Um grupo veio ao longo da plataforma e eu os enfrentei com escudo e espada, levei um golpe de machado no escudo e passei Bafo-de-serpente no joelho do sujeito, e Cerdic estava comigo, e Steapa veio à minha esquerda e estávamos gritando como demônios enquanto abríamos caminho à força pela plataforma de madeira da muralha. Uma lança acertou meu elmo, entortando-o. O sol ainda aparecia entre as nuvens, lançando um brilho ofuscante e com sombras compridas, e sua luz relampejava em lâmina de espada, gume de machado e ponta de lança, e eu empurrava o escudo contra os dinamarqueses, estocando com Bafo de Serpente para além da borda, e Steapa estava uivando e usando sua força enorme para empurrar os defensores de lado. E em toda parte, em toda parte, havia abelhas. Um dinamarquês tentou me matar com um golpe de machado que recebi no escudo e me lembro de sua boca aberta, tocos de dentes amarelos e abelhas andando na língua. Eduardo, logo atrás de mim, matou esse dinamarquês com um golpe de espada na boca, de modo que as abelhas foram lavadas num jorro de sangue. Alguém havia pegado a bandeira do dragão de Wessex e estava balançando-a no parapeito capturado, e homens comemoravam enquanto atravessavam o fosso e subiam o resto das escadas.

Eu havia virado à esquerda no topo da muralha e estava abrindo caminho pela plataforma estreita: Steapa entendera o motivo e fez o máximo para limpar os defensores à nossa frente de modo que pudéssemos chegar à plataforma maior que ficava acima do portão. E ali fizemos nossa parede de escudos, e ali lutamos contra os dinamarqueses enquanto Pyrlig e seus homens usavam os machados no grande portão.

Devo ter gritado para os dinamarqueses, mas agora não sei dizer o quê. Os insultos de sempre. E os dinamarqueses lutavam de volta com ferocidade selvagem, mas agora tínhamos nossos melhores guerreiros na muralha e outros chegavam o tempo todo, tantos que alguns pularam no piso da fortaleza e a luta começou ali. Um homem chutou os restos despedaçados de uma colmeia para dentro do forte e mais abelhas saíram num enxame, mas eu estava acima do portão, agora protegido pelos cadáveres de dinamarqueses que tinham tentado nos expulsar. Eles continuavam chegando. Suas melhores armas eram lanças pesadas que eles estocavam por cima da barreira de cadáveres, mas nossos escudos eram fortes.

— Precisamos descer ao portão! — gritei para Steapa.

Osferth me ouviu. Tinha sido Osferth que pulou de cima do portão quando defendemos Lundene, e agora ele saltou de novo. Havia outros saxões dentro da fortaleza, mas estavam em número horrivelmente menor e morriam depressa. Osferth não se importou. Pulou logo do lado de dentro do portão. Ficou esparramado por um momento, depois estava de pé e gritando:

— Alfredo! Alfredo! Alfredo!

Achei um grito de guerra estranho, especialmente vindo de um homem que se ressentia de seu pai natural, mas deu certo. Outros saxões ocidentais saltaram para se juntar a ele, que se defendia de dois dinamarqueses com seu escudo e dava golpes de espada contra dois outros.

— Alfredo! — Outro homem repetiu o grito, e então Eduardo deu um grito enorme e saltou do topo da muralha para se juntar ao meio-irmão.

— Proteja o *ætheling*! — gritei.

Steapa, que considerava seu principal dever manter o *ætheling* vivo, pulou. Fiquei no topo da muralha com Cerdic porque tínhamos de impedir que os dinamarqueses recuperassem aquele trecho de muralha onde estavam nossas escadas. Meu escudo estava muito golpeado pelas lanças. A madeira de tília ia se lascando, mas os cadáveres aos nossos pés eram um obstáculo, e mais de um dinamarquês tropeçou nos corpos e acrescentou o seu à pilha. Outros continuavam chegando. Um homem começou a tirar os corpos, jogando-os para dentro do forte, e cravei Bafo de Serpente em sua axila. Outro dinamarquês tentou cravar uma lança em mim. Recebi o golpe no escudo e mandei Bafo de Serpente de volta para o rosto que fazia careta emoldurado pelo elmo de aço brilhante, mas o sujeito se torceu de lado. Vi-o olhar para o chão e soube que ele estava pensando em pular para atacar meus homens embaixo, por isso pisei num cadáver e estoquei com Bafo de Serpente por baixo de seu escudo, torcendo a espada quando ela se cravou na carne da coxa, e ele bateu o escudo contra mim. Então Cerdic estava ao meu lado e seu machado se cravou no ombro do lanceiro. Meu escudo estava pesado com duas lanças alojadas na madeira. Tentei tirá-las sacudindo, depois me abaixei quando um dinamarquês gigante, gritando xingamentos, me atacou com um machado girando contra meu elmo. O homem se chocou contra meu escudo e me ajudou desalojando as lanças, e Sihtric partiu o elmo do sujeito com um machado. Lembro-me de ver sangue pingar da borda do meu escudo, depois empurrei o homem agonizante. Ele estava tremendo enquanto morria. Impulsionei Bafo de Serpente por cima do corpo dele e a lâmina se desviou num escudo dinamarquês. Abaixo de mim eu ouvia os gritos cada vez mais altos. "Alfredo!", gritavam eles, e depois: "Eduardo! Eduardo!"

Steapa valia por três homens e estava matando com sua força gigantesca e sua habilidade incrível com a espada, mas agora tinha ajuda. Mais e mais homens saltavam para formar uma parede de escudos do lado de dentro do portão fechado. Osferth e Eduardo eram vizinhos de escudos. O padre Coenwulf, decidido a ficar perto do *ætheling*, havia pulado e agora se virou e levantou a barra de tranca do portão. Por um momento não pôde abrir o portão porque os homens de Pyrlig continuavam dando machadadas nas toras enormes, e então eles ouviram os gritos de Coenwulf mandando parar. E assim o portão se abriu, e sob o sol nascente, sob a fumaça e em meio aos enxames de abelhas, levamos a morte a Beamfleot.

Os dinamarqueses haviam sido surpreendidos por nosso ataque. Tinham pensado que os homens de Steapa tinham se retirado ao alvorecer, e em vez disso nós os atacamos, mas a surpresa não diminuíra sua força de vontade nem havia nos dado grande vantagem. Eles haviam se recuperado depressa, tinham defendido a muralha com energia, e se não tivéssemos mandado as abelhas para se juntar à luta certamente teriam nos repelido. Mas um homem picado por um enxame de abelhas furiosas não consegue lutar direito, e assim tivemos aquela pequena chance de chegar ao parapeito. Agora havíamos aberto o portão e os saxões passavam pelo fosso e invadiam o forte. E os dinamarqueses, sentindo o desastre, perderam a disciplina.

Eu tinha visto isso com muita frequência. Um homem lutará como um herói, fará viúvas e órfãos, dará aos poetas um desafio para encontrar novas palavras que descrevam seus feitos, e então, de repente, seu espírito fracassa. O desafio se transforma em terror. Dinamarqueses que, um momento antes, teriam sido inimigos temíveis, tornavam-se desesperados na busca pela segurança. Fugiam.

Havia apenas dois lugares aonde poderiam ir. Alguns, os menos afortunados, recuaram ao longo do forte até as construções que ocupavam sua extremidade oeste, ao passo que a maioria se amontoava lutando para passar por um portão na longa muralha sul, que levava a um cais de madeira construído na margem do riacho. Mesmo na maré baixa o riacho era fundo demais para um homem atravessar a pé, e não havia ponte. Em vez disso um navio estava amarrado transversalmente no canal e os dinamarqueses estavam correndo por cima dos bancos de remadores para chegar à margem de Caninga, onde uma massa de homens que não tinham participado da defesa do forte esperava. Mandei Steapa tirar aqueles homens dali, e ele comandou a guarda doméstica de Alfredo passando por cima da ponte improvisada, mas os dinamarqueses não estavam dispostos a enfrentá-lo. Fugiram.

Alguns dinamarqueses, muito poucos, saltaram do topo da muralha a sul e oeste para atravessar os fossos, mas os cavaleiros de Weohstan estavam no pântano e deram um fim curto e brutal a esses fugitivos. Muito mais dinamarqueses permaneceram no forte, recuando para a extremidade mais distante atrás de uma precária parede de escudos que se despedaçou sob uma tempestade de lâminas saxãs. Mulheres e crianças gritavam. Cães uivavam. A maioria das mulheres e crianças estava em Caninga, e já estavam exigindo que seus homens fossem para os navios. A segurança final de um dinamarquês é seu navio. Quando tudo dá errado o homem volta para o mar e deixa que o destino o leve para outra oportunidade. Mas a maioria dos navios dinamarqueses estava encalhada porque simplesmente eram navios demais para permanecer fundeados no canal estreito. Os homens em Caninga corriam do ataque de Steapa. Alguns se enfiaram no riacho para entrar nos navios que flutuavam, mas foi então que Finan atacou. Ele havia esperado até que os homens que guardavam a extremidade leste do canal estivessem distraídos com o evidente desastre que acontecia no oeste, e então comandou seus saxões ocidentais, todos das tropas domésticas de Alfredo, através dos baixios lamacentos.

— Os idiotas só haviam levantado o flanco do navio no lado virado para o mar — contou-me ele mais tarde —, por isso atacamos do outro. Foi fácil.

Duvidei. Ele perdeu 18 homens para as sepulturas e mais trinta ficaram gravemente feridos, mas tomou o navio. Não pôde atravessar o riacho nem bloquear o canal, mas estava onde eu queria que ele estivesse. E nós estávamos na fortaleza.

Saxões uivavam cobrando a vingança pela fumaça acima da Mércia. Estavam massacrando os dinamarqueses. Homens que tentavam proteger as famílias gritavam dizendo que se rendiam, e em vez disso eram trucidados por machado e espada. A maioria das mulheres e crianças correu para o grande castelo, e era lá que o vasto saque enviado pelos homens de Haesten estava reunido.

Eu havia navegado até a Frísia para encontrar um castelo com tesouro, e em vez disso encontrei-o em Beamfleot. Encontrei sacos de couro estufados de moedas, crucifixos de prata, cibórios de ouro, pilhas de ferro, lingotes de bronze, montes de peles. Encontrei um tesouro. O castelo estava escuro. Alguns raios de sol passavam pelas janelas pequenas na empena leste onde estavam pendurados os chifres de um touro, mas afora isso a única luz vinha do fogo aceso na lareira central, ao redor da qual o tesouro fora amontoado. Estava à mostra. Ele dizia aos dinamarqueses de Beamfleot que Haesten, seu senhor, seria um doador de presentes. Os homens que se aliaram a Haesten ficariam ricos, e só precisavam entrar nesse salão para ver a prova. Podiam olhar aquele tesouro brilhante e enxergar novos navios e novas terras. Era o tesouro da Mércia, só que em vez de ser guardado por um dragão, era protegido por Skade.

E ela estava mais furiosa do que qualquer dragão. Naquele momento acho que estava possuída pelas fúrias, que haviam lhe dado uma loucura terrível. Estava de pé sobre o monte do tesouro, o cabelo preto sem elmo e emaranhado selvagemente. Gritava desafios. Um manto preto pendia dos ombros, sob o qual ela usava uma cota de malha, e sob a qual havia pendurado o máximo de correntes de ouro que pudera pegar nas riquezas saqueadas. Atrás dela, no alto tablado onde ficava uma grande mesa, havia um amontoado de mulheres e crianças. Vi a mulher de Haesten ali, e seus dois filhos, mas eles sentiam tanto medo de Skade quanto de nós.

Os uivos esganiçados de Skade tinham feito meus homens pararem. Eles estavam enchendo metade do salão, mas a fúria dela os contivera. Esses guerreiros haviam matado incontáveis dinamarqueses, largando-os no chão coberto de juncos e encharcado de sangue fresco, mas agora apenas olhavam a mulher que os amaldiçoava. Abri caminho entre eles, com Bafo de Serpente vermelha na mão. Skade me viu e apontou sua espada para mim.

— O traidor — cuspiu ela. — O violador de juramentos!

Fiz uma reverência a ela.

— Rainha de um pântano — zombei.

— Você prometeu! — gritou ela para mim, então seus olhos se arregalaram de surpresa, uma surpresa que foi instantaneamente superada pela fúria. — É ela? — perguntou.

Æthelflæd havia entrado no castelo. Não tinha o que fazer ali. Eu lhe dissera para assistir e esperar na fortaleza antiga, mas assim que viu nossos homens atravessando a muralha ela insistiu em descer o morro. Agora os homens abriram caminho para ela e para os quatro guerreiros mércios que tinham sido encarregados de guardá-la. Æthelflæd usava um vestido azul claro, muito simples, cuja saia estava molhada pela travessia do riacho. Por cima tinha uma capa de linho e no pescoço um crucifixo de prata, no entanto parecia uma rainha. Não usava ouro, seu vestido e a capa estavam sujos de lama, porém reluzia, e Skade olhou de Æthelflæd para mim e gritou como uma raposa agonizante. Então, ágil e súbita, saltou do monte do tesouro e, com a boca num ricto de fúria, impeliu a espada contra Æthelflæd.

Simplesmente entrei na frente dela. Sua espada deslizou na borda de ferro do meu escudo maltratado e eu empurrei com a bossa de ferro. O escudo pesado se chocou contra Skade com tanta força que ela soltou a espada e gritou alto enquanto era lançada para trás contra os tesouros. Ficou ali deitada, agora com lágrimas nos olhos, mas com a fúria da loucura ainda na voz.

— Amaldiçoo você — disse apontando para mim —, amaldiçoo seus filhos, sua mulher, sua vida, sua sepultura, o ar que você respira, a comida que você come, os sonhos que você tem, o chão onde você pisa.

— Como você me amaldiçoou? — disse uma voz, e das sombras no canto do salão se arrastou uma coisa que já fora um homem.

Era Harald. Harald que havia comandado o primeiro ataque contra Wessex, que havia prometido a Skade a coroa de rainha de Wessex, que fora ferido com tanta gravidade em Fearnhamme e que encontrara refúgio no meio dos espinhos. Ali havia inspirado uma defesa tão firme que Alfredo eventualmente pagou para ele ir embora, e para cá, procurando a proteção de Haesten. Era um homem partido, aleijado. Tinha visto sua mulher ir para a cama de Haesten e sentia um ódio tão grande quanto o de Skade.

— Você me amaldiçoou — disse — porque não lhe dei um trono. — E partiu para ela, as pernas impotentes, arrastando-se com os braços fortes. Seu cabelo amarelo que fora tão denso agora era esparso, pendendo como barbantes em volta do rosto riscado de dor. — Deixe-me fazer de você uma rainha — disse a Skade, e pegou um torque de ouro na pilha do tesouro. Era uma coisa linda, três fios de ouro torcidos e finalizados por duas cabeças de urso com olhos de esmeralda. — Seja uma rainha, meu amor. — Sua barba havia crescido até a cintura. As bochechas estavam fundas, os olhos escuros e as pernas tortas. Usava uma túnica simples e calças justas sob uma capa de lã áspera. Harald Cabelo de Sangue, que já comandara 5 mil homens, que havia queimado Wessex e provocado temor em Alfredo, arrastou-se por cima dos juncos e estendeu o torque para Skade, que olhou para ele e simplesmente gemeu.

Ela não pegou a coroa oferecida, por isso ele levantou o ouro e pôs no cabelo dela, onde a joia ficou, torta, e ela começou a chorar. Harald se arrastou mais para perto ainda.

— Meu amor — disse numa voz estranhamente afetuosa.

Æthelflæd viera para o meu lado. Não creio que ela tenha percebido, mas havia segurado meu braço do escudo e se agarrado a mim. Não disse nada.

— Minha preciosa — disse Harald baixinho, e acariciou o cabelo dela. — Eu amei você.

— Eu amei você — disse Skade, em seguida abraçou Harald e os dois ficaram agarrados um ao outro à luz da fogueira, e um homem ao meu lado avançou com um machado. Impedi-o. Tinha visto a mão direita de Harald se mexer. Ele estava acariciando o cabelo de Skade com a esquerda, e mexia dentro de sua capa com a direita.

— Meu amor — disse ele, e ficou arrulhando essas duas palavras repetidamente. Então sua mão direita se moveu depressa, um homem que perdeu o uso das pernas desenvolve grande força nos braços, e ele cravou a lâmina da faca através dos elos da malha de Skade, e eu a vi primeiro se enrijecer, depois seus olhos se arregalaram, a boca se abriu, e Harald beijou sua boca aberta enquanto puxava a lâmina para cima, sempre para cima, arrastando a cota de malha com o aço que rasgou suas entranhas até chegar ao peito, e ela continuava abraçando-o enquanto o sangue escorria sobre o colo magro dele. Então, finalmente, Skade soltou um grito enorme, seu aperto se afrouxou, os olhos se desbotaram e ela caiu para trás.

— Termine o que começou — rosnou Harald sem me olhar. Ele havia estendido a mão para a espada de Skade que havia caído, querendo que ela fosse a chave para chegar ao Valhalla, mas me lembrei de como ele havia assassinado aquela mulher em Æscengum. Lembrei-me de como o filho dela havia chorado, por isso chutei a espada para longe e ele me olhou, surpreso, e meu rosto foi a última coisa que ele viu neste mundo.

Pegamos trinta navios e queimamos o resto. Três escaparam, passando pelos homens de Finan, que atiraram lanças encontradas no bojo do navio encalhado que formava um dos dois fortes na entrada do rio. A guarnição dinamarquesa do outro barco, o que estava encalhado em Caninga, soltou a grande corrente que bloqueava a entrada, de modo que os três barcos escaparam para o mar, mas o quarto não teve essa sorte. Quase havia passado por Finan quando uma lança bem atirada acertou o peito do timoneiro que tombou, o remo-leme virou com força na água e o navio bateu com a proa na margem. O navio seguinte se chocou contra ele e começou a fazer água entre as tábuas soltas enquanto a maré montante o empurrava de volta rio acima.

Demoramos o dia inteiro para caçar os sobreviventes no emaranhado de pântanos, juncos e enseadas de Caninga. Capturamos centenas de mulheres e crianças, e os homens pegaram as que quiseram como escravas. Foi assim que conheci Sigunn, uma menina que encontrei tremendo numa vala. Era loura, pálida e magra, com apenas 16 anos, viúva porque seu marido estava morto na fortaleza capturada, e se encolheu quando passei em meio aos juncos.

— Não — ficou repetindo. — Não, não, não. — Estendi a mão e, depois de um tempo, porque o destino não lhe deixara outra chance, ela segurou-a, e eu a entreguei aos cuidados de Sihtric.

— Cuide dela — falei em dinamarquês, uma língua que ele entendia bem — e garanta que ela não seja machucada.

Queimamos as fortalezas. Eu queria mantê-las, usá-las como uma fortificação avançada para proteger Lundene, mas Eduardo foi enfático dizendo que nossa luta em Beamfleot era simplesmente um ataque rápido ao território da Ânglia Oriental, e que manter as fortalezas seria violar o tratado que seu pai fizera com o rei de lá. Não importava que metade dos dinamarqueses da Ânglia Oriental estivesse fazendo ataques com Haesten, Eduardo estava decidido a fazer com que o tratado de seu pai fosse honrado, e assim derrubamos as grandes muralhas, empilhamos a madeira nos castelos e pusemos fogo, mas primeiro tiramos todo o tesouro e o colocamos em quatro navios capturados.

No dia seguinte os incêndios ainda ardiam. Passaram-se três dias antes que eu pudesse andar no meio das brasas para encontrar um crânio. Acho que era de Skade, mas não posso ter certeza. Cravei o cabo de uma lança dinamarquesa no chão e depois enfiei o crânio por cima da lâmina quebrada. O rosto de osso queimado ficou olhando cego para o riacho onde os esqueletos de quase duzentos navios ainda soltavam fumaça.

— É um aviso — disse ao padre Heahberht. — Se outro dinamarquês vier para cá, que vejam seu destino. — Dei um grande saco de prata ao padre Heahberht. — Se algum dia precisar de ajuda, me procure. — Perto do fosso, onde o fogo não havia chegado, mas onde tantos saxões ocidentais e mércios haviam morrido, a lama ainda estava coberta de abelhas mortas. — Diga ao Brun que você fez uma oração pelas abelhas dele.

Partimos na manhã seguinte. Eduardo cavalgou para o oeste, levando suas tropas, mas primeiro havia se despedido, e pensei que seu rosto assumira uma expressão mais séria, mais dura.

— Você vai ficar na Mércia? — perguntou.

— O seu pai quer isso, senhor.

— É, quer. Então vai ficar?

— O senhor sabe a resposta.

Ele me olhou em silêncio, depois houve um levíssimo sorriso.

— Acho que Wessex vai precisar da Mércia — disse lentamente.

— E a Mércia precisa de Æthelflæd — respondi.

— É — disse ele simplesmente.

O padre Coenwulf se demorou um momento a mais. Inclinou-se na sela e me ofereceu a mão. Não disse nada, apenas apertou minha mão e esporeou o cavalo indo atrás de seu senhor.

Naveguei para Lundene com os navios capturados. O mar atrás de mim era de um rosa prateado sob as meadas de fumaça que ainda subiam de Beamfleot. Minha tripulação, ajudada por uns vinte mércios desajeitados, remou o navio que levava a mulher de Haesten, seus dois filhos e mais quarenta reféns. Finan os vigiava, mas nenhum mostrou desafio.

Æthelflæd ficou comigo na plataforma do leme. Olhou para trás, onde a fumaça tremeluzia, e eu soube que ela estava se lembrando da última vez em que havia navegado para longe de Beamfleot. Na época também houvera fumaça, homens mortos e muita tristeza. Ela havia perdido seu amado e enxergava apenas a escuridão desolada à frente.

Agora me olhou e, como seu irmão havia feito, sorriu. Dessa vez estava feliz.

Os remos compridos afundaram, as margens do rio se aproximaram de nós, e no oeste a fumaça de Lundene velava o céu.

Enquanto eu levava Æthelflæd para casa.

Nota Histórica

Em meados do século XIX uma linha férrea foi feita da Fenchurch Street em Londres até Southend, e, quando escavavam o que agora é South Benfleet (Beamfleot), os operários descobriram os restos calcinados de navios, entre os quais havia esqueletos humanos espalhados. Os restos tinham mais de novecentos anos e eram o que restava do exército e da frota de Haesten.

Eu cresci ali perto, em Thundersley (Thunresleam), onde, no pátio da igreja de são Pedro, havia uma pedra de pé, com um buraco, que segundo o folclore local era a pedra do diabo. Se você andasse três vezes em volta dela, em sentido anti-horário, e sussurrasse no buraco, diziam que o diabo podia escutar e concederia seus desejos. Nunca deu certo para mim, mas não por falta de tentar. A pedra, claro, era muito anterior à chegada do cristianismo na Britânia e até mesmo da chegada dos saxões que trouxeram o culto a Tor e deram o nome à aldeia.

Logo a oeste de nossa casa ficava uma encosta íngreme que descia até a planície em direção a Londres. A escarpa chama-se Bread and Cheese Hill (Morro do Pão com Queijo) e me disseram que o nome vinha dos tempos saxões e significava *broad and sharp* (larga e afiada), sendo uma descrição das armas usadas no morro numa batalha antiga entre vikings e saxões. Talvez. Mas, estranhamente, eu não sabia como Benfleet era importante para a longa história da criação da Inglaterra.

Na última década do século IX, o Wessex de Alfredo estava de novo sob o ataque determinado dos dinamarqueses. Houve três ataques. Um líder desconhecido (que chamei de Harald) comandou uma frota até Kent, assim como Haesten. Enquanto isso os dinamarqueses nortumbrianos montariam um ataque com navios ao litoral sul de Wessex.

As duas forças dinamarquesas em Kent vinham atacando o que agora é a França e tinham aceitado subornos ricos para sair daquelas terras e atacar Wessex. Então Haesten recebeu mais subornos para sair de Wessex, e até deixou que sua mulher e seus dois filhos fossem batizados como cristãos. Enquanto isso, a força maior de dinamarqueses avançava para o oeste, a partir de Kent, e eventualmente foi derrotada em Farnham (Fearnhamme), que fica em Surrey. Essa batalha foi uma das maiores vitórias dos saxões sobre os dinamarqueses. Ela despedaçou o grande exército dinamarquês, obrigando os sobreviventes a levar seu líder ferido para o norte, buscando refúgio em Torneie, ilha Thorney, um lugar que agora desapareceu sob os novos bairros em volta do aeroporto de Heathrow. Os fugitivos foram sitiados ali, mas o cerco fracassou e os saxões usaram de novo a prata para se livrar deles. Muitos sobreviventes foram para Benfleet (que na época fazia parte do reino da Ânglia Oriental), onde Haesten construíra uma fortaleza.

Apesar de suas declarações de amizade, Haesten agora partiu para a ofensiva atacando a Mércia. Alfredo, que protegia a Mércia, foi distraído pelo ataque feito pelos dinamarqueses da Nortúmbria, mas mandou seu filho Eduardo atacar a base de Haesten em Benfleet. Esse ataque foi totalmente bem-sucedido e os saxões puderam queimar e capturar a vasta frota de Haesten, além de recapturar boa parte do que fora saqueado por Haesten e fazer incontáveis reféns, inclusive a família dele. Foi uma vitória magnífica, mas de modo algum terminou com a guerra.

Nesse período, a Mércia, o antigo reino que preenchia o coração da Inglaterra, estava sem rei, e Alfredo, tenho certeza, desejava mantê-la assim. Ele havia adotado o título de "Rei dos *Angelcynn*", que descrevia mais uma ambição do que uma realidade. Outros reis saxões tinham afirmado governar os "ingleses", mas nenhum jamais tivera sucesso em unir os reinos de fala inglesa, embora Alfredo sonhasse com isso. Ele não realizaria o sonho, mas estabeleceu as bases para que seu filho Eduardo, sua filha Æthelflæd e o filho de Eduardo, Æthelstan, tivessem sucesso.

O instrumento que salvou os saxões da derrota foi o *burh*, as cidades fortificadas que eram a reação dos governantes de toda a cristandade contra a ameaça dos vikings. Os soldados vikings, apesar de toda a sua reputação temível, não eram equipados para cercos, e ao fortificar cidades maiores em que as pessoas e os animais de criação podiam ser abrigados, os governantes cristãos atrapalhavam constantemente as ambições dos vikings. Os dinamarqueses podiam perambular por boa parte de Wessex e da Mércia, mas seus inimigos estavam seguros nos *burhs* defendidos pelo *fyrd*, um exército composto por cidadãos. Por fim, como aconteceu em Fearnhamme, o exército profissional enfrentava os dinamarqueses e, no fim do século IX, os saxões haviam aprendido a lutar tão bem quanto os nórdicos.

Geralmente os nórdicos são chamados de vikings e alguns historiadores sugerem que, longe de serem os temidos predadores dos mitos, eles eram um povo amante da paz que, na maior parte, vivia amigavelmente com seus vizinhos saxões. Isso ignora muitas evidências da época, e ainda mais os esqueletos que sem dúvida continuam enterrados sob a ferrovia em Benfleet. Alfredo organizou Wessex para a guerra e construiu defesas caríssimas, e não teria feito nada disso se os vikings fossem tão inclinados à paz quanto alguns revisionistas querem que acreditemos. Os primeiros vikings faziam ataques surpresa, procurando escravos e prata, mas logo queriam também terras, e assim se estabeleceram no norte e no leste da Inglaterra, onde colaboraram com os topônimos e com a língua inglesa. É verdade que esses colonos acabaram sendo assimilados pela população saxã, mas outros nórdicos ainda desejavam a terra ao sul e a oeste, e assim as guerras continuaram. Só quando Guilherme, o Conquistador, chegou à Inglaterra, a longa luta entre escandinavos e saxões terminou. Guilherme, claro, era um normando; a palavra significava "homem do norte", porque os governantes da Normandia eram vikings que haviam se estabelecido naquela península. A Conquista Normanda foi na verdade o último triunfo dos nórdicos, mas chegou tarde demais para destruir o sonho de Alfredo: a criação de um Estado unificado com o nome de Inglaterra.

Eu tenho sido (e serei) tremendamente injusto com Æthelred. Não existe a menor evidência sugerindo que o genro de Alfredo fosse tão mesquinho e ineficaz quanto o fiz, e recomendo, como corretivo, o soberbo livro *Mercia, and the Making of England*, de Ian W. Walker. Quanto à esposa de Æthelred, a filha de Alfredo, Æthelflæd, tem sido estranhamente esquecida na nossa história, mesmo numa época em que historiadoras feministas têm trabalhado para tirar mulheres das sombras da história patriarcal. Æthelflæd é uma heroína, uma mulher que comandaria exércitos contra os dinamarqueses e faria muito para alargar e empurrar para longe as fronteiras da Inglaterra.

Farnham e Benfleet foram dois golpes violentos contra as ambições dinamarquesas de destruir a Inglaterra saxã, no entanto a luta dos *angelcynn* está longe de terminar. Haesten continua causando devastação na parte sul das *midlands*, enquanto os dinamarqueses governam a Ânglia Oriental e a Nortúmbria, de modo que Uhtred, agora firmemente aliado a Æthelflæd, participará de novas campanhas.

Este livro foi composto na tipologia Stone Serif, em corpo 9,5/16, e impresso em papel off-white no Sistema Digital Instant Duplex da Divisão Gráfica da Distribuidora Record.